S0-AJE-948

DATE DUE ed

ANTOLOGÍA DE LA POESÍA
AMERICANA CONTEMPORÁNEA

ANTOLOGÍA DE LA POESÍA AMERICANA CONTEMPORÁNEA

Selección y compilación
de **DUDLEY FITTS**

A NEW DIRECTIONS BOOK
THE FALCON PRESS, LONDON

ANTHOLOGY
OF CONTEMPORARY
LATIN-AMERICAN POETRY

Edited
by **DUDLEY FITTS**

A NEW DIRECTIONS BOOK
NORFOLK, CONN.

COPYRIGHT 1942 AND 1947, NEW DIRECTIONS

PRINTED IN U. S. A.

861.6
F56

A LA MEMORIA DE

JOSÉ MARÍA EGUREN

1892-1942

Ingenio mors nulla nocet, vacat undique tutum:
inlæsum semper carmina nomen habent.

31901

IN LIMINE PRIMO

TUERCELE EL CUELLO
AL CISNE...

TUÉRCELE el cuello al cisne de engañoso plumaje
que da su nota blanca al azul de la fuente;
él pasea su gracia no más, pero no siente
el alma de las cosas ni la voz del paisaje.

Huye de toda forma y de todo lenguaje
que no vayan acordes con el ritmo latente
de la vida profunda... y adora intensamente
la vida, y que la vida comprenda tu homenaje.

Mira al sapiente buho cómo tiende las alas
desde el Olimpo, deja el regazo de Palas
y posa en aquel árbol el vuelo taciturno...

El no tiene la gracia del cisne, mas su inquieta
pupila, que se clava en la sombra, interpreta
el misterioso libro del silencio nocturno.

Enrique González Martínez

THEN TWIST THE NECK OF THIS DELUSIVE SWAN

THEN twist the neck of this delusive swan,
white stress upon the fountain's overflow,
that merely drifts in grace and cannot know
the reeds' green soul and the mute cry of stone.

Avoid all form, all speech, that does not go
shifting its beat in secret unison
with life . . . Love life to adoration!
Let life accept the homage you bestow.

See how the sapient owl, winging the gap
from high Olympus, even from Pallas' lap,
closes upon this tree its noiseless flight . . .

Here is no swan's grace. But an unquiet stare
interprets through the penetrable air
the inscrutable volume of the silent night.

John Peale Bishop

PRÓLOGO

Prólogo

ESTA antología se propone hacer un examen introductivo de la poesía americana desde la muerte de Rubén Darío en 1916. No se llegó arbitrariamente al *términus a quo*. La tradición rubendariana es todavía muy poderosa, pero ha surgido contra ella una fuerte reacción en gran parte de la poesía de primer orden escrita en América en estos últimos veinticinco años—reacción anticipada en el soneto de Enrique González Martínez que sirve de epígrafe a este volumen. La poesía nueva es más dura, más intelectualizada: su símbolo es el 'sapiente buho' en contraste al cisne donairoso pero vago y algo decadente que tanto amaban Darío y los simbolistas franceses que lo precedían. Esta poesía la han vigorizado los temas y los ritmos indígenas—sean indios, afroantillanos, o gauchescos— que la han transformado en algo muy criollo y enteramente de nuestros tiempos. Sin perder nada de los tonos profundos de su linaje europeo, nos habla con voz auténticamente suya. La poesía, tras larga ausencia, ha vuelto al pueblo.

Sería equivocación, sin embargo, suponer que cada poeta americano escriba a lo Nicolás Guillén, a lo Jacques Roumain, a lo Alejandro Peralta. La tradición anterior, como ya he dicho, es potente aún. En la escuela rubendariana—sensoria, decorativa, exquisita—se da clase todavía. En otras partes nuestro propio Walt Whitman, sin hacer mención de Edgar Poe, es un antecesor aun activo. Más recientemente, y sobre todo en México, ha dejado huellas la influencia de poetas como Valéry, Rilke, Eliot, MacLeish, y Crane. Y cuentan con adeptos, aunque cada vez más escasos, los credos de Dada, del vorticismo y del surrealismo. La escena americana es un campamento—y con razón dijérase campamento armado—de tendencias y movimientos. Y el antologista que se arriesgue por allí debe prepararse para todo.

El antologista. Ese infeliz que inicia su tarea con el triste presentimiento de que todo cuanto haga va a desagradar a muchos, y que nadie—mucho menos él—quedará satisfecho, una vez terminada su obra. Esto parece suceder especialmente en el dominio poético, cuya pura serenidad se halla agitada continuamente por alaridos de partidarios y manifiestos de grupos. Yo he procurado caminar sin prejuicios por entre estas fogatas, ensanchando la

Preface

THIS anthology is intended as an introductory survey of Latin American poetry since the death, in 1916, of Rubén Darío. The *terminus a quo* was not arrived at arbitrarily. Although the Darío tradition is still very powerful, much of the important poetry written to the south of us during the last quarter century has manifested a strong reaction against it—a reaction prefigured in the sonnet by Enrique González Martínez which serves as epigraph for this volume. The new verse is tougher, more intellectualized: its symbol is the 'sapient Owl', as opposed to the graceful but vague and somewhat decadent Swan so beloved by Darío and his precursors among the French symbolists. Native themes and native rhythms—whether Indian, Afro-Antillean or Gaucho—have energized it, transforming it into something that is peculiarly American and wholly of our own time. It has never lost the profound tones of its European ancestry, but it speaks to us with a voice that is authentically its own. Poetry, after long absence, has returned to the people.

Nevertheless, it would be a mistake to suppose that every poet in Latin America writes in the vein of a Nicolás Guillén, a Jacques Roumain, or an Alejandro Peralta. The earlier tradition, as I have said, is still potent. The school of Darío—sensuous, decorative, exquisite—is yet holding classes. Elsewhere our own Walt Whitman, to say nothing of Edgar Poe, is a living ancestor. More recently, and especially in Mexico, the influence of such poets as Valéry, Rilke, Eliot, MacLeish and Crane has left its mark. And the tenets of Dada, of Vorticism and of Surrealism claim, though in decreasing numbers, their adherents. The Latin American scene is a camp—one might reasonably call it an armed camp—of tendencies and movements. And the anthologist who picks his way through it must be prepared for almost anything.

The anthologist. He is that unhappy fellow who approaches his task with the gloomy foreknowledge that whatever he does will be displeasing to many, and that no one—himself least of all—will be happy about his book when it is done. This seems to be particularly true in the realm of poetry, whose pure serene is agitated endlessly by the cries of partisans and the slogans of coteries. I have tried to

selección tanto como me lo permitían el espacio de que disponía,
la dificultad de obtener libros extranjeros en tiempos de guerra,
y los inevitables azares de la traducción; y aunque no se puede
pretender que tengan todos estos poemas igual mérito, ni siquiera
que tengan todos un valor duradero, puedo decir con toda sinceridad que no he incluído ningún poema que no me haya gustado
por alguna que otra razón. Al fin de cuentas, la suprema disculpa
del antologista la da su propio gusto, sobre el cual no dejará de
haber disputa, pero del cual no hay posibilidad de escape.

Conviene sin embargo explicar la omisión de ciertos nombres y
la inclusión de otros. Han sido excluídos, con unas pocas excepciones, los poetas anteriores en tiempo o en estilo a mi *términus a
quo*. Esto ha resultado—y lo lamento—en la omisión de Darío
mismo; de Guillermo Valencia, ese paladín de las letras colombia-
nas; del finado Porfirio Barba Jacob, otro colombiano, cuya poesía
inquieta y vibrante es menos conocida de lo que merece; de los
grandes argentinos Enrique Banchs, Leopoldo Lugones y Arturo
Capdevila; de los mexicanos Ramón López Velarde y (con ex-
cepción de su soneto epigráfico) Enrique González Martínez; y
de los cubanos Regino Boti y Mariano Brull. En cambio, he incluído obras de unos cuantos poetas que parecen tal vez anteceder
a mi período, pero cuyo genio le pertenece tan integralmente que
eran imprescindibles: Duraciné Vaval, por ejemplo; y el poeta
satírico colombiano, Luis Carlos López; y José María Eguren,
primer simbolista peruano, fuente de inspiración para tanta poesía
subsecuente, y cuya muerte este año fué lamentada por toda la
América Latina.

A nadie le puede constar más penosamente que a mí que muchos
de los poetas representados aquí por sólo uno o dos poemas merecen
más espacio del que he podido darles. De nuevo debo declarar en
defensa mía que yo destino mi libro a servir de introducción. El
terreno es tan ricamente variado y tan inmenso que no había otra
solución posible. Mis largas exploraciones han sido para mí una
fuente de delicias y de constante revelación; y mi mayor esperanza
es la de poder trasmitir algo de esas tan incitantes revelaciones,
a fin de que induzca a una investigación más amplia y una interpretación más completa de los poetas que no hubiera tratado con
debida consideración. Si esta antología logra tal efecto, habré al-
canzado sobradamente mi propósito.

move among these campfires with an open mind, making my selection as broad as the space at my disposal, the difficulty of obtaining books from abroad in war-time, and the inevitable hazards of translation would permit; and while it can not be pretended that all of these poems are of equal merit, or even that all of them are of lasting value, I can honestly say that I have included no poem which did not, for one reason or another, please me. When all is said, the anthologist's last plea is his own taste, about which there may indeed be much dispute, but from which there is certainly no escape.

It is nevertheless desirable to explain the omission of certain names and the inclusion of others. Poets anterior either in time or in manner to my *terminus a quo* have, with a few exceptions, been excluded. This has meant—to my sincere regret—the omission of Darío himself; of Guillermo Valencia, that paladin of Colombian letters; of the late Porfirio Barba Jacob, another Colombian, whose restless, vibrant poetry should be better known than it is; of the great Argentinians Enrique Banchs, Leopoldo Lugones and Arturo Capdevila; of the Mexicans Ramón López Velarde and (except for the epigraphical sonnet) Enrique González Martínez; and of Regino Boti and Mariano Brull, of Cuba. On the other hand, I have included work by a few poets who would seem to belong before my period, but whose genius is so definitely a part of it that they could not be omitted: Duraciné Vaval, for instance; and the Colombian satirist Luis Carlos López; and José María Eguren, the first Peruvian symbolist, from whom so much later poetry has caught its inspiration, and whose death this year was lamented throughout Latin America.

No one is more uncomfortably conscious than am I of the fact that many of the poets represented here by only one or two poems deserve more space than I was able to give them. Again I must plead in defense that my book is intended as an introduction. The field is so richly variegated and so immense that no other solution was possible. My long exploration of it has been a source of delight and a constant revelation to me; and my chief hope is to communicate some of the excitement of that revelation, to the end that it may lead to a wider investigation and fuller interpretation of those poets whom I have so cavalierly neglected. If the anthology does this, it will abundantly have served its purpose.

II

La Poesía es notoriamente más difícil de traducir que la prosa. Idealmente, una traducción debiera reproducir todas las cualidades de sonido, sentido y sugestión del poema original. Sin embargo, rara vez resulta posible en la práctica. Además de los problemas que presentan la dicción intensificada y la presentación comprimida, hay un sinnúmero de asuntos técnicos—metro, cadencia, rima, etcétera—que hay que tomar en cuenta. Para resolver esta dificultad, se puede escribir un nuevo poema en inglés que conserve todo lo posible del original, pero cuyo propósito máximo sea crear en conjunto un efecto que le sea comparable. Para conseguirlo, es probable que el traductor emplee una libre paráfrasis, transposiciones y alteraciones por razones de rima o de ritmo, y varias clases de expansión o de compresión. Es muy posible que el resultado sea un poema que valga por sí mismo, pero será una creación nueva más bien que una traducción estricta. No me opongo a este método; al contrario, lo he empleado extensamente en mis traducciones del griego y del latín; pero decidí evitarlo en este libro, por juzgar que la inserción de los textos originales frente a las versiones inglesas exigía un método más literal.

Reconozco que esta finalidad es más prosaica que la de la nueva creación, pero debiera resultar más útil para los lectores que quisieran comparar los dos textos. No se trata de hacer una traducción interlineal; espero que hayamos evitado versiones del conocidísimo tipo *César-habiéndose-levantado-y-afeitado-en-citerior-Galia-días-quince-su-marcha-hizo;* pero hemos procurado seguir con toda la exactitud posible el original, renglón por renglón y a veces palabra por palabra. Con muy pocas excepciones esto ha requerido el sacrificio de efectos de sonido y metro para lograr mayor fidelidad literal. Nuestras versiones no son poéticas sino por accidente. En realidad he estropeado algunos de los mejores efectos de mis colegas insistiendo sin piedad en una traducción *ad lítteram expressa.* Sin embargo, debiera ser posible para los lectores con conocimientos aun muy escasos de los idiomas originales trasladar a las traducciones algo del color y tono de los versos españoles, portugueses o franceses.

Hay que confesar que este método literal ha influído hasta cierto punto en la selección de los poemas. Ha sido necesario abandonar

Poetry is notoriously more difficult to translate than prose. Ideally, a translation should reproduce all the qualities of sound, sense and suggestion of the original poem. Practically, however, this is seldom possible. Aside from the problems presented by heightened diction and compressed statement there are numberless technical matters—metre, cadence, rhyme, and so on—to be taken into account. One way of solving the difficulty is to compose a new poem in English, a poem which preserves as much of the original as possible, but whose principal aim is to make a general effect that will be comparable to it. In order to achieve this the translator will probably employ free paraphrase, transpositions and alterations for the sake of rhyme or rhythm, and various kinds of expansion and compression. The result may very well be a poem in its own right, but it will be a re-creation rather than a strict translation. I have nothing against this method: indeed, I have used it extensively in my translations from the Greek and Latin; but I decided against it for the purposes of this book, believing that the printing of the original texts opposite the English versions made a more literal method desirable.

This goal is admittedly more pedestrian than that of re-creation, but it seems serviceable to the reader who may want to compare the two texts. It is not a question of making a 'trot': I hope that we have avoided renderings of the all too familiar *Caesar-having-arisen-and-shaved-into-Hither-Gaul-for-two-weeks-his-march-made* variety; but we have tried to stay as close to the original as possible, line for line and sometimes word for word. With a very few exceptions this has meant the sacrifice of sonal and metrical effects in the interests of a greater literal fidelity. Our versions are not poetry, except accidentally. Indeed, I have ruined some of my colleagues' best effects by heartlessly insisting upon an *ad litteram expressa* rendering. Nevertheless, it should be possible for readers even distantly acquainted with the original languages to bring something of the colour and tone of the Spanish, Portuguese or French verses over to the translations.

It must be confessed that this literal method has to some extent influenced the choice of poems. It has been necessary to abandon many admirable pieces whose excellence lay chiefly in those techni-

muchas obras admirables cuyas excelencias consistían principalmente en esas virtudes técnicas que hemos tenido que desatender. Lo puramente lírico, por ejemplo, sufre mucho con este tratamiento literal. También el soneto y la mayoría de las formas fijas. El verso libre se traslada con más éxito; pero aquí también se multiplican los problemas con la desintegración del ritmo y de la coherencia verbal. Por ejemplo, hubiera querido incluir una sección de *Altazor,* por Vicente Huidobro, poema de enorme importancia por muchas razones; pero a pesar de cuantos esfuerzos hicimos, no resultó inteligible en inglés. Por varias dificultades de traducción tuvimos que omitir a muchos poetas notables: me vienen a la memoria Sara de Ibáñez, y Emilio Ballagas, y Andrés Eloy Blanco. Pero era cuestión de decidirse o por la consistencia o la inconsistencia, y preferí adherirme a los principios establecidos, aun a costa de perder mucho que era admirable.

III

PARA mis textos he recurrido a cuatro fuentes principales: ediciones definitivas de las obras del poeta, antologías como los admirables *Indices* publicados por la casa chilena Ercilla, revistas, y manuscritos inéditos. He podido consultar la mayoría de los originales directamente—es decir, en las ediciones definitivas. Sólo cuando me ha resultado imposible he recurrido a las antologías; y en estos casos el cotejo de un poema como aparece en varias colecciones ha servido para establecer un texto bastante auténtico. Las revistas son menos satisfactorias. No dispuse de otro medio para consultar mucha poesía excelente, y las excentricidades de los cajistas provinciales son a veces dificilísimas de interpretar. En casos cuando no pude comunicarme con los autores, no hubo más remedio que adivinar; y doy mis excusas a los poetas si no he acertado siempre. Pero son los manuscritos los que han presentado los mayores problemas. Para no mencionar accidentes—un manuscrito importante e irreemplazable llegó con señas de haberse dado un baño en el océano camino a Nueva York, con resultados textuales que le hubieran encantado a un Béntley—los manuscritos son poco dignos de confianza por diversas razones. Algunos de ellos, copias de segunda o tercera mano, eran evidentemente imperfectos; y no siempre ha sido posible darles autenticidad ni consultando a los autores ni indagando los orígenes del texto. Ciertos poemas inéditos del finado Carlos Oquendo de Amat, por no citar más

cal virtues which we have had to neglect. The pure lyric, for example, suffers badly from this literal treatment. So does the sonnet; so do most of the fixed forms. Free verse comes through more satisfactorily; but here again, the problems multiply as rhythm and verbal coherence disintegrate. For instance, I should like to have included a section of Vicente Huidobro's *Altazor,* a poem of enormous importance in many ways; but no amount of labour sufficed to make the English intelligible. Translation difficulties of various kinds are to blame for the omission of many notable poets: Sara de Ibáñez comes to my mind, and Emilio Ballagas, and Andrés Eloy Blanco. But it was a matter of choosing between consistency and inconsistency, and I thought it best to adhere to the established principles, even at the expense of much that was admirable.

III

For my texts I have had recourse to four main sources: definitive editions of the poets' works, anthologies such as the admirable *Indices* published by the Chilean house of Ercilla, periodicals, and unpublished manuscripts. I have been able to consult most of the originals at first hand—that is to say, in the definitive editions. Only when this has proved impossible have I turned to the anthologies; and in these instances the collation of a poem as it appears in several collections has generally established a reasonably authentic text. The periodicals are less satisfactory. A great deal of fine poetry has been available to me in no other form, and the eccentricities of provincial compositors are sometimes exceedingly hard to resolve. Here, when I could not get in touch with the authors, I have frankly guessed; and I apologize to the poets if my conjectures have been wrong. But it is the manuscripts which have offered the gravest difficulties. To say nothing of Acts of God—one important and irreplaceable typescript apparently fell into the ocean somewhere en route to New York, with textual results which would have enchanted a Bentley—they are unreliable for a variety of reasons. Some of them, rescripts at second or third hand, were obviously faulty; and it has not always been possible to authenticate them either by consulting the authors or by tracing the texts to their sources. Certain unpublished poems by the late Carlos Oquendo de Amat, to cite only one example, circulate entirely in manuscript;

que un ejemplo, circulan enteramente en manuscrito; y como hay tantas variaciones en detalle como admiradores y por eso promulgadores de sus versos, es casi imposible decidir exactamente lo que escribió Oquendo. En tales casos he tenido que ser arbitrario, escogiendo la variante que parecía más probable, con la esperanza de acertar.

Tratándose de lo impreso, he seguido la ortografía, la acentuación y la puntuación de los originales. Hay gran variedad de convenciones en distintos países, y hay a veces contradicciones en la obra de un mismo poeta; pero a menos de establecer claramente que una variante fuera error de imprenta, he preferido seguirla aun a riesgo de contrariar la intención del autor. Han sido corregidos los errores palpablemente manifiestos.

IV

Mis deudas de gratitud son extensísimas. Como cuantos han indagado este asunto, he encontrado estímulo e incentivo en las obras críticas e históricas de los doctores Federico de Onís, Arturo Torres-Rioseco, Estuardo Núñez, y Luis Alberto Sánchez. También he sido afortunado en la cortesía que me han dispensado la Biblioteca del Congreso, las de las Universidades de Harvard y de Columbia, y la de la Unión Panamericana.

Le debo gratitud especial al Sr. Dudley Poore, que seleccionó y tradujo los poemas brasileños; y al Sr. H. R. Hays, no sólo por haber escrito las Notas, sino también por haberme proporcionado generosamente textos y traducciones. Sólo quien haya tratado de sostener una correspondencia literaria internacional en tiempos de guerra puede darse cuenta de lo mucho que debe este libro al Sr. Diómedes de Pereyra, cuyo celo incansable me ha proveído material de toda la América Latina, igual que de bibliotecas y fuentes particulares en Wáshington y en Nueva York, y cuyos consejos fraternos me han ayudado más de lo que puedo decir. Le debo mucho asimismo a la Sra. Muna Lee de Muñoz Marín por su bondad en facilitarme muchas obras que de otra manera no hubiera podido consultar, por su simpatía y su agudeza crítica excepcionales, y por su notable generosidad en haber hecho traducciones. El Sr. Angel Flores, de la Unión Panamericana, ha contribuído con numerosas sugestiones durante toda la preparación del libro, y ha respondido con inagotable cortesía a mis frecuentes súplicas

and since there are as many variations of detail as there are ad-
mirers and hence promulgators of his verses, it is next to impossible
to decide exactly what Oquendo wrote. In such cases I have had
to be arbitrary, selecting the reading which seemed most likely,
and hoping for the best.

In dealing with printed sources I have followed the spelling,
accentuation and punctuation of the originals. Conventions vary
considerably from country to country, and even individual poets
are not always consistent; but unless a variation could be established clearly as a printer's error, I have preferred to follow it even
at the risk of violating the author's intention. Obvious misprints
have been corrected.

I V

My indebtedness is almost beyond measure. Like everyone who
has investigated this subject, I have found stimulation and encour-
agement in the critical and historical works of Prof. Federico de
Onís, Prof. Arturo Torres-Rioseco, Dr. Estuardo Núñez, and Dr.
Luis Alberto Sánchez. I have been fortunate also in the courtesies
extended me by the libraries of Congress, of Harvard College, of
Columbia University, and of the Pan American Union.

I owe particular thanks to Mr. Dudley Poore, who made and
translated the selection of Brazilian poems; and to Mr. H. R. Hays,
not only for writing the Notes, but also for providing me gener-
ously with texts and translations. Only one who has tried to carry
on an international literary correspondence in time of war can ap-
preciate how much of this book belongs to Mr. Diómedes de
Pereyra, whose tireless zeal kept me supplied with material from
all over Latin America as well as from libraries and private sources
in Washington and New York, and whose friendly advice has
meant more to me than I can say. I am similarly indebted to Mrs.
Muna Lee de Muñoz Marín for her kindness in making available
to me many works which otherwise I should have been unable to
consult, for her rare sympathy and critical acumen, and for her
signal generosity in making translations. Mr. Angel Flores, of the
Pan American Union, has contributed numberless suggestions
throughout the making of the book, and has responded with un-
failing courtesy to my many appeals for help. I have had the bene-

de ayuda. He sido agraciado con la prudente crítica que ha hecho de todo el texto inglés el Sr. John Peale Bishop, y de su ayuda en la revisión de muchas de las traducciones más difíciles. Y le agradezco al Sr. Langston Hughes su generosidad en compartir conmigo su fino interés creador en la poesía de la cual ha sido por mucho tiempo intérprete supremo; al Dr. José Juan Arrom, de la Universidad de Yale, y al Dr. Guillermo Rivera, de la Universidad de Harvard, sus generosos y eruditos consejos en la clarificación de varios pasajes trabajosos; a la Dra. Edith F. Helman, de Simmons College, al Sr. E. B. Tewksbury, de la Biblioteca Pública de Boston, y a la Sra. Concha Romero James y al Sr. Francisco Aguilera, de la Unión Panamericana, sus servicios entusiásticos y eficaces; al Sr. Ralph Osborne, su ayuda en establecer los puntos dudosos de los textos haitianos; a los doctores Raul d'Eça y Bettencourt Machado, y a M. Rulx Léon, sus consejos expertos en las secciones brasileña y haitiana, respectivamente; al Sr. Enrique González Martínez, su bondad en permitirme el uso de su soneto: *Tuércele el cuello al cisne,* como epígrafe del libro; a mis colegas el Dr. Carl Friedrich Pfatteicher, el Dr. James H. Grew, y el Sr. Joseph Staples, y al Teniente M. B. Davis, U. S. N. R., sus innumerables favores. También doy gracias por su inestimable cooperación al Sr. Jorge Carrera Andrade, Cónsul General del Ecuador en San Francisco; al Sr. Bernardo Ortiz de Montellano, mi mentor literario en lo mexicano desde hace ya más de diez años; y a los poetas peruanos Rafael Méndez Dorich y Emilio Adolfo von Westphalen.

Para mi amigo y antiguo colega el Sr. Donald Walsh mi deuda es inexpresable. No sólo ha hecho gran parte de las traducciones: me ha ayudado pacientemente en la revisión final del libro entero y ha leído y corregido las pruebas conmigo. Durante toda la empresa, ha comprobado cuidadosamente los puntos dudosos, cotejando textos y adquiriendo datos bibliográficos. Cualquier mérito que cobre esta antología se deberá en gran parte a su erudición e inteligencia.

Por último, mi más profunda gratitud a Cornelia, mi esposa— mejor crítico, guía más infalible, y oyente más tolerante.

DUDLEY FITTS

PHILLIPS ACADEMY
ANDOVER, MASSACHUSETTS
JULIO DE 1942

fit of Mr. John Peale Bishop's careful criticism of the entire English text, and his assistance in the revision of several of the more difficult translations. And I am obligated to Mr. Langston Hughes for his unselfishness in sharing with me his fine creative interest in the poetry of which he has long been an outstanding interpreter; to Dr. José Juan Arrom, of Yale University, and to Prof. Guillermo Rivera, of Harvard University, for their generous and scholarly advice in the clarification of various knotty passages; to Dr. Edith F. Helman, of Simmons College, to Mr. E. B. Tewksbury, of the Boston Public Library, and to Mrs. Concha Romero James and Mr. Francisco Aguilera, of the Pan American Union, for their enthusiastic and effective services; to Mr. Ralph Osborne, for help in the establishment of uncertain points in the Haitian texts; to Dr. Raul d'Eça and Sr. Bettencourt Machado, and to M. Rulx Léon, for their expert advice in the Brazilian and Haitian sections respectively; to Sr. Enrique González Martínez, for graciously permitting me to use his sonnet on the Swan as epigraph for the book; to my colleagues Dr. Carl Friedrich Pfatteicher, Dr. James H. Grew and Mr. Joseph Staples, and to Lieut. M. B. Davis, U. S. N. R., for innumerable kindnesses. I am grateful also for the invaluable cooperation of Sr. Jorge Carrera Andrade, Consul General of Ecuador in San Francisco; of Sr. Bernardo Ortiz de Montellano, my Mexican literary mentor of more than ten years' standing; and of Sr. Rafael Méndez Dorich and Sr. Emilio Adolfo von Westphalen, both of Peru.

To my friend and former colleague Mr. Donald Walsh I am indebted for more than I can say. Not only did he make the greater number of the translations: he patiently helped me in the final revision of the entire book and read all the proof with me. Throughout the undertaking he was carefully checking doubtful points, collating texts, and acquiring bibliographical data. It is to his scholarly intelligence that this anthology owes much of whatever merit it may possess.

My final and profoundest gratitude goes to Cornelia Fitts, my wife—best critic, surest guide, and most tolerant audience.

DUDLEY FITTS

PHILLIPS ACADEMY
ANDOVER, MASSACHUSETTS
JULY 1942

ANTOLOGÍA DE LA POESÍA
AMERICANA CONTEMPORÁNEA

PRIMAVERA & COMPAÑÍA

EL almendro se compra un vestido
para hacer la primera comunión. Los gorriones
anuncian en las puertas su verde mercancía.
La primavera ya ha vendido
todas sus ropas blancas, sus caretas de enero,
y sólo se ocupa de llevar hoy día
soplos de propaganda por todos los rincones.

Juncos de vidrio. Frascos de perfume volcados.
Alfombras para que anden los niños de la escuela.
Canastillos. Bastones
de los cerezos. Guantes muy holgados
del pato del estanque. Garza: sombrilla que vuela!

Máquina de escribir de la brisa en las hojas,
oloroso inventario.
Acudid al escaparate de la noche:
cruz de diamantes, linternitas rojas
y de piedras preciosas un rosario.

Marzo ha prendido luces en la hierba
y el viejo abeto inútil se ha puesto anteojos verdes.
Hará la primavera, después de algunos meses,
un pedido de tarros de frutas en conserva,
uvas—glándulas de cristal dulce—
y hojas doradas para empacar la tristeza.

SIERRA

AHORCADAS en la viga del techo
con sus alas de canario las mazorcas.

Conejillos de Indias
engañan al silencio analfabeto
con chillidos de pájaro y arrullos de paloma.

JORGE CARRERA ANDRADE

SPRING & CO.

THE almond tree has bought herself a dress
to make her first communion, and sparrows
in doorways are advertising their green wares.
Now Spring has sold
all her white clothes, her January masks,
and busies herself today only with carrying
puffs of propaganda into every quarter.

Reeds of glass. Flasks of spilt perfume.
Flowered carpets laid for schoolchildren.
Small baskets. Forked poles
of the cherry trees. Over-size gloves
of the duck from the pond. Heron: flying parasol!

Typewriter of breeze in the leaves,
sweet-scented inventory.
Come, see the show-window of the night:
cross of diamonds, little red lanterns,
and a rosary of precious stones.

March has lighted its fires in the grass
and the useless old fir tree has put on green goggles.
Spring, within a few months, will make out
an order for jars of fruit conserve,
grapes—little bulbs of sweet crystal—,
and dry golden leaves in which to pack up distress.

R. O'C.

SIERRA

CORN hangs from the rafters
by its canary wings.

Little guinea-pigs
bewilder the illiterate silence
with sparrow twitter and dove coo.

3

Hay en la choza una muda carrera
cuando el viento empuja la puerta.

La montaña brava
ha abierto su oscuro paraguas de nubes
con varillas de rayos.

El Francisco, el Martín, el Juan:
trabajando en la hacienda del cerro
les habrá cogido el temporal.

Un aguacero de pájaros
cae chillando en los sembrados.

DOMINGO

IGLESIA frutera
sentada en una esquina de la vida:
naranjas de cristal de las ventanas.
Organo de cañas de azúcar.

Angeles: polluelos
de la Madre María.

La campanilla de ojos azules
sale con los pies descalzos
a corretear por el campo.

Reloj de Sol;
burro angelical con su sexo inocente;
viento buen mozo del domingo
que trae noticias del cerro;
indias con su carga de legumbres
abrazada a la frente.

4

JORGE CARRERA ANDRADE

There is a mute race through the hut
when the wind pushes against the door.

The angry mountain
raises its dark umbrella of cloud
lightning-ribbed.

Francisco, Martín, Juan
working in the farm on the hill
must have been caught by the storm.

A downpour of birds
falls chirping on the sown fields.

M. L.

SUNDAY

FRUIT-VENDER church,
seated at a corner of life:
crystal oranges of windows.
Organ of sugarcane stalks.

Angels: chicks
of Mother Mary.

The little blue-eyed bell
runs out barefoot
to scamper over the countryside.

Clock of the Sun;
angelical donkey with its innocent sex;
handsome Sunday wind
bringing news from the hill;
Indian women with their vegetable loads
bound to their foreheads.

El cielo pone los ojos en blanco
cuando sale corriendo de la iglesia
la campanilla de los pies descalzos.

LA VIDA PERFECTA

CONEJO: hermano tímido, mi maestro y filósofo!
Tu vida me ha enseñado la lección del silencio.
Como en la soledad hallas tu mina de oro
no te importa la eterna marcha del universo.

Pequeño buscador de la sabiduría,
hojeas como un libro la col humilde y buena,
y observas las maniobras que hacen las golondrinas,
como San Simeón, desde tu oscura cueva.

Pídele a tu buen Dios una huerta en el cielo,
una huerta con coles de cristal en la gloria,
un salto de agua dulce para tu hocico tierno
y sobre tu cabeza un vuelo de palomas.

Tú vives en olor de santidad perfecta.
Te tocará el cordón del padre San Francisco
el día de tu muerte. ¡Con tus largas orejas
jugarán en el cielo las almas de los niños!

CORTE DE CEBADA

EN un cuerno vacío de toro
sopló el Juan el mensaje de la cebada lista.

En sus casas de barro
las siete familias
echaron un zumo de sol
en las morenas vasijas.

The sky rolls up its eyes
when the little barefoot bell
comes scampering out of the church.

M. L.

THE PERFECT LIFE

Rabbit: timid brother! My teacher and philosopher!
Your life has taught me the lesson of silence.
For since in solitude you find your mine of gold,
the world's eternal onward march means nothing to you.

Tiny seeker after wisdom,
you leaf, as through a book, the good and humble cabbage;
and like Saint Simeon, from your dark hole
you watch the evolutions of the swallows.

Ask your good God for a garden in Heaven,
a garden with crystal cabbages in glory,
a spring of fresh water for your tender nose,
and a flight of doves above your head.

You live in the odour of perfect sanctity.
The cincture of Father Saint Francis will touch you
on the day of your death. And in Heaven
the souls of children will play with your long ears!

D. F.

REAPING THE BARLEY

On a bull's hollow horn
Juan blew the message that the barley was ready.

In their clay huts
the seven families
poured the sun-juice
into brown jars.

JORGE CARRERA ANDRADE

La loma estaba sentada en el campo
con su poncho a cuadros.

El colorado, el verde, el amarillo
empezaron a subir por el camino.

Entre un motín de colores
se abatían sonando las cebadas de luz
diezmadas por las hoces.

La Tomasa pesaba la madurez del cielo
en la balanza de sus brazos tornasoles.

Le moldeaba sin prisa la cintura
el giro lento del campo.

Hombres y mujeres de las siete familias,
sentados en lo tierno del oro meridiano,
bebieron un zumo de sol
en las vasijas de barro.

HA LLOVIDO POR LA NOCHE

Ha llovido por la noche:
las peras están en tierra
y las coles se han quedado
postradas como abadesas.

Todas estas cosas dice
sobre la ventana el pájaro.
El pájaro es el periódico
de la mañana en el campo.

¡Afuera preocupaciones!
Dejemos la cama tibia.
Esta lluvia le ha lavado
como a una col, a la vida.

The hill squatted in the field
wrapped in a plaid poncho.

Red, green, yellow dresses
began to climb the road.

Amid a riot of colours
the glowing barley sheaves went down with a swish,
decimated by the sickles.

Tomasa weighed the ripeness of the sky
in the scales of her sunflower arms.

The slow swing of the field
molded the shape of her waist.

Men and women of the seven families,
seated in the tender noon-day gold,
drank sun-juice
from the clay jars.

M. L.

IT RAINED IN THE NIGHT

IT rained in the night—
there are pears on the ground.
Prostrate as abbesses
the cabbages lie round.

From the bird at the window
there's all this to be heard.
Out here in the country
our newspaper's the bird.

Goodbye to worries!
Let's leave the lazy bed.
Rain has washed life as clean
as a cabbage-head.

M. L.

JORGE CARRERA ANDRADE

EL HUÉSPED

En la gran puerta negra de la noche
dan doce aldabonazos.

Los hombres se incorporan:
con su escama de hielo les roza el sobresalto.

¿Quién será? Por las casas
anda el miedo descalzo.

Los hombres ven su lámpara
apagarse al clamor de los aldabonazos:

llama el huésped desconocido,
y una llamita azul les corre entre los párpados.

VOCACIÓN DEL ESPEJO

Cuando olvidan las cosas su forma y su color
y, acosados de noche, los muros se repliegan
y todo se arrodilla, o cede o se confunde,
sólo tú estás de pié, luminosa presencia.

Impones a las sombras tu clara voluntad.
En lo oscuro destella tu mineral silencio.
Como palomas súbitas
a las cosas envías tus mensajes secretos.

Cada silla se alarga en la noche y espera
un invitado irreal ante un plato de sombra,
y sólo tú, testigo transparente,
una lección de luz repites de memoria.

JORGE CARRERA ANDRADE

THE GUEST

AGAINST the huge black door of the night
twelve knocks resound.

Men sit up in their beds:
fear glides over them with icy scales.

Who can it be? Through the houses
fear slips unsandalled.

Men see the flame of their lamps
blown out by the clamorous knocking:

the unknown guest is calling,
and a thin blue flame runs along their eyelids.

M. L.

VOCATION OF THE MIRROR

WHEN things forget their form and their colour,
and, beset by night, the walls fold up,
and everything kneels or withdraws or is confused,
you alone stay erect, luminous presence.

Your clear resolution dominates the shadows,
in the darkness shimmers your mineral silence;
like sudden doves
you send your secret messages to things.

Every chair is elongated in the night and awaits
an unreal guest before a plate of shadow,
and only you, transparent witness,
repeat by rote a lesson of light.

M. L.

MAL HUMOR

Chimeneas de sombreros alados,
torcidas chimeneas, paréntesis de campo
en la ciudad, gargantas
por donde sube triste la canción de las cosas:
—la canción familiar de la marmita,
del grillo y el fogón en la oscura cocina,
la canción de la silla de ruedas
y hasta el rumor monjil que hacen las puertas.

¡Chimeneas hostiles como armas
del odio de la urbe contra el azul que canta!
¡Humo sobre los techos: silenciosos disparos
contra el vuelo celeste de los pájaros!

¡Bah! Subid hasta el cielo, apuntad los gorriones,
dejad la tierra oscura de los hombres ...
Mi alma también es una chimenea
en que arde la canción de las vidas pequeñas,
chimenea de hollín
que escupe, día a día, un humo triste y denso
sobre el blanco papel del tomo inédito.

LA CAMPANADA DE LA UNA

Desde la oscura torre que es un mástil de barco
la campanada de la una
baja en la noche como el cuerpo de un ahogado.

En la negra pizarra escribe su palote
la campanada de la una.
Casas de ojos vidriosos bucean en la noche.

El rabo entre las piernas, los vagabundos perros
a la campanada de la una
le ladran como a un muerto.

12

ILL HUMOUR

CHIMNEYS with widebrimmed hats,
twisted chimneys, parentheses of country
in the city, throats
through which the song of things mounts sadly:
—the homely song of the kettle,
of the cricket and the hearth in the dark kitchen,
the song of the castered chair,
and even the monkish sound that doors make.

Hostile chimneys like weapons
of urban hatred against the singing blue!
Smoke above the roofs: silent gunfire
against the birds' celestial flight!

Bah! Mount up to the sky, aim at the sparrows,
leave the dark earth of men . . .
My soul too is a chimney
where burns the song of little lives,
a sooty chimney
that spits forth, day after day, a sad dense smoke
upon the white pages of the unpublished volume.

D. D. W.

STROKE OF ONE

FROM the dark tower which is a ship's mast
the stroke of One
slips down through the night like the body of one drowned.

On the blackboard the stroke of One
inscribes its scrawl.
Glassy-eyed houses dive into the night.

Tails between their legs, the prowling dogs
howl at the stroke of One
as at a dead man.

M. L.

KLARE VON REUTER

Con la fruta en conserva de tu voz
sube hasta el quinto piso
el cubo de cristal del ascensor.

El tren subterráneo
lleva la luz naranja de tu piel
por los túneles anchos.

El ómnibus
derrama en la avenida sus pestañas de trigo
bajo la hoz esmeralda de tus ojos.

Cuaderno de vidrio, la puerta giratoria
muestra el ex-libris de tu cuerpo
en la última hoja.

SEGUNDA VIDA DE MI MADRE

Oigo en torno de mí tu conocido paso,
tu andar de nube o lento río,
tu presencia imponiendo, tu humilde majestad
visitándome, súbdito de tu eterno dominio.

Sobre un pálido tiempo inolvidable,
sobre verdes familias, de bruces en la tierra,
sobre trajes vacíos y baúles de llanto,
sobre un país de lluvia, calladamente reinas.

Caminas en insectos y en hongos, y tus leyes
por mi mano se cumplen cada día
y tu voz, por mi boca, furtiva se resbala
ablandando mi voz de metal y ceniza.

KLARE VON REUTER

WITH the preserved fruit of your voice
the elevator's crystal cage
mounts to the fifth floor.

The subway train
bears the orange light of your skin
through wide tunnels.

The omnibus
scatters along the avenue its wheaten lashes
before the emerald sickle of your eyes.

A glass pamphlet, the revolving door
reveals your body's Ex-Libris
on the last page.

M. L.

SECOND LIFE OF MY MOTHER

I HEAR your familiar footsteps all about me,
your pace like a cloud's or a slow river's,
your presence making itself felt: your humble majesty
visiting me, subject of your eternal dominion.

Over a pale unforgettable time,
over green families prostrate on the ground,
over empty dresses and trunkfuls of weeping,
over a land of rain, you rule silently.

You walk in insects and in toadstools, your laws
are executed by my hand every day,
and your voice slips furtively through my mouth
softening the metal and ash of my voice.

15

Brújula de mi larga travesía terrestre.
Origen de mi sangre, fuente de mi destino.
Cuando el polvo sin faz te escondió en su guarida,
me desperté asombrado de encontrarme aún vivo.

Y quise echar abajo las invisibles puertas
y dí vueltas en vano, prisionero.
Con cuerda de sollozos me ahorqué sin ventura
y atravesé, llamándote, los pantanos del sueño.

Mas te encuentras viviendo en torno mío.
Te siento mansamente respirando
en esas dulces cosas que me miran
en un orden celeste dispuestas por tu mano.

Ocupas en su anchura el sol de la mañana
y con tu acostumbrada solicitud me arropas
en su manta sin peso, de alta lumbre,
aún fría de gallos y de sombras.

Mides el silbo líquido de insectos y de pájaros
la dulzura entregándome del mundo
y tus tiernas señales van guiándome,
mi soledad llenando con tu lenguaje oculto.

Te encuentras en mis actos, habitas mis silencios.
Por encima de mi hombro tu mandato me dictas
cuando la noche sorbe los colores
y llena el hueco espacio tu presencia infinita.

Oigo dentro de mí tus palabras proféticas
y la vigilia entera me acompañas
sucesos avisándome, claves incomprensibles,
nacimientos de estrellas, edades de las plantas.

Moradora del cielo, vive, vive sin años.
Mi sangre original, mi luz primera.
Que tu vida inmortal alentando en las cosas
en vasto coro simple me rodee y sostenga.

Compass of my long earthly voyage.
Origin of my blood, source of my destiny.
When the featureless dust hid you in its lair
I woke astonished to find myself still alive.

And I tried to tear down the invisible doors,
and vainly, a prisoner, I prowled about them.
I hanged myself haplessly with a rope of sobs,
and calling on you, traversed the marshes of dream.

But you are here, living, all about me.
I am aware of you breathing gently
through those sweet things that gaze upon me
in heavenly order, ranged by your hand.

You inhabit the breadth of the morning sunlight
and with your accustomed care enfold me
in its weightless mantle of lofty light
still chilly with cocks and shadows.

You measure the liquid chirrup of insects and birds
making me a gift of the sweetness of earth,
and your tender signals keep guiding me,
my solitude filled with your hidden speech.

You are in all that I do, you inhabit my silence.
Yours is the mandate that stands at my shoulder
when night drinks up the colours
and your infinite presence fills hollow space.

I hear within me your prophetic words,
and throughout the vigil you companion me,
warning of things to come, incomprehensible keys,
births of stars, ages of the plants.

Dweller in the skies, live, live without years.
My original blood, my earliest light.
May your immortal life, breathing through all things
in vast simple chorus, surround and sustain me!

                                        M. L.

BIOGRAFÍA PARA USO DE LOS PÁJAROS

NACÍ en el siglo de la defunción de la rosa
cuando el motor ya había ahuyentado a los ángeles.
Quito veía andar la última diligencia
y a su paso corrían en buen orden los árboles,
las cercas y las casas de las nuevas parroquias,
en el umbral del campo
donde las lentas vacas rumiaban el silencio
y el viento espoleaba sus ligeros caballos.

Mi madre, revestida de poniente,
guardó su juventud en una honda guitarra
y sólo algunas tardes la mostraba a sus hijos
envuelta entre la música, la luz y las palabras.
Yo amaba la hidrografía de la lluvia,
las amarillas pulgas del manzano
y los sapos que hacían sonar dos o tres veces
su gordo cascabel de palo.

Sin cesar maniobraba la gran vela del aire.
Era la cordillera un litoral del cielo.
La tempestad venía, y al batir del tambor
cargaban sus mojados regimientos;
mas, luego el sol con sus patrullas de oro
restauraba la paz agraria y transparente.

Yo veía a los hombres abrazar la cebada,
sumergirse en el cielo unos jinetes
y bajar a la costa olorosa de mangos
los vagones cargados de mugidores bueyes.

El valle estaba allá con sus haciendas
donde prendía el alba su reguero de gallos,
y al oeste la tierra donde ondeaba la caña
de azúcar su pacífico banderín, y el cacao

JORGE CARRERA ANDRADE

BIOGRAPHY FOR THE USE OF THE BIRDS

I WAS born in the century of the death of the rose
when the motor had already driven out the angels.
Quito watched the last stagecoach roll,
and at its passing the trees ran by in good order,
and the hedges and houses of the new parishes,
on the threshold of the country
where slow cows were ruminating the silence
and the wind spurred its swift horses.

My mother, clothed in the setting sun,
put away her youth in a deep guitar,
and only on certain evenings would she show it to her
      children,
sheathed in music, light, and words.
I loved the water-writing of the rain,
the yellow gnats from the apple tree,
and the toads that would sound from time to time
their bulging wooden bells.

The great sail of the air maneuvered endlessly.
The mountain range was a shoreline of the sky.
The storm would come, and at the roll of its drum
its drenched regiments would charge;
but then the sun with its golden patrols
would bring back translucent peace to the fields.

I would watch men clasp the barley,
horsemen sink into the sky,
and the wagons filled with lowing oxen
go down to the coast fragrant with mangoes.

The valley was there with its farms
where dawn touched off its trickle of roosters,
and westward was the land where the sugarcane
rippled its peaceful banner, and the cacao

guardaba en un estuche su fortuna secreta,
y ceñían, la piña su coraza de olor,
la banana desnuda su túnica de seda.

Todo ha pasado ya, en sucesivo oleaje,
como las vanas cifras de la espuma.
Los años van sin prisa enredando sus líquenes
y el recuerdo es apenas un nenúfar
que asoma entre dos aguas
su rostro de ahogado.
La guitarra es tan sólo ataúd de canciones
y se lamenta herido en la cabeza el gallo.
Han emigrado todos los ángeles terrestres,
hasta el ángel moreno del cacao.

held close in a coffer its secret fortune,
and the pineapple girded on its fragrant cuirasse,
the naked banana its tunic of silk.

All has gone now, in sequent waves,
like the futile cyphers of the foam.
The years go leisurely entangling their lichens,
and memory is scarcely a water-lily
showing on the surface timidly
its drowned face.
The guitar is only a coffin for songs,
and the head-wounded cock laments.
All the angels of the earth have emigrated,
even the dark angel of the cacao tree.

D. D. W.

ACUARIO

Los PECES de colores juegan
donde cantaba Jenny Lind.

Jenny era casi una niña
por 1840,
pero tenía
un glu-glu de agua embelesada
en la piscina etérea de su canto.

New York era pequeño entonces.
Las casitas de cuatro pisos
debían de secar la ropa
recién lavada
sobre los tendederos
azules de la madrugada.

Iremos a Battery Place
—aquí, tan cerca—
a recibir saludos de pañuelo
que nos dirigen los barcos de vela.

Y las sonrisas luminosas
de las cinco de la tarde,
oh, si darían
un brillo de luciérnaga a las calles.

Luego, cuando el iris del faro
ponga a tiro de piedra el horizonte,
tendremos pesca
de luces blancas, amarillas, rojas,
para olvidarnos de Broadway.

AQUARIUM

THE goldfish play
where Jenny Lind once sang.

Jenny was almost a child
back in 1840,
but she had
a gurgle of enraptured water
in the celestial fish-pond of her song.

New York was little then.
The small fourstoried houses
had to dry
their new-washed clothes
on the azure
clothes-horse of the early morning.

We shall go to Battery Place—
so close at hand—
to be greeted by the handkerchiefs
that the sailboats wave to us.

And the luminous smiles
of five in the afternoon,
oh, they would give
a firefly lustre to the streets.

Then, when the beam of the lighthouse
brings the horizon within stone's throw,
we shall have a catch
of white, yellow, red lights,
to forget about Broadway.

Porque Jenny Lind era
como el agua reída de burbujas
en que los peces de colores juegan.

UNA POBRE CONCIENCIA

Un anciano consume su tabaco
en la vieja cachimba de nogal.
La tarde es solamente un cielo opaco
y el recuerdo amarillo de un rosal.

El anciano dormita. . .
Es tan triste la tarde para ver
un reloj descompuesto, y la infinita
crueldad de un calendario con la fecha de ayer.

Y silencio, un silencio propicio
para remorar
cómo canta una boca la lectura
de la antigua conseja familiar.

En el fino paisaje se depura
una tristeza del atardecer,
y el reloj descompuesto parece una dolida
conciencia de caoba en la pared.

Una pobre conciencia, cuya charla
con la vieja cachimba de nogal
es el agrio murmullo de un postigo
y el recuerdo amarillo del rosal.

MUJERES

De mi ciudad sonora
vine al pueblo de tibia somnolencia,
donde saben a sal los labios de la aurora.

Because Jenny Lind
was like the bubble-laughing water
where goldfish play.

D. D. W.

A POOR LITTLE CONSCIENCE

An old man takes his tobacco
in an ancient walnut pipe.
The afternoon is only a lightless sky
and the yellow remembrance of a rosebush.

The old man dozes. . .
Afternoon is so sad a time to see
a run-down clock, and the infinite
cruelty of a calendar with yesterday's date.

And silence, a silence propitious
for dwelling again
on lips that repeat the reading
of the old familiar story.

Through the clear landscape filters
a twilight sadness,
and the run-down clock seems an aching
mahogany conscience on the wall.

A poor little conscience, whose chatter
with the old walnut pipe
is the sour creaking of a shutter
and the yellow remembrance of the rosebush.

D. D. W.

WOMEN

From my sonorous city
I came to the sleepy warm town
where the dawn's lips taste of salt.

JOSE GOROSTIZA

Y traje una dolencia
de mis valles,
ansiosos de marina transparencia.

Cruzaban las angostas cintas de las calles
mujeres de aguzados senos
y agilidad de música en los talles.

Había sol en los rostros morenos;
dos ágatas de luz en sus pupilas,
y en sus labios melífluos los venenos.

En onduladas filas,
eran como de cálidas palomas
por el limpio tejado de las montañas lilas.

Y soñaban en pomas
paradisiacas de filtrado jugo,
y en un idilio de los vientos con las aromas.

Al Señor Nuestro plugo
darles líneas de copas transparentes,
como se reza en Hugo.

Y secaron mis fuentes
por esa gota lánguida de un beso
en las finas copas de labios adolescentes.

Córdoba, cofre de mujeres, dulce embeleso:
Les prometí la luz de un arrebol
por esa gota lánguida de un beso...

Y me dieron el sol!

And I brought an aching
from my valleys,
which long for the transparent sea.

There passed through the narrow ribbons of the streets
women with pointed breasts
and waists of agile music.

The sun was on their dark faces;
two agates of light in their eyes,
and poison on their honeyed lips.

In undulant files,
they were like warm doves
on the clean roof of the lilac mountains.

And they dreamed of Paradise
apples with filtered juice,
an idyll of winds and sweet odours.

It pleased Our Lord
to shape them like clear goblets,
as in Hugo's prayer.

And my springs went dry
for that languid taste of a kiss
in the delicate cups of young lips.

Cordova, coffer of women, sweet ecstasy:
I pledged them the red blush of dawn for their cheeks
in return for that languid taste of a kiss...

And they gave me the sun!

                                        D. D. W.

LA NIÑA NUEVA

Ya entre nosotros, forma verdadera,
pequeña realidad de sangre viva,
aún con el asombro,
con la inquietud aún
de no saber por qué llegaste.
(Y no habrás de saberlo ya jamás
aunque desplieguen a tu vista
sus vuelos serafines,
y Dios se te revele en una rosa,
y en una tarde el mundo se te entregue.)
No lo sabrás. Y llorarás de pena,
y reirás, y tendrás el alma a flor de piel,
y amarás unos ojos,
y besarás labios de vida y muerte.
Pero no lo sabrás.
                           Tu viaje aquí
va dentro del misterio de las músicas
que vuelan de astro en astro,
de cielo en cielo,
de corazón en corazón.
Y viene tu pregunta
hecha ya tú, con eso que nos falta
a los que te miramos: la nube en que dormiste,
tu sueño de molécula de luz,
de ráfaga fugaz de pensamiento.
Porque te miro y me da miedo
que me mires el alma empedernida,
tú que la tienes frágil, pura, aérea,
—una llamita que sostiene apenas
el ansia de más viva llamarada.

28

THE BABY GIRL

Now you are among us, you really exist,
a tiny actuality of living blood,
still with some amazement,
uneasy still,
not knowing why you came.
(And you will never know,
although seraphs unfold
their wings to your gaze, although
God reveal Himself to you in a rose,
and the whole world yield itself to you in one evening.)
You will not know. And you will cry with grief,
and laugh, and wear your soul for all to see,
and love a pair of eyes,
and kiss the lips of life and death.
But you will not know.
                              Your journey here
is veiled in the mystery of music
that flows from star to star,
from sky to sky,
from heart to heart.
Your question comes
in you incarnate, with things
which we who watch you lack: the cloud you slept on,
your dream as an atom of light,
as a fleeting gleam of thought.
For I look at you and am afraid
to have you see my hardened soul,
you whose soul is so fragile, airy, pure,—
a little flame that scarcely bears
the yearning of more ardent fires.

Y cuando sepas que te vi durmiendo,
y, despierta, te quise preguntar
el color de tu nube,
la luz en que soñabas,
el pensamiento que eras en tu sueño,
me llorarás a mí, que vivo
este sueño de ausencia atormentada
por volver a mi nube,
a mi rayo de luz,
a mi átomo de tierra:
a mi definitiva presencia entre la nada.

A LA MARIPOSA MUERTA

Tu júbilo, en el vuelo;
tu inquietud, en el aire;
tu vida, al sol, al aire, al vuelo.

Qué pequeña tu muerte
bajo la luz de fuego vivo.
Qué serena la gracia de tus alas
ya para siempre abiertas en el libro.

Y en ti, tan suave, en tu morir callado,
en tu sueño sin sueños,
cuánta ilusión perdida al aire,
cuánto desesperado pensamiento.

EN LA MUERTE DE ALGUIEN

Aquí está, en la mirada vacía de paisajes y nubes;
en la frente sin sombras, aún húmeda por la lágrima ajena;
en la boca seca, que dejó escapar el pájaro de la palabra;
en este pecho hundido,

And when you know that I watched you sleeping
and longed to ask you, when you woke,
the colour of your cloud,
the light in which you dreamed,
the thought you became in your sleep:
you will weep for me, who live
in this dream of absence, yearning
to go back to my cloud,
to my ray of light,
to my atom of earth:
to my permanent place in nothingness.

D. D. W.

TO THE DEAD BUTTERFLY

YOUR joy, in flight;
your restlessness, in air;
your life, of sun, of air, of flight.

How small your death
beneath the light of living fire!
How serene the grace of your wings
now held for ever open in this book!

And in you, so soft, in your hushed dying,
in your sleep without dreams,
what magic lost into air,
how much despairing thought!

R. O'C.

ON SOMEONE'S DEATH

HERE she is, in the gaze now empty of landscapes and
        clouds;
in the unshadowed brow, still wet with another's tear;
in the dry mouth, which let the bird of speech escape;
in this sunken breast,

31

en estas manos frías, donde estuvo hasta ayer un ademán de
    angustia
y que ahora no sienten el peso de las horas negras.
Aquí, en todo este cuerpo inmóvil caído sobre el lecho,
cruce de suspiros y palomas de rezos mecánicos.
Aquí, y más aún, en la alcoba cerrada,
y en el rincón del sol amigo,
y en el puesto en la mesa, donde olvidaron de quitar el plato.
Y más aún, debajo del sombrero,
y escondida en los pliegues del pañuelo,
y hasta en la flor que se quedó en el libro.
(Qué pena, Señor, qué pena. Era tan joven.)
Allá lejos, se juntan dos palomas en vuelo.

MARTIRIO DE SAN SEBASTIÁN

A Ricardo, mi hermano

Sí, venid a mis brazos, palomitas de hierro;
palomitas de hierro, a mi vientre desnudo.
Qué dolor de caricias agudas.
Sí, venid a morderme la sangre,
a este pecho, a estas piernas, a la ardiente mejilla.
Venid, que ya os recibe el alma entre los labios.
Sí, para que tengáis nido de carne,
y semillas de huesos ateridos.
Para que hundáis el pico rojo
en la haz de mis músculos.
Venid a mis ojos, que puedan ver la luz,
a mis manos, que toquen forma imperecedera,
a mis oídos, que se abran a las aéreas músicas,
a mi boca, que guste las mieles infinitas,
a mi nariz, para el perfume de las eternas rosas.
Venid, sí, duros ángeles de fuego,
pequeños querubines de alas tensas.
Sí, venid, a soltarme las amarras
para lanzarme al viaje sin orillas.

861.6
F56

EUGENIO FLORIT

in these cold hands which until yesterday gestured in agony
and which now do not feel the weight of the black hours.
Here in all this inert body fallen upon the bed,
crossroad of sighs and doves of mechanical prayers.
Here, and even more: in the closed bedroom,
and in the friendly sunny nook,
and at the place at table where they forgot to remove the plate.
And even more: under the hat,
and hidden in the handkerchief's folds,
and even in the flower left in the book.
(What a pity, Lord, what a pity. She was so young.)
Away there in the distance, two doves join in flight.

M. L.

THE MARTYRDOM OF SAINT SEBASTIAN

To Ricardo, my brother

YES, come to my arms, little doves of iron;
little doves of iron, to my naked belly.
What sharp caressing pain.
Yes, come to bite my blood,
come to this breast, to these legs, to my burning cheek.
Come, for my soul now welcomes you upon my lips.
Yes, come that you may find a nest of flesh
with seeds of cold-numbed bones.
Come to sink your red beaks
into the sheaf of my muscles.
Come to my eyes, that they may see the light,
to my hands, that they may touch undying form,
to my ears, that they may open to aërial music,
to my mouth, that it may taste sweetness without end,
to my nostrils, for the perfume of eternal roses.
Come, yes, hard angels of fire,
tiny cherubim with rigid wings.
Yes, come, cast loose my cable
to launch me on the shoreless voyage.

 31901

Ay!, qué acero feliz, qué piadoso martirio.
Ay!, punta de coral, águila, lirio
de estremecidos pétalos. Sí. Tengo
para vosotras, flechas, el corazón ardiente,
pulso de anhelo, sienes indefensas.
Venid, que está mi frente
ya limpia de metal para vuestra caricia.
Ya, qué río de tibias agujas celestiales! . . .
Qué nieves me deslumbran el espíritu! . . .
Venid! Una tan sólo de vosotras, palomas,
para que anide dentro de mi pecho
y me atraviese el alma con sus alas! . . .
Señor, ya voy, por cauce de saetas! . . .
Sólo una más y quedaré dormido.
Este largo morir despedazado
cómo me ausenta del dolor. Ya apenas
el pico de estos buitres me lo siento . . .
Qué poco falta ya, Señor, para mirarte! . . .
y miraré con ojos que vencieron las flechas,
y escucharé tu voz con oídos eternos,
y al olor de tus rosas me estaré como en éxtasis,
y tocaré con manos que nutrieron estas fieras palomas,
y gustaré tus mieles con los labios del alma! . . .
Ya voy, Señor. Ay!, qué sueño de soles,
qué camino de estrellas en mi sueño . . .
Ya sé que llega mi última paloma. . . .
Ay! Ya está bien, Señor, que te la llevo
hundida en un rincón de las entrañas.

ESTROFAS A UNA ESTATUA

MONUMENTO ceñido
de un tiempo tan lejano de tu muerte.
Así te estás inmóvil a la orilla
de este sol que se fuga en mariposas.

EUGENIO FLORIT

Ah what blissful steel, what compassionate agony!
Ah, barb of coral, eagle, lily
of quivering petals! Yes. For you,
arrows, my burning heart,
my eager pulse, my undefended temples.
Come: now my forehead, freed
from metal, awaits your caress.
Ah, what a stream of warm celestial needles! ...
What a snowy brightness overwhelms my spirit! ...
Come! Only one from among you, doves,
to nestle in my breast
and with those wings to penetrate my soul! ...
Lord, I come! By the way of channeling arrows! ...
One more only, and I shall fall asleep.
This long and piecemeal dying,
how it sets me apart from pain! And now
I feel but faintly these vulture beaks ...
How little the time, Lord, and I shall see Thy face! ...
and I shall see with eyes that have vanquished arrows,
and hear Thy voice with ears that shall not die,
and the scent of Thy roses will be my ecstasy,
and I shall feel with hands that fed these fierce doves,
and taste Thy honey with the lips of my very soul! ...
I come, Lord. Ah the sunlit dreaming,
what a road of stars into my dream ...
I know now that my last dove comes ...
Ah! It is done, Lord, and I bring it Thee
buried in a corner of my heart.

D. D. W.

STROPHES TO A STATUE

MONUMENT girdled
in a time so remote from your death.
Thus you stand motionless on the shore
of this sun which escapes into butterflies.

Tú, estatua blanca, rosa de alabastro,
naciste para estar pura en la tierra
con un dosel de ramas olorosas
y la pupila ciega bajo el sol.

No has de sentir cómo la luz se muere
sino por el color que en ti resbala
y el frío que se prende a tus rodillas
húmedas del silencio de la tarde.

Cuando en piedra moría la sonrisa
quebró sus alas la dorada abeja
y en el espacio eterno lleva el alma
con recuerdo de mieles y de bocas.

Ya tu perfecta geometría sabe
que es vano el aire y tímido el rocío;
y cómo viene el mar sobre esa arena
con el eco de tantos caracoles.

Beso de estrella, luz para tu frente
desnuda de memorias y de lágrimas;
qué firme superficie de alabastro
donde ya no se sueña.

Por la rama caída hasta tus hombros
bajó el canto de un pájaro a besarte.
Qué serena ilusión tienes, estatua,
de eternidad bajo la clara noche.

You, white statue, alabastrine rose,
were born to be on earth, pure,
with a canopy of fragrant boughs
and sightless pupils underneath the sky.

You will know how the light dies only
by the colours that slip across you
and in the cold that grips your knees
damp·from the evening silence.

When your smile was dying into stone
the golden bee broke out its wings
and now into eternal space bears your soul
with a memory of honey and of mouths.

Now your perfect geometry knows
that the air is empty and the dew is timid;
and how the sea comes over that sand
with an echo of innumerable shells.

A star-kiss, light for your brow
bare of memories and tears;
how firm the alabaster surface
where there are no more dreams!

Down the branch bent above your shoulders
a bird's song carried you a kiss.
How unclouded, statue, is your illusion
of eternity in the clearness of the night!

                                        D. D. W.

LA MANCA

QUE mi dedito lo cogió una almeja,
y que la almeja se cayó en la arena,
y que la arena se la tragó el mar.
Y que del mar la pescó un ballenero
y que el ballenero llegó a Gibraltar;
y que en Gibraltar cantan pescadores:
—'Novedad de tierra sacamos del mar,
novedad de un dedito de niña:
¡la que esté manca lo venga a buscar!'

Que me den un barco para ir a traerlo,
y para el barco me den capitán,
para el capitán que me den soldada,
y que él por soldada pida la ciudad:
Marsella con torres y plazas y barcos,
de todo el mundo la mejor ciudad,
que no será hermosa con una niñita
a la que robó su dedito el mar,
y a que balleneros en pregones cantan
y están esperando sobre Gibraltar ...

EL RUEGO

SEÑOR, tú sabes cómo, con encendido brío,
por los seres extraños mi palabra te invoca.
Vengo ahora a pedirte por uno que era mío,
mi vaso de frescura, el panal de mi boca,

THE LITTLE GIRL THAT LOST A FINGER

AND a clam caught my little finger,
and the clam fell into the sand,
and the sand was swallowed by the sea,
and the whaler caught it in the sea,
and the whaler arrived at Gibraltar,
and in Gibraltar the fishermen sing:
'News of the earth we drag up from the sea,
news of a little girl's finger:
let her who lost it come get it!'

Give me a boat to go fetch it,
and for the boat give me a captain,
for the captain give me wages,
and for his wages let him ask for the city:
Marseilles with towers and squares and boats,
in all the wide world the finest city,
which won't be lovely with a little girl
that the sea robbed of her finger,
and that whalers chant for like town criers,
and that they're waiting for on Gibraltar ...

                                              M. L.

THE PRAYER

THOU knowest, Lord, with what flaming boldness,
my word invokes Thy help for strangers.
I come now to plead for one who was mine,
my cup of freshness, honeycomb of my mouth,

cal de mis huesos, dulce razón de la jornada,
gorjeo de mi oído, ceñidor de mi veste.
Me cuido hasta de aquellos en que no puse nada.
¡No tengas ojo torvo si te pido por éste!

Te digo que era bueno, te digo que tenía
el corazón entero a flor de pecho, que era
suave de índole, franco como la luz del día,
henchido de milagro como la primavera.

Me replicas, severo, que es de plegaria indigno
el que no untó de preces sus dos labios febriles,
y se fué aquella tarde sin esperar tu signo,
trizándose las sienes como vasos sutiles.

Pero yo, mi Señor, te arguyo que he tocado,
de la misma manera que el nardo de su frente,
todo su corazón dulce y atormentado
¡y tenía la seda del capullo naciente!

¿Que fué cruel? Olvidas, Señor, que le quería,
y que él sabía suya la entraña que llagaba.
¿Que enturbió para siempre mis linfas de alegría?
¡No importa! Tú comprendes: ¡yo le amaba, le amaba!

Y amar (bien sabes de eso) es amargo ejercicio;
un mantener los párpados de lágrimas mojados,
un refrescar de besos las trenzas del cilicio
conservando, bajo ellas, los ojos extasiados.

El hierro que taladra tiene un gustoso frío,
cuando abre, cual gavillas, las carnes amorosas.
Y la cruz (Tú te acuerdas ¡oh Rey de los judíos!)
se lleva con blandura, como un gajo de rosas.

lime of my bones, sweet reason of life's journey,
bird-trill to my ears, girdle of my garment.
Even those who are no part of me are in my care.
Harden not Thine eyes if I plead with Thee for this one!

He was a good man, I say he was a man
whose heart was entirely open; a man
gentle in temper, frank as the light of day,
as filled with miracles as the spring of the year.

Thou answerest harshly that he is unworthy of entreaty
who did not anoint with prayer his fevered lips,
who went away that evening without waiting for Thy sign,
his temples shattered like fragile goblets.

But I, my Lord, protest that I have touched,—
just like the spikenard of his brow,—
his whole gentle and tormented heart:
and it was silky as a nascent bud!

Thou sayest that he was cruel? Thou forgettest, Lord, that
        I loved him,
and that he knew my wounded heart was wholly his.
He troubled for ever the waters of my gladness?
It does not matter! Thou knowest: I loved him, I loved him!

And to love (Thou knowest it well) is a bitter exercise;
a pressing of eyelids wet with tears,
a kissing-alive of hairshirt tresses,
keeping, below them, the ecstatic eyes.

The piercing iron has a welcome chill,
when it opens, like sheaves of grain, the loving flesh.
And the cross (Thou rememberest, O King of the Jews!)
is softly borne, like a spray of roses.

Aquí me estoy, Señor, con la cara caída
sobre el polvo, parlándote un crepúsculo entero,
o todos los crepúsculos a que alcance la vida,
si tardas en decirme la palabra que espero.

Fatigaré tu oído de preces y sollozos,
lamiendo, lebrel tímido, los bordes de tu manto,
y ni pueden huírme tus ojos amorosos
ni esquivar tu pie el riego caliente de mi llanto.

¡Di el perdón, dilo al fin! Va a esparcir en el viento
la palabra el perfume de cien pomos de olores
al vaciarse; toda agua será deslumbramiento;
el yermo echará flor y el guijarro esplendores.

Se mojarán los ojos oscuros de las fieras,
y, comprendiendo, el monte que de piedra forjaste
llorará por los párpados blancos de sus neveras,
¡toda la tierra tuya sabrá que perdonaste!

SUEÑO GRANDE

A NIÑO tan dormido
no me lo recordéis.
Dormía así en mi entraña
con mucha dejadez.

Yo lo saqué del sueño
de todo su querer,
y ahora se me ha vuelto
a dormir otra vez

Here I rest, Lord, my face bowed down
to the dust, talking with Thee through the twilight,
through all the twilights that may stretch through life,
if Thou art long in telling me the word I await.

I shall weary Thine ears with prayers and sobs;
a timid greyhound, I shall lick Thy mantle's hem,
Thy loving eyes can not escape me,
Thy foot avoid the hot rain of my tears.

Speak at last the word of pardon! It will scatter
in the wind the perfume of a hundred fragrant vials
as it empties; all waters will be dazzling;
the wilderness will blossom, the cobblestones will sparkle.

The dark eyes of wild beasts will moisten,
and the conscious mountain that Thou didst forge from stone
will weep through the white eyelids of its snowdrifts;
Thy whole earth will know that Thou hast forgiven!

D. D. W.

DEEP SLEEP

LET no one awaken
This child so fast asleep.
He sleeps as in my womb
He lay once, heavy and deep.

From that comfortable rest
I wakened him to life.
Now again on my breast
He has fallen asleep.

La frente está parada
y las sienes también.
Los pies son dos almejas
y los costados pez.

Rocío tendrá el sueño
que es húmeda su sien.
Tendrá música el sueño
que le da su vaivén.

Resuello se le oye
en agua de correr;
pestañas se le mueven
en hojas de laurel.

Les digo que lo dejen
con tanto y tanto bien,
hasta que se despierte
de sólo su querer ...

El sueño se lo ayudan
el techo y el dintel,
la Tierra que es Cibeles,
la madre que es mujer.

A ver si yo le aprendo
dormir que me olvidé
y se lo aprende tanta
despierta cosa infiel.

Y nos vamos durmiendo
como de su merced,
de sobras de ese sueño,
hasta el amanecer ......

His forehead's pulse
Has almost stilled its beat.
O body of a small fish
With two pink clams for feet!

In sleep a dew must fall
Because his brow is wet;
In sleep there must be music
His limbs cannot forget.

Smooth as running water
Stirs his quiet breath,
His eyelids flutter
Like a laurel leaf.

Do not say a word
Until he awakens
Of his own accord.
His sleep is sheltered

By the roof, the door,
Simple things and human;
The earth which is our mother,
His mother who is woman.

In this quiet peace
May I learn again
The childhood sleep I lost,
Hunted for in vain;

So to fall to rest
Innocent and deep
Using what is left
Of his gift of sleep.

                                    K. G. C.

DIOS LO QUIERE

La tierra se hace madrastra
si tu alma vende a mi alma.
Llevan un escalofrío
de tribulación las aguas.
El mundo fué más hermoso
desde que me hiciste aliada,
cuando junto de un espino
nos quedamos sin palabras,
¡y el amor como el espino
nos traspasó de fragrancia!

Pero te va a brotar víboras
la tierra si vendes mi alma;
baldías del hijo, rompo
mis rodillas desoladas.
Se apaga Cristo en mi pecho
¡y la puerta de mi casa
quiebra la mano al mendigo
y avienta a la atribulada!

Beso que tu boca entregue
a mis oídos alcanza,
porque las grutas profundas
me devuelven tus palabras.
El polvo de los senderos
guarda el olor de tus plantas
y oteándolas como un ciervo,
te sigo por las montañas....

A la que tú ames, las nubes
la pintan sobre mi casa.
Vé cual ladrón a besarla
de la tierra en las entrañas,
que, cuando el rostro le alces,
hallas mi cara con lágrimas.

GOD WILLS IT

THE very earth will disown you
If your soul barter my soul;
In angry tribulation
The waters will tremble and rise.
My world became more beautiful
Since the day you took me to you,
When, under the flowering thorn tree
Together we stood without words,
And love, like the heavy fragrance
Of the flowering thorn tree, pierced us.

The earth will vomit forth snakes
If ever you barter my soul!
Barren of your child, and empty
I rock my desolate knees.
Christ in my breast will be crushed,
And the charitable door of my house
Will break the wrist of the beggar,
And repulse the woman in sorrow.

The kiss your mouth gives another
Will echo within my ear,
As the deep surrounding caverns
Bring back your words to me.
Even the dust of the highway
Keeps the scent of your footprints.
I track them, and like a deer
Follow you into the mountains.

Clouds will paint over my dwelling
The image of your new love.
Go to her like a thief, crawling
In the boweled earth to kiss her.
When you lift her face you will find
My face disfigured with weeping.

Dios no quiere que tú tengas
sol si conmigo no marchas;
Dios no quiere que tú bebas
si yo no tiemblo en tu agua;
no consiente que tú duermas
sino en mi trenza ahuecada.

Si te vas, hasta en los musgos
del camino rompes mi alma;
te muerden la sed y el hambre
en todo monte o llanada
y en cualquier país las tardes
con sangre serán mis llagas.
Y destilo de tu lengua
aunque a otra mujer llamaras,
y me clavo como un dejo
de salmuera en tu garganta;
y odies, o cantes, o ansíes,
¡por mí solamente clamas!

Si te vas y mueres lejos,
trendrás la mano ahuecada
diez años bajo la tierra
para recibir mis lágrimas,
sintiendo cómo te tiemblan
las carnes atribuladas,
¡hasta que te espolvoreen
mis huesos sobre la cara!

God will not give you the light
Unless you walk by my side.
God will not let you drink
If I do not tremble in the water.
He will not let you sleep
Except in the hollow of my hair.

If you go, you destroy my soul
As you trample the weeds by the roadside.
Hunger and thirst will gnaw you,
Crossing the heights or the plains;
And wherever you are, you will watch
The evenings bleed with my wounds.
When you call another woman
I will issue forth on your tongue,
Even as a taste of salt
Deep in the roots of your throat.
In hating, or singing, in yearning
It is me alone you summon.

If you go, and die far from me
Ten years your hand will be waiting
Hollowed under the earth
To gather the drip of my tears.
And you will feel the trembling
Of your corrupted flesh,
Until my bones are powdered
Into the dust on your face.

                              K. G. C.

GOLFO DE MEXICO

VERACRUZ
La vecindad del mar queda abolida:
basta saber que nos guardan las espaldas,
que hay una ventana inmensa y verde
por donde echarse a nado.

LA HABANA
No es Cuba, donde el mar disuelve el alma.
No es Cuba—que nunca vió Gauguin,
que nunca vió Picasso—
donde negros vestidos de amarillo y de guinda
rondan el malecón, entre dos luces,
y los ojos vencidos
no disimulan ya los pensamientos.

No es Cuba—la que nunca vió Stravinsky
concertar sones de marimbas y güiros
en el entierro de Papá Montero,
ñáñigo de bastón y canalla rumbero.*

No es Cuba—donde el yanqui colonial
se cura del bochorno sorbiendo granizados
de brisa, en las terrazas del reparto;
donde la policía desinfecta
el aguijón de los mosquitos últimos
que zumban todavía en español.

* Véanse pág. 190 y 258.

GULF OF MEXICO

VERA CRUZ
The neighbourhood of the sea is abolished:
it's enough to know that its protection lies behind us,
that there's a window, huge and green,
through which we can go for a swim.

HAVANA
Not Cuba, where the sea dissolves the soul.
Not Cuba—which Gauguin never saw,
Picasso never saw—
where negroes clothed in yellow and cherry red
haunt the docks at twilight,
their conquered eyes
no longer hiding thoughts.

Not Cuba—which Stravinsky never saw
harmonizing *sóns* with marimba and gourd
for the burial of Papa Montero,
cane-swinging *ñáñigo* and rumba-stepping fool.*

Not Cuba—where the Yankee colonial
recovers from the scorcher by sucking down sherberts
of fresh breeze on suburban terraces,
and where the police disinfect
the stings of the last remaining mosquitoes
that still buzz in Spanish.

* See pages 191 and 259.

No es Cuba—donde el mar se transparenta
para que no se pierdan los despojos del Maine,
y un contratista revolucionario
tiñe de blanco el aire de la tarde,
abanicando con sonrisa veterana,
desde su mecedora, la fragancia
de los cocos y mangos aduaneros.

VERACRUZ
No: aquí la tierra triunfa y manda
—caldo de tiburones a sus pies.
Y entre arrecifes, últimas cumbres de la Atlántida,
las esponjas de algas venenosas
manchan de bilis verde, que se torna violeta,
los lejos donde el mar cuelga del aire.

Basta saber que nos guardan las espaldas:
la ciudad sólo abre hacia la costa
sus puertas de servicio.

En el aburridero de los muelles,
los mozos de cordel no son marítimos:
cargan en la bandeja del sombrero
un sol de campo adentro:
hombres color de hombre,
que el sudor emparienta con el asno
—y el equilibrio jarocho de los bustos,
al peso de las cívicas pistolas.

Herón Proal, con manos juntas y ojos bajos,
siembra la clerical cruzada de inquilinos;
y las bandas de funcionarios en camisa
sujetan el desborde de sus panzas
con relumbrantes dentaduras de balas.

Not Cuba—where the sea shows clear
so as not to lose the wreckage of the *Maine*,
and a revolutionist subcontractor
whitens the afternoon air,
fanning, with a veteran smile
from his rocking-chair, the sweet scent
of the customs-house coconuts and mangoes.

VERA CRUZ
No: here the earth triumphs and commands—
shark broth at its feet.
And among reefs, the last peaks of Atlantis,
the poisonous algae-sponges
stain with green bile—turning violet—
the far reaches where the sea hangs from the air.

It's enough to know that its protection lies behind us:
only towards the coast does the city
open its service entrances.

On the boredom of the docks
the porters are landlubbers:
on the trays of their hats
they carry an up-country sun:
men man-coloured,
whose sweat makes them cousins to the ass—
and the countryfied thrust of their chests,
beneath the weight of civic horsepistols.

Herón Proal, hands joined, eyes downcast,
sows the tenants' clerical crusade;
and the bands of shirtsleeve officials
confine their overflowing bellies
within shining rows of bullet-teeth.

Las sombras de los pájaros
danzan sobre las plazas mal barridas.
Hay aletazos en las torres altas.

El mejor asesino del contorno,
viejo y altivo, cuenta una proeza.
Y un juchiteco, esclavo manumiso
del fardo en que descansa,
busca y recoge con el pie descalzo
el cigarro que el sueño de la siesta
le robó de la boca.

Los Capitanes, como han visto tanto,
disfrutan, sin hablarse,
los menjurjes de menta en los portales.
Y todas las tormentas de las Islas Canarias,
y el Cabo Verde y sus faros de colores,
y la tinta china del Mar Amarillo,
y el Rojo entresoñado
—que el profeta judío parte en dos con la vara—
y el Negro, donde nadan
carabelas de cráneos de elefantes
que bombeaban el Diluvio con la trompa,
y el Mar de Azufre
—donde perdieron cabellera, ceja y barba—
y el de Azogue, que puso dientes de oro
a la tripulación de piratas malayos,
reviven al olor del alcohol de azúcar,
y andan de mariposas prisioneras
bajo el azul quepí de tres galones,
mientras consume nubes de tifones
la pipa de cerezo.

La vecindad del mar queda abolida.
Gañido errante de cobres y cornetas
pasea en un tranvía.
Basta saber que nos guardan las espaldas.

Bird-shadows
dance over the ill-swept squares.
Slap of wings in the high towers.

The best cut-throat of the neighbourhood,
old and haughty, describes a success.
And a man from Juchitlán, a slave freed
from the bale on which he rests,
gropes for and picks up with his naked toes
the cigaret that his siesta-nap
stole from his mouth.

The Captains—who have seen so much—
are enjoying on porches, with no wasted words,
their mint-flavoured concoctions.
And all the storms of the Canary Islands,
and Cape Verde with its coloured beacons,
and the Chinese ink of the Yellow Sea,
and the drowsing Red—
which the Jew prophet splits asunder with his staff—
and the Black, where swim
caravels of skulls of the elephants
who pumped the Flood with their trunks:
and the Brimstone Sea,
where they lost their hair, eyebrows and beards—
and the Sea of Quicksilver, which provided gold teeth
for the Malay pirate crew:—
all these revive at the tang of sugar alcohol
and move like captive butterflies
under the blue three-gallon hats
while their cherrywood pipes
burn up clouds of typhoons.

The neighbourhood of the sea is abolished.
A wandering yowl of brasses and cornets
rides by on a bus.
It's enough to know that its protection lies behind us.

(Atrás, una ventana inmensa y verde ...)
El alcohol del sol pinta de azúcar
los terrones fundentes de las casas.
(... por donde echarse a nado).

Miel de sudor, parentesco del asno,
y hombres color de hombre
conciertan otras leyes,
en medio de las plazas donde vagan
las sombras de los pájaros.

Y sientes a la altura de las sienes
los ojos fijos de las viudas de guerra.
Y yo te anuncio el ataque a los volcanes
de la gente que está de espalda al mar:
cuando los comedores de insectos
ahuyenten las langostas con los pies,
—y en el silencio de las capitales
se oirán venir pisadas de sandalias
y el trueno de las flautas mexicanas.

(Behind, a window huge and green . . .)
Alcohol of sun paints with sugar
the melting lumps of the houses.
(. . . through which we can go for a swim.)

Honey of sweat, cousinhood with the ass,
and men man-coloured,
harmonize other laws
in the middle of squares where wander
bird-shadows.

And you feel, as high up as your temples,
the staring eyes of war widows.
I bring you news of an attack upon the volcanoes
by the people whose backs are to the sea:
when the devourers of insects
scatter the locusts with their feet,—
and in the silence of the capitals
you will hear the approaching tread of sandals
and the thunder of Mexican flutes.

D. F.

ALFONSO GUTIÉRREZ HERMOSILLO

FUGA

Mientras pasaba la estación de la luz, en el camino
de las estrellas; en el sueño
que habló por mi boca; cuando mi boca era virgen;
ya que no era posible la tortura
era imposible el llanto;
la demonstrada sonrisa
y el propio corazón,
fueron como de ángeles que no han visto a los hombres.

¡Sólo por una mujer era posible la tristeza,
pero un hombre debe siempre buscarla!

Cuando ella ocasiona un sufrimiento
porque hace descansar en su mano otra mano
o, sencillamente, no nos mira en los ojos,
da un dolor que bien puede
ser convertido en gozo, y el ansia
de ser fuertes, fuertes.

¡Oh, no es la mujer esto que me entristece!

Desconozco el mismo aire que debiera apoyarme
porque en mi tacto se ha desvanecido. Estoy solo,
pero no es la mujer esto que me entristece.

Estoy solo.

Nada, ni la palabra, me rodea,
nada: no la estación aquella de la luz
en el camino de las estrellas,
ni el eco mismo
cada día en la planicie insuficiente.

ALFONSO GUTIÉRREZ HERMOSILLO

FUGUE

WHILE the station of light was passing, on the highway
of the stars; in the dream
speaking through my mouth; while my mouth was yet virgin;
since there was no possible anguish,
lamentation was impossible;
the demonstrated smile,
my very heart,
were as of angels who have not yet beheld men.

Only through a woman was sadness possible,
but a man must always seek her!

Occasioning a pang
by resting in her hand another's hand,
or, simply, by not looking us in the eyes,
she is a source of pain that yet
may turn into delight, into
A yearning to be strong, strong!

Ah, it is no woman, this thing that saddens me!

Strange to me is the very air that should support me
for it vanishes from beneath my touch. I am alone,
but woman is not this thing that saddens me.

I am alone.

Nothing, not even speech, surrounds me,
nothing; neither that station of light
on the way of stars,
nor echo itself
each day on the meagre plain.

Y esto que ahora digo con el fin de acallarme
es pobre, pobre, pobre,—yo lo adivino sin mentira,—
si Dios no me sostiene.

¿Y para qué gritar, para qué amar la angustia,
y ser dentro del llanto un llanto solo,
predecir desilusión y comulgar sin templo?

Ahora callaré. ¡No es el silencio
que hace bien a mi alma!

TIERRA

Vivimos hasta ayer el minuto del sueño
que no será posible continuar en la muerte.

Despertaremos hoy, hermanos suplicantes,
despertaremos para siempre.

Guardad bien los recuerdos, que yo traigo los míos
estremecidos por la frialdad de mi cuerpo.

Viviremos desnudos, sin más armas
y sin más holocaustos para la fuerza fuerte
pero abiertos los poros al tormento.

Se hallará con los párpados una luz que no alegra
y el vuelo
vivirá con los pasos que destruyó la muerte.

Despertaremos hoy; que mis palabras,
hermanos suplicantes, os prevengan.

And this that I say now to silence myself
is poor, poor, poor—how surely I sense it!—
if God does not sustain me.

And then why cry aloud, why fall in love with anguish,
why be a lone lament at lamentation's core,
predicting disillusion and an altarless sacrament?

Now I will be still. But it is not silence,
this that is my soul's good!

D. F.

EARTH

TILL yesterday we lived that moment of dreaming
that can not be continued in our death.

We shall awake today, O suppliant brothers,
we shall awake for ever.

Keep well your memories, for I bring you mine
shivering from the chill of my body.

Naked we'll live, with no more weapons
or holocausts for the brave bravura,
but with our pores open to torment.

Our eyes shall make discovery of a joyless light
and flight
shall live in our death—cancelled steps.

We shall awake today: let my words,
O suppliant brothers, warn you.

ALFONSO GUTIÉRREZ HERMOSILLO

Apenas ayer, cantábamos.
Apenas ayer, sonreíamos.

Dejarán nuestros ojos de adorar los colores
sólo abiertos al ritmo de la sangre.

Dejarán nuestros brazos de mover su alegría.

Y nuestra boca, amigos, nuestra boca de besos
esparcirá secretos de lumbre.

Apenas ayer, cantábamos.

Apenas ayer, sonreíamos.

Tuvimos un paraíso que nuestras propias manos fabricaron,
pero los dioses han querido, tan sólo,
darnos la tierra.

ALFONSO GUTIÉRREZ HERMOSILLO

Only yesterday, we were singing.
Only yesterday, we smiled.

Our eyes shall quite give over the cult of color,
open only to the rhythm of the blood.

Our arms shall cease their dance of joy.

Our mouths, O friends, our mouths shall scatter
not kisses, but secrets of light.

Only yesterday, we were singing.

Only yesterday, we smiled.

Ours was a Paradise that our own hands had fashioned,
but it has pleased the gods—and this only—
to grant us the earth.

D. F.

INSCRIPCIÓN SEPULCRAL

Para el coronel don Isidoro Suarez, mi bisabuelo

Dilató su valor allende los Andes.
Contrastó ejércitos y montes.
La audacia fué impetuosa costumbre de su espada.
Impuso en Junín término formidable a la lucha,
y a las lanzas del Perú dió sangre española.
Escribió su censo de hazañas
en prosa rígida como los clarines belísonos.
Murió cercado de un destierro implacable.
Hoy es orilla de tanta gloria el olvido.

A RAFAEL CANSINOS ASSENS

Larga y final andanza sobre la exaltación arrebatada
del ala del viaducto.
A nuestros pies, busca velajes el viento, y las estrellas
—corazones de Dios—laten intensidad.
Bien paladeado el gusto de la noche, traspasados de sombra,
vuelta ya una costumbre de nuestra carne la noche.
Noche postrer de nuestro platicar, antes que se levanten
entre nosotros las leguas.
Aún es de entrambos el silencio donde como praderas
resplandecen las voces.
Aún el alba es un pájaro perdido en la vileza
más lejana del mundo.
Ultima noche resguardada del gran viento de ausencia.
Grato solar del corazón, puño de arduo jinete que
        sabe
sofrenar el ágil mañana.

SEPULCHRAL INSCRIPTION

For Colonel Isidoro Suárez, my great-grandfather

His valour passed beyond the Andes.
He stood against armies and mountains.
Audacity was an impetuous custom of his sword.
At Junín he put a formidable end to the fight,
and gave Spanish blood to Peruvian lances.
He wrote his roll of deeds
in prose inflexible as battlesinging trumpets.
He died walled in by implacable exile.
Oblivion now environs so great a glory.

R. S. F.

TO RAFAEL CANSINOS ASSENS

Long and final passage over the breathtaking height
of the trestle's span.
At our feet the wind gropes for sails, and the stars—
hearts of God—throb intensity.
We relish the taste of the night, transfixed by darkness,—
night now become again a habit of our flesh.
The final night of our talking, before
the leagues rise between us.
Still is ours the silence where like meadows
the voices glitter.
Dawn is still a bird lost in the farthest away
vileness of the world.
Ultimate night, sheltered from the great wind of absence.
Pleasant homestead of the heart, that tough trooper's fist that
        knows
how to check nimble tomorrow.

Es trágica la entraña del adiós como de todo acontecer
en que es notorio el Tiempo.
Es duro realizar que ni tendremos en común las
        estrellas.
Cuando la tarde sea quietud en mi patio, de tus carillas
surgirá la mañana.
Será la sombra de mi verano tu invierno
y tu luz será gloria de mi sombra.
Aún persistimos juntos.
Aún las dos voces logran convenir,
como la intensidad y la ternura en las puestas del sol.

ANTELACIÓN DE AMOR

Ni la intimidad de tu frente clara como una fiesta,
Ni la privanza de tu cuerpo, aún misterioso y tácito y
      de niña,
Ni la sucesión de tu vida situándose en palabras o acallamiento,
Serán favor tan persuasivo de ideas
Como el mirar tu sueño implicado
En la vigilia de mis ávidos brazos.
Virgen milagrosamente otra vez por la virtud absolutoria del
      Sueño,
Quieta y resplandeciente como una dicha en la selección del
     recuerdo,
Me darás esa orilla de tu vida que tú misma no tienes.
Arrojado a quietud,
Divisaré esa playa última de tu ser
Y te veré por vez primera quizás,
Como Dios ha de verte,
Desbaratada la ficción del Tiempo
        Sin el amor, sin mí.

The inwardness of Goodbye is tragic like that of every event
in which Time is manifest.
It is bitter to realize that we shall not even have the stars in
  common.
When evening is quietness in my courtyard, from your pages
morning will rise.
Your winter will be the shadow of my summer
and your light the glory of my shadow.
Still we persist together.
Still the two voices achieve understanding,
like the intensity and tenderness of the setting sun.

R. S. F.

LOVE'S PRIORITY

NEITHER the intimacy of your forehead, fair as a feast-day,
Nor the favour of your body, still mysterious, reserved and
  childlike,
Nor what comes to me of your life, settling in words or silence,
Will be a grace so provocative of thoughts
As the sight of your sleep, enfolded
In the vigil of my covetous arms.
Virgin again, miraculously, by the absolving power of Sleep,
Quiet and luminous like some happy thing recovered by
  memory,
You will deed to me that shore of your life that you yourself
  do not own.
Cast up into silence,
I shall discern that ultimate beach of your being .
And see you for the first time as, perhaps,
God must see you,
The fiction of Time destroyed,
      Free from love, from me.

R. S. F.

CASAS COMO ÁNGELES

DONDE San Juan y Chacabuco se cruzan
Vi las casas azules,
Vi las casas que tienen colores de aventura.
Eran como banderas
Y hondas como el naciente que suelta las afueras.
Las hay color de aurora y las hay color de alba.
Su resplandor es una pasión ante la ochava
De la esquina cualquiera, turbia y desanimada.
Yo pienso en las mujeres
Que buscarán el cielo en sus patios fervientes.
Pienso en los claros brazos que ilustrarán la tarde
Y en el negror de trenzas; pienso en la dicha grave
De mirarse en sus ojos, hondos como parrales.
Es una pena altiva
La que azula la esquina.
Empujaré la puerta cancel que es hierro y patio
Y habrá una clara niña, ya mi novia, en la sala.
Y los dos callaremos, trémulos como llamas,
Y la dicha presente se aquietará en pasada.

UN PATIO

CON la tarde
se cansaron los dos o tres colores del patio.
La gran franqueza de la luna llena
ya no entusiasma su habitual firmamento.
Hoy que está crespo el cielo
dirá la agorería que ha muerto un angelito.
Patio, cielo encauzado.
El patio es la ventana
por donde Dios mira las almas.
El patio es el declive
por el cual se derrama el cielo en la casa.

HOUSES LIKE ANGELS

WHERE San Juan and Chacabuco intersect
I saw the blue houses,
The houses that have the colours of adventure.
They were like banners
And deep as the East that sets free the suburbs.
Some are daybreak colour and some the colour of dawn.
Their radiance is a passion before the facet
Of any corner, murky, dispirited.
I think of the women
Who will be looking heavenward from their burning patios.
I think of the pale arms still clear in the evening
And of the blackness of braids; I think of the grave delight
Of being mirrored in their eyes, deep as honey-jars.
It is a haughty sorrow
That stains the corner blue.
I will thrust through the inner gate of iron and courtyard
And there will be a fair girl, already mine, in the room.
And the two of us will hush, trembling like flames,
And the present joy will grow quiet in that passed.

R. S. F.

PATIO

WITH the evening
the two or three colours of the patio grew weary.
The huge candour of the full moon
no longer enchants its habitual firmament.
Now that heaven is crisp with clouds
augury will say that a little angel has died.
The patio is a conduit of Heaven.
The patio is the window
through which God looks at souls.
The patio is the slope
down which the brimming sky flows into the house.

Serena
la eternidad espera en la encrucijada de estrellas.
Lindo es vivir en la amistad oscura
de un zaguán, de un alero, y de un aljibe.

LA NOCHE QUE EN EL SUR LO VELARON

Por el deceso de alguien
—misterio cuyo vacante nombre poseo, cuya
realidad no abarcamos—,
hay hasta el alba una casa abierta en el Sur,
una ignorada casa que no estoy destinado a rever,
pero que me espera esta noche
con desvelada luz en las altas horas del sueño,
demacrada de malas noches, distinta,
minuciosa de realidad.

A su vigilia gravitada en muerte camino
por las calles elementales como recuerdos,
por el tiempo abundante de la noche,
sin más oíble vida
que los vagos hombres de barrio junto al apagado
almacén,
y algún silbido solo en el mundo.

Lento el andar, en la posesión de la espera,
llego a la cuadra y a la casa y a la sincera puerta
que busco
y me reciben hombres obligados a gravedad
que participaron de los años de mis mayores,
y nivelamos destinos en una pieza habilitada que mira
al patio
—pieza que está bajo el poder y en la integridad de la
noche—

Serenely
eternity waits at the crossway of the stars.
It is lovely to live in the dark friendliness
of the covered entrance, the eaves, and the sweet cistern.

R. S. F.

THE NIGHT THEY KEPT VIGIL IN THE SOUTH

BECAUSE of someone's death—
a mystery whose empty name I possess, whose
reality we do not grasp—,
there is in the South a house open wide till dawn,
an unknown house I am destined not to see again,
but which awaits me tonight
with a sleepless light in the dead hours of sleep,
wasted away by bad nights, distinct,
precise in its reality.

Toward its heavy death-watch I make my way
through streets as simple as memories,
through the abundant night-time,
with a life no more audible
than the neighbourhood loiterers idling near the dark
store,
and a whistle alone in the world.

Walking slowly, possessed by hope,
I arrive at the block and the house and the honest
door I am seeking,
and they receive me: men bound to be grave,
who shared the years of my elders,
and we size up our destinies in a prepared room that looks
on the court—
a room that is under the power and wholeness of
night—

y decimos, porque la realidad es mayor, cosas indiferentes
y somos desganados y criollos en el espejo
y el mate compartido mide horas raras.

Me enternecen las menudas sabidurías
que en todo fallecimiento de hombre se pierden
—hábito de unos libros, de una llave, de un cuerpo
entre los otros—,
frecuencias irrecuperables que fueron
la precisión y la amistad del mundo para él.
Yo sé que todo privilegio, aunque oscuro, es de linaje
de milagros
y mucho lo es el de participar en esta vigilia,
reunida alrededor de lo que no se sabe: del Muerto,
reunida para incomunicar o guardar su primera noche
en la muerte.

(El velorio gasta las caras;
los ojos se nos están muriendo en lo alto como Jesús.)

¿Y el muerto, el increíble?
Su realidad está bajo las flores diferentes de él,
y su mortal hospitalidad nos dará
un recuerdo más para el tiempo
y sentenciosas calles del Sur para merecerlas despacio
y brisa oscura sobre la frente que vuelve
y la noche que de la mayor congoja nos libra:
la prolijidad de lo real.

and we speak, since the reality is greater, of indifferent things,
and we are apathetic and familiar in the mirror,
and the shared *maté* measures out empty hours.

I am touched by the little pieces of wisdom
which in every man's death are lost—
the habit of books, of a key, of one body
among the others—,
irrecoverable rhythms that were
the order and friendliness of the world for him.
I know that every privilege, though obscure, is of the lineage
of miracles,
and surely it is a privilege to take part in this watch,
gathered around what no one knows: the dead;
gathered to set him apart or to guard him this first
night in death.

(Faces grow haggard with watching:
our eyes are dying on the height like Jesus.)

And the dead man, the incredible?
His reality remains beneath the different flowerings of him,
and his hospitality in death will give us
one memory more for time,
and sententious and slowly-to-be-merited streets of the South,
the dark breeze across the forehead that turns back,
and the night that sets us free from the greatest sorrow:
the endless chatter of the real.

R. S. F.

PAE JOÃO

PAE João seccou como um pau sem raiz.
Pae João vae morrer.
Pae João remou nas canoas,
cavou a terra,
fez brotar do chão a esmeralda das fôlhas:
—café, canna, algodão.
Pae João cavou mais esmeraldas que Paes Leme.
A filha de Pae João tinha um peito de vaca
para os filhos de yoyo mamar.
Quando o peito seccou a filha de Pae João
também seccou agarrada num ferro de engomar.
A pelle de Pae João ficou na ponta dos chicotes.
A força de Pae João ficou no cabo da enxada e da foice.

A mulher de Pae João o branco furtou
para fazer mucamas.
O sangue de Pae João se sumiu no sangue bom
como um torrão de assucar bruto
numa panella de leite.
Pae João foi cavallo
para os filhos de yoyo montar.
Pae João sabia histórias tão bonitas
que davam vontade de chorar.

Pae João vae morrer.

Ha uma noite lá fora como a pelle de Pae João.
Nem uma estrella no céu.
Parece até mandinga de Pae João.

DADDY JOHN

DADDY John withered like a tree without roots.
Daddy John is dying.
Daddy John pulled at the oars,
tilled the earth,
drew from the soil a green wealth of leaves:
coffee, sugar cane, cotton.
Daddy John dug more emeralds than Paes Leme.
Daddy John's daughter, with her cow's dugs,
suckled the massa's children.
When her breast was dry, Daddy John's daughter
withered also, still clutching her flatiron.
The skin of Daddy John stayed on the whip-lash.
The strength of Daddy John stayed on the handle of the hoe
        and sickle.

The white man stole Daddy John's wife
to be wet-nurse to his children.
The blood of Daddy John melted in the blood of the quality
like a lump of brown sugar
in a jar of milk.
Daddy John was a horse
for the massa's children to ride.
Daddy John knew stories so pretty
they made you want to cry.

Daddy John is dying.

The night out yonder is like the skin of Daddy John.
Not a star in the sky.
So that it seems the very magic of Daddy John.

                                        D. P.

A AVE

NINGUEM sabia donde viera a extranha ave.
Talvez o último cyclone a arrebatasse
de incognita ilha ou de algum golpho;
ou nascesse das algas gigantescas do mar,
ou caisse de uma outra atmosphera,
ou de outro mundo ou de outro mysterio.
Velhos homens do mar nunca a haviam visto nos gelos
nem nenhum andarillho a encontrara jámais:
era anthropomorpha como um anjo e silenciosa
como qualquer poeta.
Primeiro pairou na grande cupola do templo,
mas o pontifice tangeu-a de lá como se tange um demonio
            doente.
E na mesma noite poisou no cimo do pharol,
e o pharoleiro tangeu-a: ella podia atrapalhar as náus.
Ninguem lhe offereceu um pedaço de pão
ou um gesto suave onde se dependurasse.
E alguem disse: "Essa ave é uma ave má das que devoram o
            gado."
E outro: "Essa ave deve ser um demonio faminto."
E quando as suas azas pairavam espalmadas dando sombra
            às creanças cansadas,
até as mães jogavan pedras na mysteriosa ave perseguida e
            inquieta.
Talvez houvesse fugido de qualquer pico silencioso entre
            as nuvens
ou perdesse a companheira abatida de setta.
A ave era anthropomorpha como um anjo
e solitaria como qualquer poeta.
E parecia querer o convivio dos homens
que a enxotavam como se enxota um demonio doente.
Quando a enchente periodica afogou os trigaes,
            alguem disse:
"A ave trouxe a enchente."

THE BIRD

No MAN knew whence the strange bird came.
Possibly the last hurricane had swept it
from an unknown island or from some gulf;
or it was born of gigantic seaweeds,
or it fell from another atmosphere,
from another world, another mystery.
Old sailors had never seen it among the ice,
nor had any wanderer ever met up with it:
man-shaped it was, like an angel, and silent
like any poet.
At first it hovered over the great dome of the temple;
but the high priest drove it away, as one would drive a malign
     spirit.
In the same night it lit on the summit of the lighthouse,
and the keeper drove it thence, lest it mislead the ships.
No one offered it a morsel of bread
or the kindly shelter of a resting place.
Someone said: This is one of those evil birds that devour the
     flocks.
And another: This bird is no doubt a hungry demon.
When with outstretched wings it sheltered weary children,
the mothers themselves stoned the mysterious, persecuted and
     unresting bird.
It had fled, perhaps, from a silent peak among
     the clouds,
or had lost its mate by an arrow.
The bird was man-shaped, like an angel,
and solitary as any poet.
And it seemed to desire the companionship of men
who drove it from them as one would drive a malign spirit.
When the accustomed flood overwhelmed the wheatfields,
     someone said:
The bird brought the flood.

Quando a secca annual assolou os rebanhos, alguem disse:
"A ave comeu os cordeiros."
E todas as fontes lhe negando agua,
a ave desabou sôbre o mundo como um Samsão sem vida.
Então um simples pescador apanhou o cadaver macio e falou:
"Achei o corpo de uma grande ave mansa."
E alguem recordou que a ave levava ovos aos
         anachoretas.
Um mendigo falou que a ave o abrigara muitas vezes
         do frio.
E um nú: "A ave cedeu as pennas para meu gibão."
E o chefe do povo: "Era o rei das aves,
         que desconhecemos."
E o filho mais moço do chefe que era sosinho
         e manso:
"Dá-me as pennas para eu escrever a minha vida
tão igual à da ave em que me vejo
mais do que me vejo em ti, meu pae."

POEMA DE QUALQUER VIRGEM

As GERAÇÕES da virgem estão tatuadas no ventre
         escorreito,
porque a virgem representa tudo o que ha de vir.
Ha arco-iris tatuados nas mãos, ha Babeis tatuadas
         nos braços.
A virgem tem o corpo tatuado por Deus porque é a semente do
         mundo que ha de vir.
Não ha um milimetro do corpo, sem desenho e sem plantas
         futuras.
Não ha um póro sem tatuagem: por isso a virgem
         é tão bella.
Vamos lêr a virgem, vamos conhecer o futuro: reparae
         que não são
enfeites, ó homens de vista curta. Olhae: são tatuagens
         dentro

When the yearly drought wasted the herds, someone said:
The bird ate the lambs.
And since all the fountains denied it water,
the bird fell upon the earth like a Samson deprived of life.
Then a humble fisherman gathered up the soft body and said:
I found the body of a great gentle bird.
And someone remembered that the bird used to carry eggs to
    the hermits.
A beggar told how the bird often sheltered him from the
    cold.
And a naked man said: The bird gave me feathers for a coat.
And the leader of the people: It was the king of the birds and
    we knew him not.
And the leader's youngest son, who was lonely and gentle,
    said:
Give me the quills that I may write my life,
so like that bird's, wherein I see myself
more than I see myself in thee, my father.

D. P.

POEM OF ANY VIRGIN

THE generations of the virgin are tattooed on her unblemished
    belly,
for the virgin represents all that is to be.
Rainbows are tattooed on her hands, Towers of Babel on her
    arms.
The virgin's body is tattooed by God because she is the source
    of the world to be.
There is not a particle of her body without designs and future
    plans.
Not a pore is without tattooing: that is why the virgin is so
    beautiful.
Come, let us read the virgin, let us learn the future: note that
    the tattooings are not
mere adornments, O men of little sight. See, there are
    tattooings within

de tatuagens, são gerações saindo de gerações.
Quem tatuou a virgem? Foi Deus no dia da Queda.
Vêde a serpente tatuada nella. Vêde o anjo tatuado nella.
    Vêde uma Cruz tatuada nella. Vêde, senhores, que
    não pagareis nada. E' o supremo espectaculo, meus
    senhores. Ensinarei os mysterios, as letras sym-
    bolicas até o omega. Vinde vêr o trabalho ad-
    mirável gravado no corpo da virgem: a história do
    mundo, a estratosphera habitada, o magico Tim-
    Ka-Lu viajando na lua. Porque a virgem é admir-
    ável e tem tudo. Vinde senhores, que não pagareis
    nada. A imagem da innocencia, da volupia, do
    crime, da bondade, as representações incriveis estão
    no dorso da virgem, no pescoço, na face. Vão sahir
    tumultos das tatuagens. E' um momento muito
    sério, senhores. Vão sahir grandes revoltas. Ha um
    mar tatuado na virgem, com os sete dias da creação,
    com o diluvio, com a morte. Vinde senhores, que
    não pagareis nada.

Senhores, hoje ha espectaculo no mundo.
Vamos vêr a virgem, a virgem tatuada, a virgem tatuada por
    Deus.
Ella está núa e ao mesmo tempo vestida de tatuagens.
Meus senhores, a virgem vae se desdobrar em milenios.
Ha intuições nas tatuagens, ha poemas, ha mysterios.
E' por isso que o espectaculo é bonito. E' por isso que a virgem
    vos attrae.
Vinde, senhores!

O GRANDE CIRCO MYSTICO

O MEDICO de camara da imperatriz Thereza—Frederico
    Knieps—
resolveu que seu filho tambem fosse medico,

tattooings, there are generations issuing from generations.
Who tattooed the virgin? It was God on the day of the Fall.
See the serpent tattooed on her. See the angel tattooed on her.
See the Cross tattooed on her. Look, gentlemen, there is
nothing to pay. This is the supreme spectacle, gentlemen. I will explain the mysteries, the symbolical letters
even to omega. Come and see the marvelous work
etched on the virgin's body: the history of the world,
the inhabited stratosphere, the magician Tim-Ka-Lu
taking a journey in the moon. For the virgin is marvelous and contains everything. Come gentlemen, there
is nothing to pay. The image of innocence, of lust, of
crime, of goodness, all these incredible pictures are on
the virgin's back, on her neck, on her face. Disorders
are about to issue from the tattooings. The moment is
extremely grave, gentlemen. Great revolts are in the
making. There is a sea tattooed on the virgin, with the
seven days of creation, with the flood, with death.
Come, gentlemen, there is no admission to pay.

Gentlemen, today there is a spectacle on earth.
Come and see the virgin, the tattooed virgin, the virgin
tattooed by God.
She is naked and at the same time clothed with tattooings.
Gentlemen, the virgin is going to be on show for ages.
There are prognostications in the tattooings, there are poems,
there are mysteries.
That is why the show is pretty. That is why the virgin attracts
you.
Come, gentlemen!

D. P.

THE BIG MYSTICAL CIRCUS

FREDERICK Knieps, Physician of the Bed-Chamber to the
Empress Theresa,
resolved that his son also should be a doctor,

81

mas o rapaz fazendo relações com a equilibrista
      Agnes,
com ella se casou, fundando a dynastia de circo Knieps
de que tanto se tem occupado a imprensa.
Charlotte, filha de Frederico, se casou com o clown,
de que nasceram Marie e Otto.
E Otto se casou com Lily Braun, a grande deslocadora,
que tinha no ventre um santo tatuado.
A filha de Lily Braun—a tatuada no ventre—
quiz entrar para um convento,
mas Otto Frederico Knieps não attendeu,
e Margarethe continuou a dynastia do circo
de que tanto se tem occupado a imprensa.
Então, Margarethe tatuou o corpo
soffrendo muito por amor de Deus,
pois gravou em sua pelle rosea
a Via-Sacra do Senhor dos Passos.
E nenhum tigre a offendeu jámais;
e o leão Nero que já havia comido dois ventríloquos,
quando ella entrava núa pela jaula a dentro,
chorava como um recemnascido.
Seu esposo—o trapezista Ludwig—nunca mais a poude
      amar
pois as gravuras sagradas afastavam
a pelle della e o desejo delle.
Então, o boxeur Rudolf que era atheu
e era homem féra derrubou Margarethe e a violou.
Quando acabou, o atheu se converteu, morreu.
Margarethe pariu duas meninas que são o prodigio do Grande
      Circo Knieps.
Mas o maior milagre são as suas virgindades
em que os banqueiros e os homens de monoculo teem
      esbarrado;
são as suas levitações que a platéa pensa ser truque;
é a sua pureza em que ninguem acredita;
são as suas magicas que os simples dizem que é o diabo;

but the youth, having established relations with Agnes, the
      tightrope artist,
married her and founded the circus dynasty of Knieps
with which the newspapers are so much concerned.
Charlotte, the daughter of Frederick, married the clown,
whence sprang Marie and Otto.
Otto married Lily Braun, the celebrated contortionist,
who had a saint's image tattooed on her belly.
The daughter of Lily Braun—she of the tattooed belly—
wanted to enter a convent,
but Otto Frederick Knieps would not consent,
and Margaret continued the circus dynasty
with which the newspapers are so much concerned.
Then Margaret had her body tattooed,
suffering greatly for the love of God,
and caused to be engraved on her rosy skin
the Fourteen Stations of our Lord's Passion.
No tiger ever attacked her;
the lion Nero, who had already eaten two ventriloquists,
when she entered his cage nude,
wept like a new-born babe.
Her husband, the trapeze artist Ludwig, never could love her
      thereafter,
because the sacred engravings obliterated
both her skin and his desire.
Then the pugilist Rudolph, who was an atheist
and a cruel man, attacked Margaret and violated her.
After this, he was converted and died.
Margaret bore two daughters who are the wonder of Knieps'
      Great Circus.
But the greatest of miracles is their virginity,
against which bankers and gentlemen with monocles beat in
      vain;
their levitations, which the audience thinks a fraud;
their chastity, in which nobody believes;
their magic, which the simple-minded say is the devil's;

mas as creanças crêm nellas, são seus fieis, seus amigos, seus
    devotos.
Marie e Helène se apresentam núas,
dansam no arame e deslocam de tal forma os membros
que parece que os membros não são dellas.
A platéa bisa coxas, bisa seios, bisa
    sovacos.
Marie e Helène se repartem todas,
se distribuem pelos homens cynicos,
mas ninguem vê as almas que ellas conservam puras.
E quando atiram os membros para a visão dos homens,
atiram as almas para a visão de Deus.
Com a verdadeira história do grande circo Knieps
muito pouco se tem occupado a imprensa.

ESPIRITO PARACLITO

QUEIMA-ME Língua de Fogo!
Sopra depois sôbre as achas incendiadas
e espalha-as pelo mundo
para que tua chamma se propague!
Transforma-me em tuas brazas
para que eu queime também como tu queimas
para que eu marque também como tu marcas!
Esphacela-me com tua tempestade,
Espirito violento e dulcissimo,
e recompõe-me quando quizeres,
e cega-me para que os prodigios de Deus se realisem,
e illumina-me para que tua gloria se irradie!
Espirito, tu que és a bocca de todas as sentenças,
toca-me para que os meus irmãos desconhecidos e longinquos e
    extranhos,
comprehendam a minha fala para todos os ouvidos que
    creares!

yet the children believe in them, are their faithful followers,
    their friends, their devoted worshipers.
Marie and Helène perform nude;
they dance on the wire and so dislocate their limbs
that their arms and legs no longer appear their own.
The spectators shout encore to thighs, encore to breasts, encore
    to armpits.
Marie and Helène give themselves wholly,
and are shared by cynical men;
but their souls, which nobody sees, they keep pure.
And when they display their limbs in the sight of men,
they display their souls in the sight of God.
With the true history of Knieps' Great Circus
the newspapers are very little concerned.

D. P.

PARACLETE

Burn me, Tongue of Fire!
Then blow upon the kindled fagots
and scatter them through the earth
that Thy flames may multiply!
Transform me in Thy burning coals
that I, too, may burn as Thou burnest,
that I, too, may brand with fire as Thou dost!
Destroy me with Thy tempest,
Spirit violent and most gentle,
and restore me when Thou wilt;
blind me that the miracles of God may come to pass,
and grant me light that the rays of Thy glory may spread!
Spirit, Thou who art the mouth of all wisdom,
kindle me, that my nameless brothers in far off unfamiliar
    lands
may know my speech through all the ears Thou
    hast created!

Exceder-me-hei em meus limites,
crescerei em todas as distancias,
serei a palavra transcendente, a prophecia, a revelação e as
      realidades!
Devora-me, renova-me, resurge-me em tua vontade
      creadora
deante da morte e deante do nada!
Aguça a minha intuição,
descança em minhas pupillas,
agita a minha lentidão,
faze-me numeroso como tu,
cobre todo o meu corpo de palpebras que espreitem todas as
      latitudes e longitudes
e espectativas e annunciações e partos e concepções
e gerações e seculos de seculos!
Resurgirei de todos os ventres
e voarei no sentido da perpetuidade sôbre as aguas e sôbre
      as terras!
Desata-me, Espirito Paraclito! Corta os meus laços,
sopra a terra que ha sôbre a minha sepultura!
Enche-me de tua verdade e sagra-me teu moderno
      apostolo!
Amo como poeta a forma com que te apresentaste
à assembléa do Cenaculo!
E sinto a tua presença,
a tua approximação, a tua unção sôbre a minha alma!
Dá-me tua fecundidade sobrenatural,
tua heroicidade e tua Luz!
Unge-me teu sacerdote,
teu soldado, teu vinho, teu pão,
tua semente, tuas perspectivas!
Espirito Paraclito, dedo da direita do Pae,
soergue as minhas palpebras descidas e sopra sôbre ellas o teu
      halito e tua essencia!
Espirito Paraclito, amo-te, com os meus cinco sentidos,
com a minha imaginação,

That I may surpass my limitations,
that I may grow in all dimensions,
that I may be the transcendent word, the prophecy, the revela-
    tion and the reality!
Consume me, renew me, bring me forth again through Thy
    creative will
in the face of death and in the face of nothingness!
Increase my awareness,
stay within my sight,
quicken in me what is slow,
make me manifold as Thou art,
cover my whole body with lidded eyes to spy out all latitudes
    and longitudes,
all hopes and annunciations, all births, all conceptions,
all generations, world without end!
I shall rise again from all wombs,
I shall fly towards eternity above the waters and above the
    lands!
Set me free, Paraclete! Loosen my bonds,
blow the earth from my tomb!
Fill me with Thy truth and consecrate me Thy apostle for
    today!
I love as a poet the form in which Thou didst reveal Thyself
to the gathering at the Last Supper!
And I feel Thy presence,
Thy nearness, Thy unction upon my soul!
Endow me with Thy fruitfulness surpassing nature,
Thy courage and Thy light!
Anoint me Thy priest,
make me Thy soldier, Thy wine, Thy bread,
Thy seed, Thy horizon!
Paraclete, finger of the right hand of the Father,
lift my drooping eyelids and blow Thy breath and Thy being
    upon them!
Paraclete, I adore Thee with my five senses,
with my imagination,

com a minha memoria e com os outros dons poeticos e
      propheticos e reconstituidores
que ultrapassam minha espessa materia e meu espirito
      translucido!
Sou teu ramo de oliveira que trazes dos diluvios constantes
      da humanidade
e cujo oleo ungirá os meus iguaes e os desiguaes de meu
      tamanho!
Espirito Paraclito, tu que és o unico passaro que desce sôbre
      mim na minha noite untuosa,
fura os meus olhos para que eu veja mais,
para que eu penetre a unidade que tu és,
a liberdade que tu és,
a multiplicidade que tu és,
para eu subir de minha pequenez e me abater em ti!

POEMA DO CHRISTÃO

PORQUE o sangue de Christo
jorrou sôbre os meus olhos,
a minha visão é universal
e tem dimensões que ninguem sabe.
Os milenios passados e os futuros
não me aturdem porque nasço e nascerei,
porque sou uno com todas as creaturas,
com todos os sêres, com todas as coisas
que eu decomponho e absorvo com os sentidos
e comprehendo com a intelligencia
transfigurada em Christo.
Tenho os movimentos alargados.
Sou ubiquo: estou em Deus e na materia;
sou velhissimo e apenas nasci hontem,
estou molhado dos limos primitivos,

with my memory and with all other faculties poetic, prophetic
     and creative,
faculties transcending my gross substance and my translucent
     spirit!
I am the olive branch which Thou bringest from the recurrent
     floods of mankind
whose oil shall anoint alike my equals and those who are not
     my equals!
Paraclete, Thou who alone descendest like a bird upon me in
     my dark night,
sharpen my eyes that I may see more clearly,
that I may penetrate the unity which Thou art,
the liberty which Thou art,
the multiplicity which Thou art,
that I may rise from my littleness and humble myself before
     Thee!

D. P.

CHRISTIAN'S POEM

BECAUSE the blood of Christ
spurted upon my eyes
I see all things
and so profoundly that none may know.
Centuries past and yet to come
dismay me not, for I am born and shall be born again,
for I am one with all creatures,
with all beings, and with all things;
all of them I dissolve and take in again with my senses
and embrace with a mind
transfigured in Christ.
My reach is throughout space.
I am everywhere: I am in God and in matter;
I am older than time and yet was born yesterday,
I drip with primeval slime,

e ao mesmo tempo resôo as trombetas finaes,
comprehendo todas as linguas, todos os gestos, todos os signos,
tenho globulos de sangue das raças mais oppostas.
Posso enxugar com um simple aceno
o choro de todos os irmãos distantes.
Posso estender sôbre todas as cabeças um céo unanime e
         estrellado.
Chamo todos os mendigos para comer commigo,
e ando sôbre as águas como os prophetas biblicos.
Não ha escuridão mais para mim.
Opero transfusões de luz nos sêres opacos,
posso mutilar-me e reproduzir meus membros como as
         estrellas do mar,
porque creio na resurreição da carne e creio em Christo,
e creio na vida eterna, amen.
E tendo a vida eterna posso transgredir leis
         naturaes:
a minha passagem é esperada nas estradas,
venho e irei como uma prophecia,
sou espontaneo como a intuição e a Fé.
Sou rapido como a resposta do Mestre,
sou inconsutil como a sua tunica,
sou numeroso como a sua Igreja,
tenho os braços abertos como a sua Cruz despedaçada e
         refeita
todas as horas, em todas as direcções, nos quatro pontos
         cardeaes;
e sôbre os hombros A conduzo
atravéz de toda a escuridão do mundo, porque tenho a luz
         eterna nos olhos.
E tendo a luz eterna nos olhos sou o maior magico:
resuscito na bocca dos tigres, sou palhaço, sou alpha e
         omega, peixe, cordeiro, comedor de
         gafanhotos, sou ridiculo, sou tentado e perdoado, sou
derrubado no chão e glorificado, tenho
         mantos de purpura e de estamenha, sou burrissimo

and at the same time I blow the last trumpet.
I understand all tongues, all acts, all signs,
I contain within me the blood of races utterly opposed.
I can dry, with a mere nod,
the weeping of all distant brothers.
I can spread over all heads one all-embracing and starry sky.
I invite all beggars to dine with me,
and I walk on the waters like the prophets of the Bible.
For me there is no darkness.
I imbue the blind with light,
I can mutilate myself and grow my limbs anew like the
        starfish,
because I believe in the resurrection of the flesh and because I
        believe in Christ,
and in the life eternal, amen.
And possessing eternal life I am able to transgress the laws
        of nature:
my passing is looked for in the streets,
I come and go like a prophecy,
I come unbidden like knowledge and Faith.
I am ready like the Master's answer,
I am seamless like His garment,
I am manifold like His Church,
my arms are spread like the arms of His Cross, broken yet
        always restored,
at all hours, in all directions, to the four points of the compass;
and I bear His Cross on my shoulders
through all the darkness of the world, because the light
        eternal is in my eyes.
And having in my eyes the light eternal, I am the greatest
        worker of wonders:
I rise again from the mouth of tigers, I am clown, I am alpha
        and omega, I am fish, lamb, eater of locusts, I am
        ridiculous, I am tempted and pardoned, I am
cast down upon earth and uplifted in glory, I am clothed in
        mantles of purple and fine linen, I am ignorant like

como São Christovam e sapientissimo como Santo
Thomaz. E sou louco, louco, inteiramente louco, para
sempre, para todos os seculos, louco de Deus, amen.
E sendo a loucura de Deus, sou a razão das coisas, a ordem e a
medida,
sou a balança, a creação, a obediencia,
sou o arrependimento, sou a humildade,
sou o autor da paixão e morte de Jesus,
sou a culpa de tudo,
Nada sou.
Miserere mei, Deus, secundum magnam misericordiam tuam!

Saint Christopher and learned like Saint Thomas. And
I am mad, mad, wholly mad forever, world without
end, mad with God, Amen.
And being the madness of God I am the reason in all things,
the order and the measure,
I am judgment, creation, obedience,
I am repentance, I am humility,
I am the author of the passion and death of Jesus,
I am the sin of all men,
I am nothing.
Miserere mei, Deus, secundum magnam misericordiam tuam!

D. P.

PSALMO

Eu Te proclamo grande, admirável,
Não porque fizeste o sol para presidir o dia
E as estrêlas para presidirem a noite;
Não porque fizeste a terra e tudo que se contém nela,
Os frutos do campo, as flôres, os cinemas,
    as locomotivas;
Não porque fizeste o mar e tudo que se contém nêle,
Seus animais, suas plantas, seus submarinos, suas sereias;
Eu Te proclamo grande e admirável eternamente
Porque Te fazes pequenino na Eucaristia,
Tanto assim que eu, fraco e miserando, posso Te conter! ...

PSALM

I PROCLAIM Thee great and wonderful,
Not because Thou hast made the sun to avail by day
And the stars to avail by night;
Not because Thou hast made the earth and all that is therein,
The fruits of the field, the flowers, the cinemas, the
      locomotives;
Not because Thou hast made the sea and all that is therein,
The animals and plants, submarines and sirens;
I proclaim Thee great and eternally wonderful
Because Thou makest Thyself tiny in the Eucharist,
So tiny that I, weak and wretched, am able to contain
      Thee! ...

D. P.

EL AMIGO IDO

ME escribe Napoleón:
'El Colegio es muy grande
nos levantamos muy temprano
hablamos únicamente inglés,
te mando un retrato del edificio. . .'

Ya no robaremos juntos dulces
de las alacenas, ni escaparemos
hacia el río para ahogarnos a medias
y pescar sandías sangrientas.

Ya voy a presentar sexto año,
después, según todas las probabilidades,
aprenderé todo lo que se deba,
seré médico,
tendré ambiciones, barba, pantalón largo. . .

Pero si tengo un hijo
haré que nadie nunca le enseñe nada.
Quiero que sea tan perezoso y feliz
como a mí no me dejaron mis padres,
ni a mis padres mis abuelos
ni a mis abuelos Dios.

VIAJE

LOS NOPALES nos sacan la lengua,
pero los maizales por estaturas
con su copetito mal rapado
y su cuaderno debajo del brazo
nos saludan con sus mangas rotas.

THE DEPARTED FRIEND

NAPOLEON writes me:
'The School is very big
we get up very early
we speak nothing but English,
I'm sending you a picture of the building . . .'

We won't steal candy together any more
from the cupboards, or run
off to the river to half drown ourselves,
or snitch the bloodstained watermelons.

I'm ready now for my sixth-year exams;
afterwards, as far as I can make out,
I'll learn everything you ought to learn,
I'll be a doctor,
I'll have ambitions, a beard, long pants. . .

But if I have a son
I'll see that no one ever teaches him anything.
I want him to be lazy and happy—
the way I never could be because of my parents,
nor my parents because of my grandparents,
nor my grandparents because of God.

L. M.

JOURNEY

THE prickly pears stick out their tongues at us,
but the cornfields, lined up according to height,
with their badly cropped topknots,
and notebooks under their arms,
salute us with their ragged sleeves.

Los magueyes hacen gimnasia sueca
de quinientos en fondo,
y el sol—policía secreto—
(tira la piedra y esconde la mano)
denuncia nuestra fuga ridícula
en la linterna mágica del prado.
A la noche nos vengaremos
encendiendo nuestros faroles
y echando por tierra los bosques.

Alguno que otro árbol
quiere dar clase de filología.
Las nubes inspectoras de monumentos
sacuden las maquetas de los montes.

¿Quién quiere jugar tenis con nopales y tunas
sobre la red de los telégrafos?
Tomaremos más tarde un baño ruso
en el jacal perdido de la sierra.
Nos bastará un duchazo de arco iris.
Nos secaremos con algún 'stratus'.

LA POESÍA

PARA escribir poemas,
para ser un poeta de vida apasionada y romántica
cuyos libros están en las manos de todos
y de quien hacen libros y publican retratos los periódicos,
es necesario decir las cosas que leo,
esas del corazón, de la mujer y del paisaje,
del amor fracasado y de la vida dolorosa,
en versos perfectamente medidos,
sin asonancias en el mismo verso,
con metáforas nuevas y brillantes.

SALVADOR NOVO

The magueys do Swedish gymnastics
five hundred in a rank,
and the sun—secret police—
(hurl the stone and hide the hand)
exposes our ridiculous flight
in the magic lantern of the meadow.
We'll take revenge at night
by the light of our lanterns,
smashing the woods flat.

Some tree or other
wants to teach a class in Philology.
The clouds, inspectors of monuments,
shake out the scale-model mountains.

Who wants to play tennis with prickly pears
over the net of the telephone wires?
Later we shall take a Russian bath
in the lost hut in the mountains.
The rainbow will do for a shower.
Any rag of cloud will dry us.

H. R. H.

POETRY

To WRITE poems,
to be a poet with a passionate and romantic life
whose books are in everyone's hands,
about whom books are written and whose picture is
        published in the papers,
I must say the things that I read,
matters of the heart, women and landscapes,
love come to grief and grievous life,
in perfectly measured verses,
avoiding assonance within a single line,
with new and brilliant metaphors.

La música del verso embriaga
y si uno sabe referir rotundamente su inspiración
arrancará las lágrimas del auditorio,
le comunicará sus emociones recónditas
y será coronado en certámenes y concursos.

Yo puedo hacer versos perfectos,
medirlos y evitar sus asonancias,
poemas que conmuevan a quien los lea
y que las hagan exclamar: ¡Qué niño tan inteligente!

Yo les diré entonces
que los he escrito desde que tenía once años:
no he de decirles nunca
que no he hecho sino darles la clase que he aprendido
de todos los poetas.
Tendré una habilidad de histrión
para hacerles creer que me conmueve lo que a ellos.

Pero en mi lecho, solo, dulcemente,
sin recuerdos, sin voz,
siento que la poesía no ha salido de mí.

The music of the verse intoxicates,
and if one can state his inspiration clearly
he will draw tears from the audience,
he will communicate to it his recondite emotions,
and be crowned in contests and competitions.

I can make perfect verses,
measure them and avoid their assonances,
poems that will move the readers
and make them exclaim: "What a bright child!"

I will tell them then
that I have been writing poems since I was eleven:
I must never tell them
that I have merely given them the course that I have learned
from all the poets.
I shall have an actor's skill
to make them think that what moves them moves me.

But in my bed, alone, softly,
without memories, without voice,
I feel that poetry has not come out of me.

D. D. W.

EL MURO

DEJA que te recuerde o que te sueñe,
amor, mentira cierta y ya vivida,
más que por los sentidos, por el alma.

Atrás de la memoria, en ese limbo
donde recuerdos, músicas, deseos,
sueñan su renacer en esculturas,
cae tu pelo suelto, tu sonrisa,
puerta de la blancura, aun sonríe
y alienta todavía ese ademán
de flor que el aire mueve. Todavía
la fiebre de tu mano, donde corren
esos ríos que mojan ciertos sueños,
hace crecer dentro de mí mareas
y aun suenan tus pasos, que el silencio
cubre con aguas mansas, como el agua
al sonido sonámbulo sepulta.

Cierro los ojos: nacen dichas, goces,
bahías de hermosura, eternidades
substraídas, fluir vivo de imágenes,
delicias desatadas, pleamar,
ocio que colma el pecho de abandoño
como el brillo de un ala anega el ojo
de dichas amarillas, instantáneas.

¡Dichas, días con alas de suspiro,
leves como la sombra de los pájaros!

THE WALL

Let me remember you or dream you,
love (a lie clear and already lived),
more than with my senses, with my soul.

Far back of memory, in that limbo
where memories, music, longings
dream their rebirth in sculptures,
your flowing hair falls; and your smile,
portal of whiteness, smiles yet,
still brings forth that gesture of a flower
moving upon the air. And still
the fever of your hand, wherein
those rivers run that water certain dreams,
raises up tides within me;
and still your footsteps sound, hushed
by silence under gentle waters, as water
buries the somnambular sound.

I close my eyes; and joys are born, and pleasures,
bays of beauty, eternities
withdrawn, the living flow of images,
delights unbound, full tide,
ease filling the heart with release,
as a flashing wing can drown the eye
in yellow, instant pleasure.

O delights, days sigh-wing'd,
light as the shadow of birds!

Y su quebrada voz abre en mi pecho
un ciego paraíso, una agonía,
el recordado infierno de unos labios
(tu paladar: un cielo rojo, golfo
donde duermen tus dientes, caracola
donde oye la ola su caída),
el infinito hambriento en unos ojos,
un pulso, un tacto, un cuerpo que se fuga,
la sombra de un aroma, la promesa
de un cielo sin orillas, pleno, eterno.

Mas cierra el paso un muro y todo cesa.
Mi corazón a oscuras late y llama;
con puño ciego y árido golpea
la sorda piedra y suena su latido
a lluvia de ceniza en un desierto.

OLVIDO

CIERRA los ojos y a oscuras piérdete
bajo el follaje rojo de tus párpados.

Húndete en esas espirales
del sonido que zumba y cae
y suena allá, remoto,
hacia el sitio del tímpano,
como una catarata ensordecida.

Hunde tu ser a oscuras,
anégate en tu piel,
y más, en tus entrañas;
que te deslumbre y ciegue
el hueso, lívida centella,
y entre simas y golfos de tiniebla
abra su azul penacho el fuego fatuo.

And their broken voice opens in my heart
a blind paradise, an agony,
the remembered hell of two lips ,
(your mouth: red heaven, gulf
where your teeth sleep, shell
where the wave hears its own breaking),
The limitless hunger in a pair of eyes,
a pulse, a touch, a fleeing body,
shadow of perfume, promise
of a shoreless heaven, full, for ever.

But a wall cuts me off, and all is over.
My heart beats and calls in the dark:
with its blind and sterile fist the deaf
stone strikes, and its beating sounds
like an ashy rain falling in the waste land.

D. F.

OBLIVION

CLOSE your eyes and lose yourself in darkness
beneath the red foliage of your lids.

Sink within those spirals
of sound buzzing, falling,
echoing there, remote,
toward the place of drums,
like a muted waterfall.

Submerge your being in the darkness;
drown yourself in your flesh,
even more, in your very heart;
let the bone, that livid lightning,
dazzle and blind you,
and the will-o'-the-wisp stream its blue crest
along the gulfs and chasms of shadow.

En esa sombra líquida del sueño
moja tu desnudez;
abandona tu forma, espuma
que no se sabe quién dejó en la orilla;
piérdete en ti, infinita,
en tu infinito ser,
mar que se pierde en otro mar:
olvídate y olvídame.

En ese olvido sin edad ni fondo
labios, besos, amor, todo, renace:
las estrellas son hijas de la noche.

In that liquid shade of sleep
drench your nakedness;
renounce your form, that lace of spume
left on the shore by—whom?
Woman infinite, lose yourself
in your infinite self,
a sea merging with another sea:
forget yourself, forget me.

In that oblivion ageless and unplumed
all things, lips, kisses, love, have their rebirth:
the stars are daughters of the night.

D. F.

CIUDAD

RECUERDO ahora un sueño de cólera y de viento
—a cien, a cien kilómetros—
en que los automóviles estampan
tropeles de fantasmas
sobre paredes de papel poroso.

Un sueño que colgaba
en las pantallas de los anuncios eléctricos
músculos, brazos, piernas,
—ríos de sombra y bosques de blancura—
países numerados
del Atlas de esa enorme Geografía
que enseñan los atletas en los circos.

Un sueño
en que el frío escarchaba las miradas
con un barniz opaco, de párpados de hielo.

El público necesitaba
pedir anteojos de humo para ver
la sangre de las lunas amarillas
en el clavel profesional
con que la risa quema de pronto la cara de los payasos.

Recuerdo
un sueño en que se entraba por el techo
a un taller de maniquíes de cera,
higiénico y cerebral
como un Museo de Escultura
o un anfiteatro de Hospital.

CITY.

Now I remember a dream of rage and of wind
—at a hundred, a hundred kilometers—
where automobiles print
a jumble of apparitions
on cardboard walls.

A dream that hung
on screens of electric signs
muscles, arms, legs,
—rivers of shadow and woods of whiteness—
numbered countries
out of the Atlas of that huge Geography
that athletes teach in circuses.

A dream
in which frost glazed the stare
with an opaque varnish, eyelids of ice.

The public had
to get smoked glasses in order to see
the blood of the yellow moons
in the professional carnation
that laughter suddenly burns on the faces of clowns.

I remember
a dream of entering through the roof
into a wax manikin shop,
hygienic and mental
as a Museum of Sculpture
or hospital amphitheatre.

Las damas
extraían de sus estuches enciclopédicos
—con los dedos que faltan aún a la Venus de Milo—
una sonrisa articulada
¿para la cabeza invisible de qué Victoria de Samotracia?

Y las alcobas envejecían
—esas esposas morganáticas—
patrocinando el adulterio
de las ventanas con los espejos.

Recuerdo
una noche de ópera wagneriana
en que las Reinas últimas caían
fulminadas
por una embolia súbita—de perlas—
en la circulación de sus collares.

Un sueño
en que los profesores de Física del Colegio
apresuraban los eclipses
para poner un vals en el fonógrafo
que no repite ya los siete compases
de la gavota de Newton.

Recuerdo
un sueño en que la noche, cubierta de periódicos,
caía desmayada en los umbrales de las puertas.

(El corazón latía
dentro del pulso de los hombres exactos
a sesenta minutos por segundo.)

MEDIODÍA

TENER, al mediodía, abiertas las ventanas
del patio iluminado que mira al comedor.
Oler un olor tibio de sol y de manzanas.
Decir cosas sencillas: las que inspiren amor ...

JAIME TORRES BODET

Ladies
extracted from their encyclopedic handbags—
with fingers that even the Venus de Milo lacks—
a jointed smile
for the invisible head of what Winged Victory?

And bedrooms were growing old
—those morganatic wives—
sponsoring the adultery
of windows and mirrors.

I remember
a night of Wagnerian opera
where the last Queens fell
stricken
by a sudden embolism of pearls
in the circulation of their necklaces.

A dream
where the Physics professors at the School
hurried up the eclipses
in order to get a waltz onto the phonograph
that no longer repeats the seven rhythms
of Newton's gavotte.

I remember
a dream where night, covered with newspapers,
fell in a swoon on the thresholds of the doors.

(The heart beat on
in the pulse of punctual mortals
sixty minutes to the second.)

R. H.

NOON

To keep, at noon, the windows open
where the shining patio looks into the diningroom.
To smell the warm smell of apples in the sun.
Say simple things, things that awaken love . . .

JAIME TORRES BODET

Beber un agua pura, y en el vaso profundo
ver coincidir los ángulos de la estancia cordial.
Palpar, en un durazno, la redondez del mundo.
Saber que todo cambia y que todo es igual.

Sentirse, ¡al fin!, maduro, para ver, en las cosas,
nada más que las cosas: el pan, el sol, la miel...
Ser nada más el hombre que deshoja unas rosas,
y graba, con la uña, un nombre en el mantel...

DANZA

LLAMA
que por morir más pronto se levanta,
flotas entre las brasas de la danza.

Y te arranca de ti,
al principiar, un salto tan esbelto
que el sitio en que bailabas
se queda sin atmósfera.

Así el pedazo negro de la noche
en que pasó un lucero.

Pero de pronto vuelves
del torbellino de las formas
a la inmovilidad que te acechaba
y ocupas,
como un vestido exacto,
el hueco
de tu propia figura.

Pareces una cosa
caída en el espejo de un recuerdo:
te bisela
el declive del tiempo.

To drink a pure water, and deep in the glass behold
the fusing angles of the friendly room.
To touch, in a peach, the roundness of the world.
To know that all changes and is still the same.

To feel—finally!—ripeness of seeing in every thing
the simple thing itself: bread, honey, sun . . .
To be merely the man who strips the petalled roses,
and with his nail inscribes a name on the tablecloth . . .

R. H.

DANCE

FLAME
rising the sooner to die,
you hover among the embers of the dance,

plucked from yourself,
at the very start, by so lithe a leap
that the place where you were dancing
hangs like a void.

So the dark space of night
when a great star has gone by.

But suddenly you return
from the whirlwind of forms
to the immobility that stalked about you,
and you invest,
like an exact garment,
the hollow
of your own figure.

You seem a thing
fallen into the mirror of a memory:
bevelled
by the edge of time.

Un minuto después, estás desnuda...

La brisa
te peina en ondulado movimiento
y a cada nueva línea
que las flautas dibujan en la música
obedece una línea de tu cuerpo.

No resonéis ahora,
címbalos, que la danza es como el sueño.

HUESO

Shall I compare thee to a Summer's day?
W. SHAKESPEARE

LE toqué—entre la rubia
y delicada pulpa—¿de qué fruta?—
el hueso negro y áspero al verano.

Y me sentí de pronto, ante la muda
sinceridad cruel de la semilla,
como quien halla en una tumba el nombre
de la mujer que nunca
imaginara, en vida, sustentada
por el recóndito esqueleto
—de miseria, de cólera y de tedio—
que todavía, muerta, la desnuda.

AMOR

PARA escapar de ti
no bastan ya peldaños,
túneles, aviones,
teléfonos o barcos.
Todo lo que se va

A moment later, you are naked . . .

The wind
dresses you in undulating motion,
and to each new line
that flutes trace in music,
an answering line of your body is obedient.

Resound no more,
cymbals: this dance is like a sleep.

R. H.

CORE

Shall I compare thee to a Summer's day?
W. SHAKESPEARE

I TOUCHED—amid the blond
and delicate flesh—of what fruit?—
the black harsh pit of the summer.

And I suddenly felt, before
the seed's mute, cruel sincerity,
like one finding on a tomb the name
of the woman never
imagined, living, as sustained
by the hidden skeleton
—of misery, of anger, of boredom—
which even after death exposes her.

M. L.

LOVE

IN order to escape you,
stairs are no longer enough,
nor tunnels, nor airplanes,
telephones, nor ships.
All that accompanies

con el hombre que escapa:
el silencio, la voz,
los trenes y los años,
no sirve para huir
de este recinto exacto
—sin horas ni reloj,
sin ventanas ni cuadros—
que a todas partes va
conmigo, cuando viajo.

Para escapar de ti
necesito un cansancio
nacido de ti misma:
una duda, un rencor,
la vergüenza de un llanto;
el miedo que me dió
—por ejemplo—poner
sobre tu frágil nombre
la forma impropia y dura
y brusca de mis labios . . .

El odio que sentí
nacer al mismo tiempo
en ti que nuestro amor,
me hará salir de tu alma
más pronto que la luz,
más de prisa que el sueño,
con mayor precisión
que el ascensor más raudo:
el odio que el amor
esconde entre las manos.

ABRIL

¿En dónde? En qué lugar
secreto del invierno
está oculto el botón

the man escaping:
silence, speech,
the trains and the years,—
avails not to flee
from this precise corner—
without clock or hours
or windows or pictures—
that goes with me
wherever I go.

In order to escape you
I need a weariness
born of you yourself:
a doubt or a rancour,
the shame of a weeping;
the fear that I felt
(for example) shaping
unfitly with my lips,
harsh and brusque,
your frail name. . . .

The hatred that I sensed
being born simultaneously
in you with our love,
will thrust me forth from your soul
sooner than light,
quicker than dream,
with greater precision
than the swiftest elevator:
the hatred which love
hides between its hands.

M. L.

APRIL

WHERE? In what secret
place of winter
is hidden the electric

mecánico, la rosa,
el vals o la mujer
que un dedo sin esfuerzo
debería tocar
para ponerte en marcha,
automático abril
de un año descompuesto?

Lo siento. Estás ya aquí,
junto a mi pensamiento,
como—sobre el cristal
de una ventana oscura--
la exigencia sin voz
de un aletazo terco.
Pero, si salgo a abrir,
lo único que encuentro
es la noche, otra vez:
la noche y el silencio.

¿Palabras? ¿Para qué?
En ellas, por momentos,
creo tocarte al fin,
abril...Pero las digo
—raíz, pájaro, luz—
y me contesta el viento:
invierno; invierno el sol,
y soledad los ecos.

Libros de viaje busco.
Mapas de amor despliego.
A rostros de mujeres
que hace tiempo murieron,
en retratos y en cartas
pregunto cómo eras;
qué nubes o qué alondras
fueron, en otros puertos,

button—rose,
waltz, or woman—
that a finger
should press without effort
to set you moving,
automatic April
of a run-down year?

I feel it. You are here
close to my thought,
as upon the pane
of a darkened window
beats the mute urgency
of a persistent wing.
But if I go to open it,
all that I find
is the night once again:
night and the silence.

Words? For what?
In them at times
I feel that I touch you at last,
April ... But I say them—
root, bird, light—
and the wind answers me,
'Winter'; 'Winter,' the sun;
and 'Loneliness,' the echoes.

I search out books of travel.
I unfold maps of love.
Of the faces of women
who died long ago,
in portraits and in letters,
I ask what you were like;
what clouds, what skylarks
were, in other harbours,

de tu regreso eterno
crédulos mensajeros.

Pero nadie te ha visto
llegar, abril. A nadie
puedo pedir consejo
para esperarte. Nadie
conoce tus andenes,
sino—acaso—este ciego
que pugna por hallar
a tientas, en mis versos,
el secreto botón
que pone en marcha al mundo
cuando vacila el sol
y dudan los inviernos . . .

the trustful messengers
of your endless return.

But no one has seen you
come, April. Of no one
can I ask advice
for awaiting you. No one
knows your railway platforms,
save, perhaps, this sightless creature
that, groping, strives
to find in my verses
the secret button
that sets the world moving
when the sun hesitates
and winters doubt. . .

B. L. C.

ENTRENAMIENTO

EL mar—boxeador rápido—
tiene de pun
        ching
           ball
a los barquillos inquietos.

Con la toalla del viento,
la tarde frota el cuerpo
sudoroso del bóxer.

Los edificios
—fanáticos del ring—
contemplan apiñados
el gran entrenamiento.

(El muelle cuchichea
con un vapor que fuma)…

Y un aplauso de ola
hace empinar la torre
con el reloj en mano
para llevar el tiempo.

Chiquillos vagabundos,
los pájaros marinos,
se cuelan por el techo.

DEMETRIO HERRERA S.

TRAINING

THE sea—quick pugilist—
uses for a pun
                    ching
                         ball
the restless little boats.

With the towel of the wind,
evening rubs down the boxer's
sweaty body.

The buildings—
ringside fans—
crowd close to watch
the big training.

(The dock is whispering
with a smoking ship. . .)

And the surf's applause
makes the tower stand on tiptoe
with its watch in hand
to keep the time.

Stray kids,
the sea-birds
sneak in through the roof.

                                        D. F.

EVOCAÇÃO DO RECIFE

RECIFE
Não a Veneza americana
Não a Mauritsstad dos armadores das Índias Ocidentais
Não o Recife dos Mascates
Nem mesmo o Recife que aprendí a amar depois—Recife das
    revoluções libertárias
Mas o Recife sem história nem literatura
Recife sem mais nada
Recife da minha infância

A rua da União onde eu brincava de chicote queimado e
    partia as vidraças da casa de dona Aninha Viegas
Totônio Rodrigues era muito velho e botava o pincenê na
    ponta do nariz
Depois do jantar as familias tomavam a calçada com cadeiras
    mexericos namoros risadas
A gente brincava no meio da rua
Os meninos gritavam:
    Coelho sai!
    Não sai!
À distância as vozes macias das meninas politonavam:
    Roseira dá-me uma rosa
    Craveiro dá-me um botão
(Dessas rosas muita rosa
Terá morrido em botão . . .)

De repente
      nos longes da noite
           um sino
Uma pessoa grande dizia:
Fogo em Santo Antônio!

SALUTE TO RECIFE

RECIFE
Not the Venice of America
Not the Mauritsstad of the merchant adventurers to the West
    Indies
Not the Recife of Levantine peddlars
Not the Recife I learned to love afterwards—the Recife of
    libertarian revolutions
But a Recife without history or literature
A Recife remarkable for nothing
The Recife of my childhood

Union Street where I played snap-the-handkerchief and broke
    the windows of Dona Aninha Viegas' house
Totônio Rodrigues was very old and wore his nose-nippers on
    the end of his nose
After dinner the families took their chairs out on the sidewalk
    gossiping, making love, laughing
Children played games in the middle of the street
The boys shouted:
    Will the rabbit come out?
     Or won't he?
In the distance the sleek voices of little girls sang slightly off key:
    Rose tree give me a rose
    Clove tree give me a bud
(Of those roses many a rose
Died in the bud)

Suddenly
      far away in the night
              a bell
One grown-up person said:
Fire in Santo Antônio!

Outra contrariava: São José!
Totônio Rodrigues achava sempre que era São José.
Os homens punham o chapéu saíam fumando
E eu tinha raiva de ser menino porque não podia ir ver o fogo

Rua da União...
Como eram lindos os nomes das ruas da minha infância
Rua do Sol
(Tenho mêdo que hoje se chame do dr. Fulano de Tal)
Atrás de casa ficava a rua da Saudade...
    ...onde se ia fumar escondido
Do lado de lá era o cais da rua da Aurora...
    ...onde se ia pescar escondido

Capiberibe
—Capiberibe
Lá longe o sertãozinho de Caxangá
Banheiros de palha

Um dia eu vi uma moça nuinha no banho
Fiquei parado o coração batendo
Ela se riu
      Foi o meu primeiro alumbramento

Cheia! As cheias! Barro boi morto árvores destroços
    redomoinho sumiu
E nos pegões da ponte do trem de ferro os caboclos destemidos
    em jangadas de bananeiras
Novenas
    Cavalhadas
Eu me deitei no colo da menina e ela começou a passar a mão
    nos meus cabelos
Capiberibe
—Capiberibe

Another, contradicting him, São José!
Totônio Rodrigues insisted it was in São José.
The men put on their hats and went out smoking
And I was furious because I was a child and could not go to
      the fire

Union Street . . .
What lovely names they had, the streets of my childhood
Street of the Sun
(Nowadays, I fear, it is called after Dr. So-and-so)
Behind our house was the Street of Regretful Longing . . .
     . . . where I went to smoke on the sly
Not far away, on the water front, was the Street of Dawn . . .
     . . . where I went to fish on the sly

Capiberibe
—Capiberibe
There beneath the tangled woods of Caxangá
Bath-houses of straw

One day I saw a young woman bathing without a stitch
I stood still with beating heart
She laughed
        For the first time I was aware

Flood-time! The river-floods! Slime, dead oxen, uprooted
      trees submerged in the eddies
And in the whirlpools under the railway bridge the reckless
      half-breeds on rafts of banana trees
Novenas
     Riding on horses
I lay in the girl's lap and she began to run her hand through
      my hair
Capiberibe
—Capiberibe

Rua da União onde tôdas as tardes passava a preta das
    bananas
            Com o chale vistoso de pano da Costa
E o vendedor de roletes de cana
O de amendoim
    que se chamava midubim e não era torrado
    era cozido
Me lembro de todos os pregões:
    Ovos frescos e baratos
    Dez ovos por uma pataca
Foi há muito tempo.

A vida não me chegava pelos jornais nem pelos livros
Vinha da bôca do povo na língua errada do povo
Língua certa do povo
Porque êle é que fala gostoso o português do Brasil
    Ao passo que nós
    O que fazemos
    É macaquear
    A sintáxe lusíada
A vida com uma porção de coisas que eu não entendia bem
Terras que não sabia onde ficavam

Recife...
        Rua da União...
                A casa de meu avô..

Nunca pensei que ela acabasse!
Tudo lá parecia impregnado de eternidade
Recife...
        Meu avô morto...

Recife morto, Recife bom, Recife brasileiro como a casa de
    meu avô.

Union Street where every afternoon the negress with bananas
      went by
          In her gaudy African shawl
And the man who sold stalks of sugar-cane
And the peanuts
      which were called midubim and were not roasted
      but boiled
I remember all the street-cries:
      Eggs fresh and cheap
      Ten eggs for a pataca
That was long ago ...

Life did not come to me through newspapers or books
It came on the lips of the people in the rude language of the
      people
The apt language of the people
For it is they who speak with gusto the Portuguese of Brazil
      To a tune of our own
      What we do
      Is to ape
      The Lusitanian syntax
Life with a parcel of things I did not clearly understand
Countries of whose existence I did not know

Recife ...
      Union Street ...
            My grandfather's house ...

Never did I think it would all come to an end!
Everything there seemed imbued with eternity
Recife ...
      My grandfather dead ...

Dead Recife, good Recife, Recife as Brazilian as my
      grandfather's house.

                           D.P.

NA RUA DO SABÃO

Caɪ cai balão
Cai cai balão
Na ru-a do Sa-bão!...

O que custou arranjar aquele balãozinho de papel!
Quem fêz foi o filho da lavadeira.
Um que trabalha na composição do jornal e tosse muito.

Comprou o papel de sêda, cortou-o com amor, compôs os
     gomos oblongos ...
Depois ajustou o morrão de pez ao bocal de arame.

Ei-lo agora que sobe,—pequena coisa tocante na escuridão do
     céu

Levou tempo para criar fôlego.
Bambeava, tremia todo e mudava de côr.
A molecada da rua do Sabão
Gritava com maldade:
Cai cai balão!

Sùbitamente, porém, entesou, enfunou-se e arrancou das
     mãos que o tenteavam.
E foi subindo ...
       para longe ...
            serenamente ...

Como se o enchesse o soprinho tísico do José.

Cai cai balão!

A molecada salteou-o com atiradeiras
         assobios
         apupos
         pedradas.

IN SOAPSUDS STREET

COME down! Come down, balloon!
Come down! Come down, balloon!
In Soapsuds Street! ...

What it cost to contrive that tiny paper balloon!
It was the son of the laundress who made it,
A boy who worked as typesetter on the newspaper and
   coughed all the time.

He bought the tissue paper, lovingly cut it, fitted the narrow
   sections together ...
Then adjusted the tarred wick to the wire mouthpiece.

Now up it goes,—so small, so touching, in the dusky sky.

It took time to fill.
It swayed, trembled all over and changed color.
The little black brats of Soapsuds Street
Yelled with malice:
Come down! Come down, balloon!

Yet suddenly it stretched, filled and pulled away from the
   hands that held it
And began to rise ...
     higher and higher ...
        serenely ...

Buoyant with José's phthisic breath.

Come down! Come down, balloon!

The little brats attacked it with slings
        jeers
        catcalls
        stones

Cai cai balão!

Um senhor advertiu que os balões são prohibidos pelas
    posturas municipais.

Êle, foi subindo . . .
          muito serenamente . . .
                  para muito longe . . .

Não caíu na rua do Sabão.
Caíu muito longe . . . Caíu no mar,—nas águas puras do mar
    alto.

MOZART NO CÉU

    No dia 5 de dezembro de 1791 Wolfgang Amadeus Mo-
zart entrou no céu, como um artista de circo, fazendo
piruetas extraordinárias sôbre um mirabolante cavalo
branco.

Os anjinhos atônitos diziam: Que foi? Que não foi?
Melodias jamais-ouvidas voavam nas linhas suplementares
    superiores da pauta.
Um momento se suspendeu a contemplação inefável.
A Virgem beijou-o na testa
E desde então Wolfgang Amadeus Mozart foi o mais moço
    dos anjos.

A MATA

A MATA agita-se, revoluteia, contorce-se tôda
    e sacode-se!
A mata hoje tem alguma coisa para dizer.
E ulula, e contorce-se tôda, como a atriz de uma pantomina
    trágica.

Come down! Come down, balloon!

A gentleman warned that balloons were prohibited by city
     regulations.

Still, it went on mounting ...
          ever so calmly ...
               ever so high ...

It did not fall in Soapsuds Street.
It fell far away ... It fell in the sea, in the pure waves of the
     open sea.

                                   D. P.

MOZART IN HEAVEN

On the 5th of December 1791 Wolfgang Amadeus Mozart entered heaven as a circus performer, turning marvelous pirouettes on a dazzling white horse.

The small astonished angels said: Who can that be? Who in
     the world can that be?
As never-before-heard melodies began to soar
Line after line above the staff.
For a moment the ineffable contemplation paused.
The Virgin kissed him on the forehead
And from then on Wolfgang Amadeus Mozart was the
     youngest of the angels.

                                     D. P.

THE WOODS

The woods toss and whirl and writhe and shake themselves
     from end to end!
Today the woods have something to tell.
And they howl and strain, root and branch, like an actress in
     a tragic play.

Cada galho rebelado
Inculca a mesma perdida ânsia.
Todos êles sabem o mesmo segrêdo pânico.
Ou então—é que pedem desesperadamente a mesma instante
    coisa.

Que saberá a mata? Que pedirá a mata?
Pedirá água?
Mas a água despenhou-se há pouco, fustigando-a,
    escorraçando-a, saciando-a como aos alarves.
Pedirá o fogo para a purificação das necroses
    milenárias?
Ou não pede nada, e quer falar e não pode?
Terá surpreendido o segrêdo da terra pelos ouvidos finíssimos
    das suas raízes?
A mata agita-se, revoluteia, contorce-se tôda e sacode-se!
A mata está hoje como uma multidão em delírio coletivo.

Só uma touça de bambús, à parte,
Balouça levemente ... levemente ... levemente ...
E parece sorrir do delírio geral.

O CACTO

AQUELE cacto lembrava os gestos desesperados da estatuária:
Laocoonte constrangido pelas serpentes,
Ugolino e os filhos esfaimados.
Evocava também o sêco nordeste, carnaúbais, caatingas ...

Era enorme, mesmo para esta terra de feracidades
    excepcionais.

Every rebellious branch
Betrays the same frantic anxiety.
All feel the same secret fear.
Or if not, then they are all desperately begging the same
    urgent thing.

What do the woods know? What are the woods beseeching?
Are they begging water?
But the water fell in floods only just now, whipping them,
    beating them, shaking them without mercy.
Are they begging fire to cleanse themselves of the century-old
    dry rot?
Or do they ask for nothing? Do they merely wish to speak and
    cannot?
Have they surprised the earth's secret through the delicate
    ears of their roots?
The woods toss, whirl, strain and shake from end to end!
Today the woods are like a mob in collective delirium.

Only a single tuft of bamboos, standing somewhat apart,
Sways ever so lightly, so lightly, so very lightly,
As if smiling at the general madness.

D. P.

THE CACTUS

That cactus recalled the despairing gestures of marble:
Laocoön strangled by the serpents,
Ugolino and his famished sons.
It called to mind also the dry northeast, the parched
    wilderness, the bush.

It was enormous, even for this land so monstrously
    fertile.

Um dia um tufão furibundo abateu-o pela raiz.
O cacto tombou atravessado na rua,
Quebrou os beirais do casario fronteiro,
Impediu o trânsito de bondes, automóveis, carroças,
Arrebentou os cabos elétricos e durante vinte e quatro horas
      privou a cidade de iluminação e energia:

—Era belo, áspero, intratável.

A ESTRADA

Esta estrada onde moro, entre duas voltas do caminho,
Interessa mais que uma avenida urbana.
Nas cidades tôdas as pessoas se parecem.
Todo o mundo é igual. Todo o mundo é tôda a gente.
Aqui, não: sente-se bem que cada um traz a sua alma.
Cada criatura é única.
Até os cães.
Êstes cães da roça parecem homens de negócios:
Andam sempre preocupados.

E quanta gente vem e vai!
E tudo tem aquele caráter impressivo que faz meditar:
Entêrro a pé ou a carrocinha de leite puxada por um
      bodezinho manhoso.
Nem falta a murmúrio da água, para sugerir pela voz dos
      símbolos
Que a vida passa! que a vida passa!
E que a mocidade vai acabar.

NOITE MORTA

Noite morta.
Junto ao poste de iluminação
Os sapos engolem mosquitos.

One day an angry gust uprooted it.
The cactus fell across the street,
Demolished the eaves of the houses across the way,
Obstructed the passage of streetcars, automobiles, wagons;
Tore down the electric wires, and during twenty-four hours
        deprived the city of light and power:

It was beautiful, harsh, intractable.

D. P.

THE HIGHWAY

THIS street where I live, between two bends of the road,
Is more interesting than a city avenue.
In towns all the people look alike.
Everyone is alike. Everyone is everybody.
Here, not so; it is plain that everyone has a soul of his own.
Every creature is unique,
Even to the dogs.
These country dogs have the air of business men:
They are always preoccupied.

And how many people come and go!
Each with a character so distinct as to start a whole train of
        meditation:
The funeral procession on foot or the little milk cart drawn
        by a crafty he-goat.
Nor is there lacking a murmur of water, to suggest by the
        voice of symbols
That life is passing, that life is passing,
And that youth comes to an end.

D. P.

DEAD OF NIGHT

IN the dead of night
Beside the lamp post
The toads are gulping mosquitoes.

Ninguém passa na estrada.
Nem um bêbedo.

No entanto há seguramente por ela uma procissão de sombras.
Sombras de todos os que passaram.
Os que ainda vivem e os que já morreram.

O córrego chora.
A voz da noite . . .

(Não desta noite, mas de outra maior.)

No one passes in the street,
Not even a drunkard.

Nevertheless there is certainly a procession of shadows:
Shadows of all those who have passed,
Of those who are still alive and those already dead.

The stream weeps in its bed.
The voice of the night . . .

(Not of this night, but of one yet vaster.)

D. P.

EL POSTE

Negro, largo,
solo en la cumbre,
colgado de los alambres
está el poste
del telégrafo.

A través
de los vidrios
del sleeping-car
miro a Cristo
clavado en él,
con los brazos abiertos.

No sufre.
Con sus manos,
con sus pies
que sangran,
está tranquilo
y diáfano.

Los alambres,
electrizándose
se estremecen,
palpitan,
llevan palabras,
        deseos.

Cristo desfallece.
Ninguna de las palabras
es la que espera,
la que viene de su padre.

TELEGRAPH POLE

TALL, black,
alone on the hill-top,
hanging from wires
is the telegraph
pole.

Through
the panes
of the sleeping-car
I see Christ
nailed upon it
with outflung arms.

He does not suffer.
With his hands,
with his feet
that bleed,
he is calm,
transparent.

The wires,
electrified,
shudder,
palpitate,
bear words,
    desires.

Christ swoons.
None of the words
is the word he awaits,
the word coming from his Father.

Ninguna
dice de Dios.

La golondrina
que aún tiene en el pecho
blanco sabor de cascarones,
juntas las manos,
le dice aquello
que nunca llevarán los alambres
en el alfabeto de Morse.

Not one
speaks of God. .

The swallow which still
bears on its breast
the white taste of the shell,
with joined hands,
tells him what
the wires will never carry
in Morse code.

M. L.

RONALD DE CARVALHO

MERCADO DE TRINIDAD

Mercado de Trinidad
na tepidez molhada da manhã!
Dourados tropicais de asas e frutas,
verdes marítimos franjados de alcatrazes,
mar de corais, fogos de madrepérolas ao sol.

Das cestas de vime rolam ananases de escamas oxidadas,
o amarelo e o vermelho dos papagaios riscam o ar,
as mangas queimam penumbras de fôlhas murchas,
a terra é uma vibração de coloridos.

Sobe das faluas o aroma grosso do breu e do alcatrão,
e há deuses de bronze no azul da vaga,
no azul da vaga trêmula e faiscante...

Mercado de Trinidad
na tepidez molhada da manhã!
Por trás dos mastros e cordames pardos,
na cinta elástica das bananeiras e dos limoeiros,
espiam cottages e bungalows.
E, sôbre as livres solidões selvagens,
entre araras, tucanos, goiabeiras e coqueirais,
passeia gravemente, de capacete branco,
a ruiva sentinela do Forte colonial...

INTERIOR

Poeta dos trópicos, tua sala de jantar
é simples e modesta como um tranqüilo pomar;

RONALD DE CARVALHO

TRINIDAD MARKET

MARKET of Trinidad
in the warm moist morning!
Tropical golds of wings and fruits,
ocean greens edged by pelicans,
seas of coral, fires of mother-of-pearl in the sun.

From wicker baskets roll pineapples with rusty scales,
yellow and scarlet parrots flash through the air,
mangoes burn the penumbra of tarnished leaves,
and the earth vibrates with colours.

Up from the ships comes a reek of pitch and tar,
and there are gods of bronze in the blue of the waves,
in the blue of the sparkling and tremulous waves . . .

Market of Trinidad
in the warm moist morning!
Beyond the gray masts and the rigging,
from the swaying girdle of banana and lemon trees,
peep cottages and bungalows.
And against the wild free solitudes,
among parrots, toucans, palms and guava trees,
in a white helmet gravely paces
the fair-haired sentry of the colonial fort . . .

D. P.

INTERIOR

POET of the tropics, your dining room
is simple and unpretending as a quiet orchard;

145

no aquário transparente, cheio de água limosa,
nadam peixes vermelhos, dourados e côr de rosa;

entra pelas verdes venezianas uma poeira luminosa,
uma poeira de sol, trêmula e silenciosa,

uma poeira de luz que aumenta a solidão.
Abre a tua janela de par em par. Lá fora, sob o céu do verão,

todas as árvores estão cantando! Cada fôlha
é um pássaro, cada fôlha é uma cigarra, cada fôlha
é um som ...

O ar das chácaras cheira a capim melado,
e ervas pisadas, à baunilha, a mato quente e abafado.

Poeta dos trópicos,
dá-me no teu copo de vidro colorido um gole d'água.
(Como é linda a paisagem no cristal de um copo d'água!)

BRASIL

NESTA hora de sol puro
palmas paradas
pedras polidas
claridades
faiscas
cintilações

Eu ouço o canto enorme do Brasil!
Eu ouço o tropel dos cavalos de Iguassú correndo na ponta das
      rochas nuas, empinando-se no ar molhado, batendo, com
      as patas de água na manhã de bolhas e pingos verdes;

in the transparent bowl, full of weedy water,
swim the vermilion fishes, the golden, the pink;

through the green shutters comes a shining dust,
a dust of sun-motes, inconstant and without sound,

a dust of light that increases the solitude.
Open your window wide. Outside, under the summer sky,

all the trees are singing! Every leaf
is a bird, every leaf is a cicada, every leaf
is a sound ...

The air of the lonely farms smells of sweet grass,
of trampled undergrowth, of vanilla, of hot and sultry woods.

Poet of the tropics,
give me, in your goblet of coloured glass, a draught of water.
(How lovely the landscape, reflected in a glass of water!)

D. P.

BRAZIL

In this hour of pure sunlight
still palms
shining rocks
flashes
gleams
scintillations

I hear the vast song of Brazil!
I hear the thundering steeds of Iguassú pounding the naked
    rocks, prancing in the wet air, trampling with watery
    feet the morning of spume and green trills;

Eu ouço a tua grave melodia, a tua bárbara e grave melodia,
  Amazonas, a melodia da tua onda lenta de óleo
  espesso, que se avoluma e se avoluma, lambe o barro
  das barrancas, morde raízes, puxa ilhas e empurra o
  oceano mole como um touro picado de farpas, varas,
  galhos e folhagens;
Eu ouço a terra que estala no vento quente do nordeste, a
  terra que ferve na planta do pé de bronze do
  cangaceiro, a terra que se esborôa e rola em surdas
  bolas pelas estradas de Joazeiro, e quebra-se em crostas
  sêcas, esturricadas no Crato chato;
Eu ouço o chiar das caatingas—trilos, pios, pipios, trinos,
  assobios, zumbidos, bicos que picam, bordões que
  ressôam retesos, tímpanos que vibram límpidos, papos
  que estufam, asas que zinem zinem rezinem, cris-cris,
  cicios, cismas, cismas longas, langues—caatingas
  debaixo do céu!
Eu ouço os arroios que riem, pulando na garupa dos dourados
  gulosos, mexendo com os bagres no limo das luras e das
  locas;
Eu ouço as moendas espremendo canas, o glu-glu do mel
  escorrendo nas tachas, o tinir das tigelinhas nas
  seringueiras;
e machados que disparam caminhos,
e serras que toram troncos,
e matilhas de "Corta-Vento", "Rompe-Ferro", "Faiscas"
  e "Tubarões" acuando sussuaranas e
  maçarocas,
e mangues borbulhando na luz,
e caitetús tatalando as queixadas para os jacarés que dormem
  no tejuco morno dos igapós . . .

Eu ouço todo o Brasil cantando, zumbindo, gritando,
  vociferando!
Rêdes que se balançam,
sereias que apitam,

I hear thy solemn melody, thy barbaric and solemn melody,
    Amazon, the melody of thy lazy flood, heavy as oil,
    that swells greater and ever greater, licking the mud of
    banks, gnawing roots, dragging along islands, goring
    the listless ocean like a bull infuriated with rods, darts,
    branches and leaves;
I hear the earth crackling in the hot northeast wind, earth
    that heaves beneath the bare bronze foot of the
    outlaw, earth that turns to dust and whirls in silent
    clouds through the streets of Joazeiro and falls to
    powder on the dry plains of Crato;
I hear the chirping of jungles—trills, pipings, peepings,
    quavers, whistles, whirrings, tapping of beaks, deep
    tones that hum like taut wires, clearly vibrating drums,
    throats that creak, wings that click and flicker, cries
    like the cricket's, whispers, dreamy calls, long languid
    calls—jungles beneath the sky!
I hear the streams laughing, dashing the flanks of greedy
    golden carp, disturbing the bearded catfish in their oozy
    holes and hiding-places beneath submerged stones;
I hear the millstones grinding sugar cane, the gurgle of sweet
    juice flowing into vats, the clank of pails among
    rubber trees;
and axes opening paths,
and saws cutting timber,
and packs of hounds named Wind-cutters, Iron-breakers,
    Flashes and Sharks holding at bay the red leopards and
    the jaguars,
and mangroves leafing in the sun,
and peccaries snapping their jaws at alligators asleep in the
    tepid mud of bayous ...

I hear all Brazil singing, humming, calling,
    shouting!
Hammocks swaying,
whistles blowing,

usinas que rangem, martelam, arfam, estridulam, ululam e
  roncam,
tubos que explodem,
guindastes que giram,
rodas que batem,
trilhos que trepidam,
rumor de coxilhas e planaltos, campainhas, relinchos,
  aboiados e mugidos,
repiques de sinos, estouros de foguetes, Ouro-Preto, Baía,
  Congonhas, Sabará,
vaias de Bolsas empinando números como papagaios,
tumulto de ruas que saracoteiam sob arranha-céus,
vozes de todas as raças que a maresia dos portos joga no
  sertão!

Nesta hora de sol puro eu ouço o Brasil.
Todas as tuas conversas, pátria morena, correm pelo ar . . .
a conversa dos fazendeiros nos cafezais,
a conversa dos mineiros nas galerias de ouro,
a conversa dos operários nos fornos de aço,
a conversa dos garimpeiros, peneirando as bateias,
a conversa dos coroneis nas varandas das roças . . .

Mas o que eu ouço, antes de tudo, nesta hora de sol puro
palmas paradas
pedras polidas
claridades
brilhos
faiscas
cintilações
é o canto dos teus berços, Brasil, de todos êsses teus berços,
  onde dorme, com a boca escorrendo leite, moreno,
  confiante,
o homem de àmanhã!

factories grinding, pounding, panting, screaming, howling
    and snoring,
cylinders exploding,
cranes revolving,
wheels turning,
rails trembling,
noises of foothills and plateaux, cattlebells, neighings,
    cowboy songs, and lowings,
chiming of bells, bursting of rockets, Ouro-Preto, Baía,
    Congonhas, Sabará,
clamour of stock-exchanges shrieking numbers like parrots,
tumult of streets that seethe beneath skyscrapers,
voices of all the races that the wind of the seaports tosses into
    the jungle!

In this hour of pure sunlight I hear Brazil.
All thy conversations, tawny homeland, wander in the air . . .
the talk of planters among coffee bushes,
the talk of miners in gold mines,
the talk of workmen in furnaces where steel is made,
the talk of diamond hunters shaking seives,
the talk of colonels on the verandas of country houses . . .

But what I hear, above all, in this hour of pure sunlight
still palms
shining rocks
flashes
gleams
scintillations
is the song of thy cradles, Brazil, of all thy cradles, in which
    there sleeps, mouth dripping with milk, dusky,
    trusting,
the man of tomorrow!

                                    D. P.

O BECO

O BECO ao crepúsculo é uma paisagem de limbo
um carvão de Steinlein.
Mulheres endomingadas atravancam as calçadas
onde homens sisudos de braços peludos
fumam cachimbo.

Um rancho infantil o silêncio desmancha
e a canção se desata:
    —Senhora D. Sancha
    coberta de ouro e prata . . .

Salta de uma janela um gramofone rouco
que rasca range ri parece louco.

Brusco cessa. O silêncio desce pelas
almas. Nos céus ardem constelações.

Passa o acendedor de lampiões
como um mágico doido que andasse a semear estrêlas . . .

BAÍA DA GUANABARA

O Pão de Açucar é um pescador filósofo
de costas voltadas para o mar.
Fisga com um anzol errante
dependurado nos fios elétricos da sua vara de pesca
meia dúzia de ingleses "globe-trotters"
e uma "miss" triste como Lady Godyva.

THE NARROW STREET

AT dusk the narrow street is a landscape in Limbo
a drawing in charcoal by Steinlein.
Girls in their Sunday best crowd upon the pavements
where thoughtful men with hairy arms
smoke their pipes.

Playing children startle the silence
with a burst of singing:
    Senhora Dona Sancha
    clothed in gold and silver ...

Out of a window leaps a raucous phonograph,
scraping and shrieking in delirium.

Suddenly it is still. Silence descends
upon all souls. Constellations are kindled in the skies.

The lamplighter passes
like a spendthrift magician scattering stars ...

                      D. P.

BAY OF GUANABARA

THE Sugar Loaf is a philosophic fisherman
with his back turned to the sea.
He hooks, with a wandering hook
hanging from the electric wires of his fishing pole,
half a dozen English tourists
and a young miss as forlorn as Lady Godiva.

MENOTTI DEL PICCHIA

A Urca o ermitão taciturno
resiste pètreamente à tentação das nuvens
que dansam em seu redor como mulheres nuas.
Na sua salva de prata a baía
oferta os peixes irrequietos das ondas
preparados na salsa branca da espuma.
Os cargueiros alcatroados,
rijos operários atlânticos
olham com inveja fumando o cachimbo das chaminés
   enormes
a elegância internacional dos "yachts"
e o fausto enfastiado dos transatlânticos de luxo.

Uma barca ondulante
acena o tropismo racial e nômade das travessias
e marca com a prôa aguda a tentação oceânica das viagens.

Sôbre a paisagem marinha
uma gaivota acrobática
faz loopings-the-loopings para divertir os catraeiros.

E o mar canta no cais nostálgico
a sinfonia de lágrimas e soluços
de todas as despedidas . . .

The Urca, a taciturn hermit,
stonily resists the temptings of the clouds
that dance about him like naked women.
The Bay, on its silver platter,
offers the restless fishes of the flood
poached in a white sauce of foam.
The tarry freighters,
tough Atlantic workmen,
eye with envy, smoking the pipes of enormous funnels,
the international elegance of yachts
and the bored splendour of luxurious liners.

A rocking schooner
hints of restless race-old longing for the open sea
and with its pointed bow sharpens the temptation of far
        voyages.

Against the marine backdrop
an acrobatic seagull
loops the loop to amuse the bumboats.

And the sea sings, along the homesick quay,
the tearful and sighing melody
of all farewells . . .

D. P.

LOS INDIOS BAJAN DE MIXCO

Los INDIOS bajan de Mixco
cargados de azul oscuro
y la ciudad les recibe
con las calles asustadas
por un manojo de luces
que, como estrellas, se apagan
al venir la madrugada.

Un ruido de corazones
dejan sus manos que reman
como dos remos al viento;
y de sus pies van quedando
como plantillas las huellas
en el polvo del camino.

Las estrellas que se asoman
a Mixco, en Mixco se quedan,
porque los indios las cogen
para canastos que llenan
con gallinas y floronas
blancas de izote dorado.

Es más callada la vida
de los indios que la nuestra,
y cuando bajan de Mixco
sólo se escucha el jadeo
que a veces silba en sus labios
como serpiente de seda.

THE INDIANS COME DOWN FROM MIXCO

THE Indians come down from Mixco
laden with deep blue
and the city with its frightened
streets receives them
with a handful of lights
that, like stars, are extinguished
when daybreak comes.

A sound of heartbeats
is in their hands that stroke
the wind like two oars;
and from their feet fall
prints like little soles
in the dust of the road.

The stars that peep out
at Mixco stay in Mixco
because the Indians catch them
for baskets that they fill
with chickens and the big white flowers
of the golden Spanish bayonet.

The life of the Indians
is quieter than ours,
and when they come down from Mixco
they make no sound but the panting
that sometimes hisses on their lips
like a silken serpent.

D. D. W.

SEMBRADOR

En un campo blanco,
semillitas negras...
    ¡Que llueva, que llueva...!

—¿Sembrador, qué siembras?
¡Cómo canta el surco!
    ¡Que llueva, que llueva...!

Yo siembro arco-Iris,
albas y trompetas!
    ¡Que llueva, que llueva...!

THE SOWER

On a white field,
black little seeds...
　　　Let it rain! rain!

'Sower, what do you sow?'
How the furrow sings!
　　　Let it rain! rain!

'I sow rainbows,
dawns and trumpets!'
　　　Let it rain! rain!

　　　　　　D. F.

VALSE EN LA PLAZA DE YUNGAY

LA mujer de mármol, desnuda entre sus violetas,
se ruboriza al contacto del aire,
sus senos de manzana y heliotropo
mantienen la melodía provinciana del atardecer lánguido.

Curvas puras,
explosión de vida extasiada,
gota de belleza en suspenso, cantar.

Mis ojos la penetran de castidad
y la tarde vuelve la cabeza
al sorprenderme en actitud
de cubrirle los hombros floridos
con mi abrigo de penumbras.

CANCIÓN DE TOMÁS, EL AUSENTE

A LA entrada, en el índice de todos los caminos: tú,
de todas las perspectivas, de todas las lontananzas,
como el nido de un pájaro que no existió
y lo oímos cantar en nosotros.

Fruta de recuerdo,
ya estarás cambiado, Tomasito, en el país de los muertos,
con aquella flor resonante,
que traías en tu manito de hombre escojido por el destino,
y esos ojos de ilusión de aventurero.

Voy a deshojar los innumerables pájaros
para tu navío de sombra.

WALTZ IN YUNGAY SQUARE

THE marble woman, naked among her violets,
blushes at the touch of the air,
her breasts of apple and heliotrope
sustain the provincial melody of the languid twilight.

Pure curves,
explosion of enraptured life,
drop of beauty in suspension, song.

My eyes pierce her with innocence
and the evening turns its head
and catches me in the act
of covering her flowering shoulders
with my cloak of shadows.

H. R. H.

SONG OF THOMAS, DEPARTED

AT the entrance, there where all roads begin: you,
all perspectives before you, all distances,
like the nest of a bird that never existed,
though we heard it sing in ourselves.

Fruit of memory,
you shall indeed be changed, Tommy, in the country
      of the dead,
with that echoing flower
in your little hand, the hand of a man chosen by destiny,
and those eyes beguiled by adventure.

I am going to pluck the leaves from the numberless birds
for your ship of shadow.

H. R. H.

ELOGIO DE LA CALLE SACCARELLO

TORTUOSA calleja, orillada de árboles
que a los ojos dan sombra y acarician al alma:
tienes, como tu ycuá*, la gracia ingenua y fresca
de las cosas humildes.

Y un no sé qué de femenina, oh! calle Palma
del suburbio... Vidrieras consteladas de joyas?
No, ni falta que te hacen. Tú, dichosa ríes
en la cordialidad de tus macetas, mientras
te alumbran en las noches los eternos letreros
luminosos del cielo.

En una esquina gira loca la calesita
(añoranzas de infancia giran en el recuerdo...)
Atardece: los chicos se alejan del baldío
que poblaron de gritos floridos todo el día.
—Baldío suburbano, donde se amalgamaron
el ajetreo urbano y la quietud del campo.—

Largo a largo en la tarde se ha tendido el silencio...
Preludiando las nuevas del celuloide el 'Cine
Progreso' se engalana de carteles chillones.
—También el barrio tiene sus finas preferencias:
adora a Mary Píckford por sus bucles de oro
y a Douglas por sus saltos.—

... Calle Saccarello, la de las tardes claras
y los silencios hondos: que entre tus dos fraternas
hileras de esmeralda, ahuyentando la pena,
dance eterna la dicha!

* Manantial, en idioma guaraní.

H. SANCHEZ QUELL

PRAISE OF SACCARELLO STREET

TWISTING little street, lined with trees
that shade the eyes and caress the soul:
like your *ycuá**, you have the fresh and candid grace
of humble things.

And a something that is feminine, oh suburban
Palm Street! . . . Show-windows starry with jewels?
No, nor do you miss them. Happily you laugh
amid the warmth of your flower-pots, while
your nights are lit by the eternal
electric signs of the sky.

At a corner the little buggy wheels crazily
(a longing for childhood wheels in our memories. . .)
Dusk: the children come back from the vacant lots
that they filled all day with their blossoming cries.
—Suburban lots, where mingled
the city's hubbub and the country quiet.—

From one end to the other the evening silence has stretched. . .
Announcing a film, the Progress
Theatre decks itself out with noisy posters.
—Our neighbourhood too has its nice preferences:
we adore Mary Pickford for her golden curls
and Douglas for his leaps.—

Saccarello Street of clear evenings
and deep stillnesses: between your two brotherly
emerald rows, putting care to flight,
may joy eternal dance!

D. F.

* 'Spring, fount,' in the Guaraní language.

TROPEL DE MONTAÑAS

TROPEL de montañas
es ésta nuestra tierra
y tú eres el sol,
el aire y el agua
de todita ella.

Ah mi niña chola:
dureza de azucena,
fruta es tu cuerpo,
fruta que aroma,
antojo de hombres,
pecado que nos aloca.

Tus cejas ya vuelan
—golondrinas sin alas,—
congona, congonita
flor del aire,
flor del agua
siempre fresca y llena;
que por tí no pasa,
no pasa el tiempo
con sus arados!

Dime que sí mi niña
ungüento de malva,
ojos luceros,
muslos de estrella,
dos pies de caramelo.
Pero sólo el aire,
el aire
sabe de tus olores!

MOB OF MOUNTAINS

A MOB of mountains
is this our land,
and you are the sun,
the air and the water
of every bit of it.

Ah my *chola* girl:
firm as a white lily,
your body is a fruit,
a sweetsmelling fruit,
caprice of men,
sin that drives us mad.

Your eyebrows soar—
wingless swallows—,
reed-lily, lily bud,
blossom of the air,
blossom of the water,
always fresh, flowering ever,
since Time, for you,
Time passes never,
Time with his plowshares!

Say yes, my little one,
unguent of mallow,
eyes aglow,
thighs like stars,
two caramel feet.
But the air only,
only the air
senses your fragrance!

                              M. L.

TRAVESÍA ANDINISTA

EL silencio se desmorona frente a la cabalgata
      Marejadas de relinchos
Brinca el amanecer sobre las peñas
la aldea desnuda sus vértebras de piedra
La campana de la iglesia navega hacia la pampa
Bebemos el Ier alcohol matinal
EL SOL ESTA LIMPIANDO LOS TEJADOS
Las calles cuecen su fiambre de palabras
En las crines de los caballos enredada la alegría
      El día va sujeto a los estribos
                      LEJOS
vuela la armazón del pueblo
    LA PAMPA
      abre sus tiendas de montañas
Llenamos de oxígeno nuestras alforjas
El camino desdobla sus veredas de tierra firme
Del norte viene una polvareda de palomas
          i en lo alto
            estalla
la pirotecnia de los loros
      EN MARCHA
Proyectiles de amanecer nuestros ojos perforan la tela del
    horizonte
El sol va sobre las ancas de los caballos
Un cortejo nupcial de indios de la comarca
      ciñe la cintura del cerro de gala
Monteras de geráneos rebozos como llamaradas
    refulgen
        pitos
      i tamboriles

ANDEAN CROSSING

SILENCE crumbles before the cavalcade
     Tides of neighing
Dawn leaps over the rocks
the hamlet strips its stone vertebrae
The churchbell sails toward the pampa
We drink the 1st morning alcohol
THE SUN IS CLEANING THE ROOF-TILES
The streets are cooking up their leftover words
Joy entangled in the horses' manes
     Day runs captive to the stirrups
                FAR OFF
flies the framework of the town
    THE PAMPA
       opens up the shops of its mountains
We stuff our saddlebags with oxygen
The road unfolds its trails of firm ground
A dustcloud of doves blows from the north
       and aloft
        burst
fireworks of parrots
    ON OUR WAY
Projectiles of dawn our eyes riddle the cloth of the
    horizon
The sun passes over the horses' rumps
A wedding party of Indians from the district
     makes a festive girdle around the hill
Geranium caps shawls like flames
    blaze
       flutes
    and tabors

ALEJANDRO PERALTA

Vicentina la novia espolvorea amapolas i espigas
en la mañana
de lentejuelas
LA LLANURA ESTA VERDE DE CANTARES
A c a r r e r a   a b i e r t a
llevamos el paisaje sobre la grupa como un poncho
de colores
indios viajeros
cimbran el lomo del camino
Suda la pampa su cansancio de medio día
Pájaros
truncos
otean
la carnaza
de los peñascos que duermen
La tarde a horcajadas por la ladera
Viajeros retrasados han emparedado el sol
La tierra está supurando por los fangos
Arrojamos al río los peñascos de la quebrada
Las montañas se alínean apretadas contra la noche
El látigo de las riendas
corta pedazos
d e   n e b l i n a
El viento deshilado de voces
FOGONES DE ANOCHECER
LLENAN EL CIELO DE FAROLAS
S a l v a s   d e   l a d r i d o s
golpean la sien del pueblo
EL CAMINO SACUDE SUS ESPALDAS

ALEJANDRO PERALTA

Vicentina the bride sprinkles poppies and barley-stalks
        on the spangled
          morning
THE PLAIN IS GREEN WITH SONGS
    At full gallop
we carry the landscape on the croup like a manycoloured
   poncho
      Indian wayfarers
      drub the crest of the road
The pampa sweats its noontime weariness
      Birds
         foreshortened
           inspect
           the stretched hides
    of the sleeping rocks
Afternoon straddling the slope
Belated travellers have walled in the sun
      The earth is suppurating through mudholes
Into the river we toss the stones from the gulch
The mountains form a compact line against the night
      The whip of the reins
        cuts off pieces
     of mountain mist
The wind ravelled with voices
BONFIRES OF TWILIGHT
    HANG THE SKY WITH LANTERNS
Salvos of barking
     knock at the town's aching temples
THE ROAD SHRUGS ITS SHOULDERS
                    M. L.

SOLDADOS MEXICANOS

CUANDO en la aurora congelada
se detuvo el tren,
y en la llanura solitaria
los soldados hacían su poco de café,

quedé admirado de cómo
la más grata dulzura
reflejaba mejor en los rostros
la indómita bravura.

No miente don Diego en sus muros
cuando pinta a estos hombres feroces
con semblantes humildes y obscuros
y serenas miradas de dioses.

HUELLAS

Yo NO sé por qué a veces
me pongo triste.
Me he asomado un momento
para ver la tarde:
el agua de la lluvia caía lentamente,
y allá lejos el sol encendía las nubes
tras los montes lejanos y azules;

ha pasado un carruaje,
ha pasado una niña,
ha pasado una vieja que llevaba un pañuelo
sobre la blanca testa,
se ha oído a lo lejos el pitazo del tren...

RAFAEL ESTRADA

MEXICAN SOLDIERS

WHEN, in the frozen dawn,
the train stopped,
and on the desolate plain
the soldiers were making their bit of coffee,

I saw in amazement how
the most touching gentleness
was the clearest reflection on their faces
of indomitable courage.

Don Diego does not lie when in his murals
he paints these fierce men
with humble dark faces
and the tranquil gaze of gods.

D. D. W.

TRACES

I DO not know why at times
I become sad.
I have looked out a moment
to watch the evening:
rain was falling slowly,
and far off yonder the sun was kindling the clouds
behind the distant blue hills;

a carriage has passed,
a girl gone by,
an old woman has passed, wearing a shawl
upon her white head,
in the distance the train-whistle has sounded...

Y yo he visto la tarde,
y he visto la lluvia,
y mis ojos han visto las miradas ardientes
de la niña que pasa,
y la figura escuálida de la vieja harapienta.

Y mi alma desde adentro
se ha puesto triste,
y mi pecho se ha turbado
y me he puesto a sollazar y a suspirar
amargamente...

ATARDECER

Bajo la vidriera polícroma del cielo
pasa en su lento volar,
una garza, más serena que la tarde.
Señalando hacia arriba,
alguien dice: 'Allá, bajo aquella nube.'
El ave de paz remonta hacia el norte
su vuelo, en línea recta;
parece que vuela sobre un lago pulido;
mientras yo me quedo absorto, viéndola,
ella vuela, vuela, vuela,
como si remara sobre un lago de rosas;
ya lejos, se adelgaza, se perfila,
son dos líneas flexibles que se pierden;
descienden lentamente: el ave de paz
remonta su vuelo hacia el norte;
descienden más: las líneas obscuras
son dos rayitas blancas en el azul de las colinas;
descienden más y más: las dos rayitas blancas
son un punto blanco que aletea
sobre los ramajes de los árboles lejanos.
Pasaron por la ciudad tranquila,
una tarde serena, y una garza,
más serena que la tarde.

And I have watched the evening,
and I have watched the rain,
and my eyes have seen the burning glances
of the girl who passes by,
and the squalid figure of the shabby old dame.

And my soul
has become sad from within,
and my breast has been troubled,
and I have begun to sob and to sigh
bitterly...

D.D.W.

TWILIGHT

UNDER the manycoloured showcase of the sky
it passes in its slow flight,
a heron, more tranquil than the evening.
Pointing upward,
someone says: 'Up there, beneath that cloud.'
The bird of peace points northward
its straightlined flight:
it seems to fly upon a polished lake:
while I remain absorbed, watching,
it flies, flies, flies,
as though it were rowing on a lake of roses;
far off now, it becomes slender, moves sidewise,
two flexible lines that fade away,
sink slowly: the bird of peace
points its flight northward;
they sink lower: the dark lines
are two faint streaks of white in the blue of the hills;
lower and lower: the two faint streaks of white
are a white dot that flutters
upon the branches of the distant trees.
They passed through the peaceful city:
a tranquil evening, and a heron
more tranquil than the evening.

D.D.W.

EN EL LAGO LLANQUIHUE

EL cielo fiel en agua y luz duplica
la desnudez azul de su posada
y recoge prendida la mirada
el reflejo que al árbol crucifica.

La montaña tenaz en nieve rica
levanta su materia congelada:
se acerca el sol, quebrando su llegada
tras el espejo que la multiplica.

Magallánico viento tras la risa
con que el triángulo puro de la brisa
agita levemente nuestra vela.

Y en el momento absorto, sorprendida
la placidez del Sur, su dulce vida
que, cual la luz, sobre este lago riela.

ISLA

ME asomo hacia mí mismo,
desciendo por mis pasos
a descubrir la imagen amarilla del tiempo
gastada por las horas
y por el largo abismo entre existir y olvido.

En la verde llanura de espadas quietas y altas,
entre el sol y la piedra, ..
hacia la luz absorta bajo la piel morena,
desciendo por la cueva de viejas sensaciones.

WILBERTO L. CANTÓN

ON LAKE LLANQUIHUE

THE faithful sky in lake and light repeats
the azure nakedness in which it dwells
and gathers there within its steady gaze
the mirrored light that crucifies the tree.

The constant mountain in its snowy wealth
thrusts upward to the sky its frozen mass:
the sun draws near and shatters its arrival
behind the multiplying mirror.

Magellan-wind behind the laughter
with which the pure triangle of the breeze
softly stirs our sail.

And in the moment of absorption, startling
the South's placidity, its gentle life
that shimmers, like the light, upon this lake.

D. D. W.

ISLAND

I PEER into myself,
I go down by my own steps
to discover time's yellow image
wasted by the passing hours
and the long abyss between existence and forgetting.

On the green plain of quiet lofty swords,
between the sun and the rock,
towards the rapt light beneath the brown skin,
I descend through the cave of old sensations.

I

Encuentro un niño, a veces;
un inocente niño en su cruz de preguntas:
amarrado a su muelle de tristeza y misterio
como un nuevo navío.

En niebla gris recuerdo
se presenta y exclama:
'Es algo triste, sí,
pero el gato persiste en su tierno bostezo,
y entre piratas queda
la frágil heroína de salvajes y mares.
Es triste, sí,
pero aun permanece junto al brocal del pozo
aquella hierba fría de placer y humedades,
interroga a la tierra,
y en la suave marea del ocaso de otoño
se enrarece y deshace.
Es triste, sí,
mas las páginas todas de figuras y sales
están llenas de angustia,
y las ácidas frutas se pudren de abandono.
Tal vez sea triste:
pero todo eso queda, y espera, y permanece.'

II

Taladrando la piedra,
hacia el tambor que el agua con su pupila ciega
con su ciega mirada
con la encendida llama de su ciega distancia
forma entre infierno y cielo:
el túnel prodigioso, vertical e infranqueable:
más allá de ese círculo
de verdes ramazones y oscuras cavidades,

WILBERTO L. CANTÓN

I

I meet a child, sometimes;
an innocent child upon its cross of questions,
moored to its dock of mystery and sorrow
like a new boat.

In the grey fog memory
rises and cries:
'Yes, it is sad, yes,
'but the cat persists in yawning adorably,
'and your frail heroine of savages and seas
'is lost still among the pirates.
'It is sad, yes,
'but still that chill herb of delight and damp
'clings to the lip of the well,
'questioning the earth,
'and in the gentle tide of autumn sunset
'dwindles and withers.
'Yes, it is sad,
'but the pages, all imagery and wit,
'are full of pain,
'and the acid fruits rot deserted.
'Perhaps it is sad:
'but all of it remains, and waits, and endures.'

II

Drilling the rock
towards the drum formed between hell and heaven
by water with its sightless eyes,
its blind stare,
with the burning flame of its blind distance:
the monstrous tunnel, vertical, not to be pierced:
beyond that circle
of lopped branches and dark hollows,

estás con tu sonrisa,
fantasma transparente,
estás
con tu invisible paisaje de leyenda,
entre las galopantes mariposas y luces,
estás en tu silencio,
en tu quietud celeste.

III

Quiero encontrar apoyo
por cimentar aurora,
quiero sentir la vida que me dejó esta carne,
esta forma,
este arado sutil,
este tormento.

Quiero tierra—sepulcro—enredadera.
Quiero un metal profundo,
siempre vivo:
la huella de pisadas que me sigue.

Por eso yo pregunto a mi conciencia nueva
por vegetal recuerdo,
yo pregunto a mí mismo por ese niño ahogado,
removiendo las aguas del túnel del silencio
pregunto del fantasma,
pregunto
por las lentas mareas,
por la tibia llanura y sus quietas espadas.
Y en ese eterno abismo entre existir y olvido,
en ese eterno abismo
abierto por el tiempo con su gris paletada
sólo el tiempo amarillo, solamente el olvido.

there you are with your smile,
translucent ghost,
there you are
with your invisible storybook landscape
among the galloping butterflies and the lights,
you with your silence
in your celestial repose.

III

I want to find support, seek
to establish the dawn,
I want the life that bequeathed me this flesh,
this form,
this delicate plough,
this torment.

I want the twining earth to wind about me.
I want a deep metal, ..
living always:
the trail of footsteps following me.

As to this I enquire of my new conscience,
as to vegetal memory,
I enquire of myself as to that drowned boy,
stirring the waters of the tunnel of silence
I ask of the ghost,
I ask
concerning the slow tides,
the warm plain and its quiet swords.
And in that eternal abyss between existence and forgetting,
in that eternal abyss
opened by time's grey digging,
nothing but yellow time, nothing but forgetting.

D. F.

EDUARDO CARRANZA

DOMINGO

En donde un hombre se lamenta como un hombre.

Un domingo sin tí, de tí perdido,
es como un túnel de paredes grises
donde voy alumbrado por tu nombre,
es una noche clara sin saberlo
o un lunes disfrazado de domingo;
es como un día azul sin tu permiso.

Llueve en este poema, tú lo sientes
con tu alma vecina del cristal:
llueve tu ausencia como una agua triste
y azul sobre mi frente desterrada.

He comprendido cómo una palabra
pequeña, igual a un alfiler de luna
o un leve corazón de mariposa,
alzar puede murallas infinitas,
matar una mañana de repente,
evaporar azules y jardines,
tronchar un día como si fuera un lirio,
volver granos de sal a los luceros.

He comprendido cómo una palabra
de la materia azul de las espadas
y con aguda vocación de espina,
puede estar en la luz como una herida
que nos duele en el centro de la vida.

180

EDUARDO CARRANZA

SUNDAY

Wherein a man laments like a man.

A SUNDAY without you, lost away from you,
is like a tunnel with grey walls
through which I pass lighted by your name;
it is a clear night, clear without knowing it,
or a Monday masquerading as Sunday;
it is like a dark blue day without your consent.

It is raining in this poem: you feel it
with your soul that verges upon crystal:
your absence descends like rainfall, sad
and dark, upon my banished brow.

I have come to know how a little
word, like a pin of moonlight
or a butterfly's fragile heart,
can raise up infinite walls,
in an instant kill a morning,
dry up blue and gardens together,
crop a day as though it were a lily,
change the morning stars into grains of salt.

I have come to know how a word
made of the sword's blue substance,
with its thorn-sharp intention,
can gather the light like a wound
aching in the centre of our lives.

Llueve en este poema y el domingo
gira como un lejano carrusel:
tan cerca estás de mí que no te veo,
hecha de mis palabras y mi sueño.

Yo pienso en tí detrás de la distancia,
con tu voz que me inventa los domingos
y tu sonrisa como vago pétalo
cayendo de tu rostro sobre mi alma.

Con su hoja volando hacia la noche,
rayado de llovizna y desencanto,
este domingo sin tu visto bueno
llega como una carta equivocada.

La tarde, niña, tiene esa tristeza
del aire donde hubo antes una rosa:
Yo estoy aquí, rodeado de tu ausencia,
hecho de amor y solo como un hombre.

EDUARDO CARRANZA

It is raining in this poem, and Sunday
whirls like a far-off carrousel:
so close are you to me that I can not see you,
fashioned of my words and my dreaming.

I think of you beyond the distance,
inventing Sundays for me with your voice:
of your smile like a drifting petal
drifting down upon my soul from your face.

With its leafage flying toward night,
streaky with mist and disillusion,
this Sunday, without the seal of your approval,
arrives like a misdirected letter.

And evening, dearest, holds the sadness
of air where there was once a rose:
I am here, surrounded by your absence,
made of love and lonely as a man.

D. D. W.

CARLOS DRUMMOND DE ANDRADE

INFÂNCIA

Meu pai montava a cavallo, ia para o campo.
Minha mãe ficava sentada cosendo.
Meu irmão pequeno dormia.
Eu sòsinho menino entre mangueiras
lia a história do Robinson Cruzoé,
comprida história que não acaba mais.

No meio dia branco de luz uma voz que aprendeu
a ninar nos longes da senzala—e nunca
        se esqueceu—
chamava para o café.
Café preto que nem a preta velha
café gostoso
café bom.

Minha mãe ficava sentada cosendo
olhando para mim:
—Psiu... Não acorde o menino!—
para o berço onde pousou um mosquito,
e dava um suspiro... que fundo!

Lá longe meu pai campeava
no mato sem fim da fazenda.

E eu não sabia que minha história
era mais bonita que a 'do Robinson Cruzoé.

CARLOS DRUMMOND DE ANDRADE

CHILDHOOD

My father mounted his horse and rode away into the country.
My mother stayed behind, sewing in her chair.
My little brother lay asleep.
I, a lonely child under the mango trees,
read the story of Robinson Crusoe,
a long story that never came to an end.

In the white sunlight of noontime a voice that had learned
to sing us to sleep long ago in the slave quarters—and had
       never been forgotten—
called us to coffee.
Coffee black as the old negress herself
savoury coffee,
good coffee.

My mother sat sewing,
looking at me:
—Hush . . . Don't wake the baby!—
at the cradle on which a mosquito had lit,
and sighed from the depths of her being.

Somewhere far off my father was exploring
the endless woods of the plantation.

And I never knew that my own story
was more beautiful than Robinson Crusoe's.

D. P.

CARLOS DRUMMOND DE ANDRADE

FANTASIA

No azul do céo de methyleno
a lua ironica
diuretica
compõe uma gravura de sala de jantar.

Anjos da guarda em expedição nocturna
velam somnos puberes
espantando mosquitos
dos cortinados e grinaldas.

Pela escada em espiral
diz que tem virgens tresmalhadas,
incorporadas á via-lactea,
vagalumeando ...

Por uma frincha
o diabo espreita com o olho torto.

Diabo tem uma luneta
que varre leguas de sete leguas
e tem o ouvido fino
que nem um violino.

S. Pedro dorme
e o relogio do céo ronca mecanico.

Diabo espreita por uma frincha.

Lá em baixo
suspiram boccas machucadas.
Suspiram rezas? Suspiram manso,
de amor.

FANTASIA

In a sky of methylene blue
the moon, ironical,
diuretic,
composes a print for the dining room.

Guardian angels on nocturnal rounds
keep watch over adolescent dreams
scaring mosquitoes
from the curtains and garlands of the bed.

Up the spiral staircase,
they say, the foolish virgins,
embodied in the milky way,
glimmer like fireflies.

Through a chink
the devil peers with a squinting eye.

The devil has a telescope
that sees for seven leagues
and his ears are as fine
as a violin's.

Saint Peter sleeps
and the clock of heaven mechanically snores.

The devil peers through a chink.

Down there,
crushed lips are sighing.
Sighing prayers? They sigh lightly
with love.

E os corpos enrolados
ficam mais enrolados ainda
e a carne penetra na carne.

Que a vontade de Deus se cumpra!
Tirante dois ou tres
o resto vae para o inferno.

JARDIM DA PRAÇA DA LIBERDADE

VERDES bolindo.
Sonata cariciosa da agua
fugindo entre rosas geométricas.
Ventos elysios.
Macio.
Jardim tão pouco brasileiro ... mas tão lindo.

Paisagem sem fundo.
A terra não soffreu para dar estas flores.
Sem resonancia.
O minuto que passa
desabrochando em floração inconsciente.
Bonito demais. Sem humanidade.
Literario demais.

(Pobres jardins do meu sertão
atrás da Serra do Curral!
Nem repuxos frios nem tanques langues,
nem bombas nem jardineiros officiaes.
Só o matto crescendo indifferente entre semprevivas
           desbotadas
e o olhar desditoso da moça desfolhando malmequeres.)

And the entwined bodies
twine more closely still
and love invades love.

God's will be done!
Two or three may be spared,
the rest are all going to hell.

D. P.

GARDEN IN LIBERTY SQUARE

SWAYING greenery.
Caressing music of water
flowing between geometrical roses.
Elysian winds.
Sleek turf.
Garden so little Brazilian, and yet so lovely.

Landscape without depth.
It cost the earth no pain to yield these flowers.
Landscape without echoes.
Each moment that passes
unfolding in unpremeditated bloom.
Too pretty. Too inhuman.
Too literary.

(Poor gardens of the wilds of my country
beyond the Serra do Curral!
With neither cool fountains, nor languid pools,
with no running water, no appointed gardeners.
Only the dry thicket, carelessly growing among tarnished
        evergreens
and the forlorn face of a girl tearing the daisy petals apart.)

Jardim da Praça da Liberdade,
Versailles entre bondes.

Na moldura das Secretarias compenetradas
a graça intelligente da relva
compõe o sonho dos verdes.

PROHIBIDO PISAR NO GRAMMADO
Talvez fosse melhor dizer:
PROHIBIDO COMER O GRAMMADO
A Preifeitura vigilante
véla a somneca das hervinhas.
E o capote preto do guarda é uma bandeira na noite
        estrellada de funccionarios.

De repente uma banda preta
vermelha retinta suando
bate um dobrado batuta
na doçura do jardim.

Repuxos espavoridos fugindo.

CARLOS DRUMMOND DE ANDRADE

Garden in Liberty Square,
Versailles among streetcars.

In the frame of the brooding Ministries
the conscious grace of the lawns
composes a revery of green.

DO NOT WALK ON THE GRASS
Perhaps it were better to say:
DO NOT EAT THE GRASS
The watchful Prefecture
stands guard over the slumber of the grass-blades.
And the black cloak of the watchman is a banner in the
        night starred with guards.

Suddenly a negro brass band,
sweating in pure vermilion,
breaks into a rousing military march
in the stillness of the garden.

Startled fountains take flight.

                         D. P.

SANGRE EN UNA PIEDRA

Pobre Poncho, lo fregaron los gringos
cuando la revolución de Nicaragua.
¡Con lo andariego que era y amigo de aventuras!
Nacido en mi mismo pueblo;
de trece o catorce años, huyó a la costa
con unos volantines.
Se le fueron ocho años por esos andurriales,
comiendo frijol negro, amansando potros,
en cortes de café y 'amolando' en las cantinas.
Porque aprendió de los indios a tomar el trago.
Un día, lo mordió una culebra...
Bueno, tiene mil trances pintorescos
que recalentaron su sangre de matón.
¡Cómo el sol de las fincas se le montó para siempre!
¡Cómo el paisaje recio e impetuoso
carcomió en sus entrañas!
Raíces de árbol retorcían sus venas
y en su pecho pateaba el corazón.
Ya era hombre cuando regresó al poblado.
Y resollaba como bestia andariega.
Su gran sombrero de petate con no sé qué de rancho y pajonal
se salía de madre por calles, por atajos
y por la plaza los días domingos.
Pero se robó una moza y aventó de nuevo
por esos mundos.
¡Qué bien me acuerdo ahora de sus bigotes lacios
y de una vez que me 'peló' el machete!
Presidios.
      Cuatrerías.
           Balazos y 'puyones'.

BLOOD ON A STONE

Poor Poncho, the gringos drove him nuts
during the revolt in Nicaragua.
What a tumbleweed he was! How he went for adventure!
Born right in my home town;
when he was thirteen or fourteen he ran off to the coast
with some crazy kids.
He put in eight years off in the wilds,
eating black beans, busting colts,
working the coffee clearings, raising hell in bars.
Because the Indians showed how to gulp it down.
One day, a snake bit him...
Well, he got mixed up in a thousand queer jams,
and how they got into the big bruiser's blood!
The plantation sun burned into him for good!
How that tough fierce countryside
gnawed into his guts!
His veins twisted like tree roots
and his heart kicked out in his chest.
He was man grown when he got back to the village,
and he went snorting around like an animal on the loose.
His big thatch hat, with something ranchy or hayseed about it,
spilled through the streets, through short cuts,
and through the square on Sundays.
But he grabbed himself a girl and went roaming again
off through the world.
How it comes back to me now, his drooping mustache,
and once when he pulled his cane-knife on me!
Jails.
    Cattle-rustling.
        Bullet and knife wounds.

Así anduvo su nombre por doquiera.
Por fin ancló en aguas del General Sandino
el año veintiséis.
¡En cuántas balaceras no estuvo el pobre Poncho
metiendo onzas de plomo a la gringada!
Pasaba entre la humareda su sombrero, amarillo
de tanto arder al sol y sudar los crepúsculos;
y una ducha de polvo detrás de su caballo.
¿En qué orilla de río, en qué rejoya,
en qué 'guatal' lo 'mecateó' la muerte?
El vientre abierto y los ojos castrados
lo hallaron los muchachos del Teniente Visquera,
con siete balas gringas trabadas en los huesos.

Olvido.
Ni siquiera una lágrima.
Ni siquiera su nombre en una piedra.
¡No pasará, no pasará el sombrero de petate
debajo de los arcos de la historia!

FRANCISCO MENDEZ

And so his name spread everywhere.
Finally he anchored in the waters of General Sandino
back in '26.
What shootings wasn't poor Poncho mixed up in,
slamming ounces of lead into the gringos!
His hat would pass through the clouds of smoke, yellow
from so much burning in the sun and from twilight sweat;
and a quick shower of dust behind his horse.
On what river-bank, in what cozy spot,
in what flash joint, did death tangle with him?
His belly slit wide, eyeballs yanked out,
Lieutenant Visquera's lads found him
with seven gringo bullets sunk in his bones.

Forgotten.
Not even a tear.
Not even his name on a stone.
It's never going to pass, that thatch hat,
under the arches of history!

D. D. W.

CALOR

MEDIODÍA del trópico. Galbana.
La desnudez rojiza
de la arada
implora al cocotero
agite el abanico de sus palmas.

El crepitar de la madera
imita la cigarra.
Anda el silencio de puntillas
por la casa.
Y el agua de la acequia toma el pulso
al calor que aletarga.

IGLESIA

TUS torres son agujas
para ensartar estrellas.

Eres en tu blancor una paloma
con las alas abiertas.

A pesar de tu grave
serenidad concentras
el consuelo de todos los dolores,
la esperanza de todas las tristezas.

En tus pararrayos el sol danza,
y las nubes se enredan.

GILBERTO GONZALEZ Y CONTRERAS

HEAT

TROPICAL mid-day. Indolence.
The reddish nudity
of the plowed field
begs the coconut-tree
to wave its palmy fan.

The creaking wood
mimics the cicada.
Silence walks on tiptoe
through the house.
And the water in the ditch takes the pulse
of the languid heat.

D. F.

CHURCH

YOUR spires are needles
for stringing stars.

In your whiteness you are a dove
with wings unfolded.

Despite your grave
serenity you distil
the anodyne of every sorrow,
the hope of every grief.

Your lightning-rods are for the sun's dancing
and the snaring of clouds.

D. F.

CARA Y CRUZ

ALTA visión de sueño sin espina;
honda visión en realidad clavada.
Ansia del vuelo en recta que se empina;
fuerza del paso en curva accidentada.

Rosa de sombra, rosa matutina,
una caída y otra levantada.
Angeles invisibles en la esquina
donde el presente cambia de jornada.

Marcha el momento signo de l'altura:
brote de sangre limpia y carne pura
en renovado campo de infinito.

Y en promesa inefable y verdadera,
—Gabriel de anunciaciones y de espera—
un mundo sin cadenas y sin grito.

DIBUJO DE LA MUJER QUE LLEGA

EN el lodo empinada.
No como el tallo de la flor
y el ansia de la mariposa . . .
Sin raíces ni juegos:
más recta, más segura
y más libre.

Conocedora de la sombra y de la espina.
Con el milagro levantado

CLAUDIA LARS

HEADS AND TAILS

LOFTY vision of thornless sleep;
deep vision nailed to reality.
Upward thrust of yearning for straight flight;
strength of footsteps in a broken curve.

Rose of shadows, rose of the morning,
the one fallen, the other raised.
Angels invisible at the corner
where the present changes the guard.

The moment marches, symbol of height:
bud of clean blood and pure flesh
in a field endlessly renewed.

And in promise ineffable and true—
Gabriel of annunciations and of hope—
a world without chains, without cries.

D. D. W.

SKETCH OF THE FRONTIER WOMAN

STANDING erect in the mire.
Unlike the flower's stalk
and the butterfly's eagerness . . .
Without roots or fluttering:
more upright, more sure,
and more free.

Familiar with the shadow and the thorn.
With the miracle uplifted

en los brazos triunfantes.
Con la barrera y el abismo
debajo de su salto.

Dueña absoluta de su carne
para volverla centro del espíritu:
vaso de lo celeste,
domus áurea,
gleba donde se yerguen, en un brote,
la mazorca y el nardo.

Olvidada la sonrisa de Gioconda.
Roto el embrujo de los siglos.
Vencedora de miedos.
Clara y desnuda bajo el día limpio.

Amante inigualable
en ejercicio de un amor tan alto
que hoy ninguno adivina.
Dulce,
con filtrada dulzura
que no daña ni embriaga a quien la prueba.

Maternal todavía,
sin la caricia que detiene el vuelo,
ni ternuras que cercan,
ni mezquinas daciones que se cobran.

Pionera de las nubes.
Guía del laberinto.
Tejedora de vendas y de cantos.
Sin más adorno que su sencillez.

Se levanta del polvo...
No como el tallo de la flor
que es apenas belleza.

in her triumphant arms.
With the barrier and the abyss
beneath her leap.

Absolute mistress of her flesh
to make it the core of her spirit:
vessel of the heavenly,
domus aurea,
a lump of earth from which rise, budding,
the corn and the tuberose.

Forgotten the Gioconda smile.
Broken the spell of centuries.
Vanquisher of fears.
Clear and naked in the limpid day.

Lover without equal
in a love so lofty
that today no one divines it.
Sweet,
with a filtered sweetness
that neither harms nor intoxicates him who tastes it.

Maternal always,
without the caress that hinders flight,
or the tenderness that confines,
or the petty yieldings that must be redeemed.

Pioneer of the clouds.
Guide to the labyrinth.
Weaver of tissues and songs.
Her only adornment, simplicity.

She rises from the dust . . .
Unlike the flower's stalk
which is less than beauty.

D. D. W.

APRISCO

En el aprisco cálido y oliente
balan tímidamente las cabrillas;
irguiéndose en dos patas de repente,
los chivatos dirimen su rencilla;
las cabras, llena la ubre a no poder
ya más, rumian hincadas de rodillas:

sus ojos claros de inocencia impúdica
soslayan con miradas de mujer
al viejo chivo de la barba talmúdica.

LUIS L. FRANCO

GOAT-PEN

In the hot malodorous pen
timidly the little she-goats are bleating;
suddenly upon two feet upreared
the fractious kids settle their grudge:
the nannies, with udders full as full can be,
rest ruminating upon their knees:

their clear eyes of shameless innocence
glance sidelong, as a woman's might,
at the old goat with the Talmudic beard.

M. L.

EL POZO

Mi alma es como un pozo de agua sorda y profunda,
en cuya paz solemne e imperturbable ruedan
los días, apagando sus rumores mundanos
en la quietud que cuajan las oquedades muertas.

Abajo el agua pone su claror de agonía:
irisación morbosa que en las sombras fermenta,
linfas que se coagulan en largos limos negros
y exhalan esta exangüe y azul fosforescencia.

Mi alma es como un pozo. El paisaje dormido,
turbiamente en el agua se forma y se dispersa,
y abajo, en lo más hondo, hace tal vez mil años,
una rana misántropa y agazapada sueña.

A veces al influjo lejano de la luna
el pozo adquiere un vago prestigio de leyenda:
se oye el cro-cro profundo de la rana en el agua,
y un remoto sentido de eternidad lo llena.

CLARO DE LUNA

En la noche de luna, en esta noche
De luna clara y tersa,
Mi corazón como una rana oscura
Salta sobre la hierba.

Qué alegre está mi corazón ahora!
Con qué gusto levanta la cabeza
Bajo el claro de luna pensativo
Esta medrosa rana de tragedia!

LUIS PALES MATOS

THE WELL

My soul is like a well of dead, deep water
in whose solemn, imperturbable peace the days
go by, stilling their worldly murmurs
in the silence curdled in the dead hollows.

Down there the water shows its agonized brightness:
soft iridescence fermenting in shadow,
lymphs which coagulate in long black slime
and exhale this bloodless blue phosphorescence.

My soul is like a well. The sleeping landscape
darkly forms and disintegrates in the water,
and down below, deep down, perhaps a thousand years past,
a hidden misanthropic frog is dreaming.

Sometimes at the distant influx of the moon
the well takes on a vague legendary spell:
the frog's deep croaking echoes in the water,
filled with a remote sense of eternity.

D. D. W.

CLAIR DE LUNE

In the moonlight, in this night
Of clear and glossy moonlight,
My heart like a dark frog
Leaps upon the grass.

How gay is my heart now!
With what delight this fearful
Tragic frog uplifts its head
Beneath the pensive brightness of the moon!

Arriba, por los árboles,
Las aves blandas sueñan,
Y más arriba aún, sobre las nubes,
Recién lavadas brillan las estrellas.

Ah, que no llegue nunca la mañana!
Que se alargue esta lenta
Hora de beatitud en que las cosas
Adquieren una irrealidad suprema,

Y en que mi corazón como una rana
Se sale de sus ciénagas,
Y se va bajo el claro de la luna
En vuelo sideral por las estrellas!

ELEGÍA DEL DUQUE DE LA MERMELADA

¡Oh mi fino, mi melado Duque de la Mermelada!
¿Dónde están tus caimanes en el lejano aduar del Pongo,
Y la sombra azul y redonda de tus baobabs africanos,
Y tus quince mujeres olorosas a selva y a fango?

Ya no comerás el suculento asado de niño,
Ni el mono familiar, a la siesta, te matará los piojos,
Ni tu ojo dulce rastreará el paso de la jirafa afeminada
A través del silencio plano y caliente de las sabanas.

Se acabaron tus noches con su suelta cabellera de fogatas
Y su gotear soñoliento y perenne de tamboriles,
En cuyo fondo te ibas hundiendo como en un lodo tibio
Hasta llegar a las márgenes últimas de tu gran
        bisabuelo.

LUIS PALES MATOS

High up, among the trees,
The soft birds dream,
And higher still, above the clouds,
The stars gleam newly washed.

Ah let morning never come!
Lengthen out this slow
And blessed hour when things
Take on a supreme unreality,

And when my heart like a frog
Emerges from its swamps
And sets out in the brightness of the moon
Upon its sidereal flight among the stars!

D. D. W.

ELEGY OF THE DUKE OF MARMALADE

O MY fine, my honeycoloured Duke of Marmalade!
Where are your alligators in the far-off camp on the Pongo,
And the round blue shadow of your African baobabs,
And your fifteen wives smelling of the forest and the mud?

No longer will you eat the succulent roast child,
Nor will the tame monkey at siesta time kill your lice,
Nor your gentle eye follow the tracks of the effeminate giraffe.
Across the flat hot silence of the plain.

Gone are your nights with their flowing bonfire hair
And their somnolent everlasting dripping of drums,
Into whose depths you would sink slowly as into warm mud
Till you reached the ultimate shores of your great
        greatgrandfather.

Ahora, en el molde vistoso de tu casaca francesa,
Pasas azucarado de saludos como un cortesano cualquiera,
A despecho de tus piés que desde sus botas ducales
Te gritan: Babilongo, súbete por las cornisas del palacio.

¡Qué gentil va mi Duque con la Madama de Cafolé,
Todo afelpado y pulcro en la onda azul de los violines,
Conteniendo las manos que desde sus guantes de aristócrata
Le gritan: Babilongo, derríbala sobre ese canapé de rosa!

Desde las márgenes últimas de tu gran bisabuelo,
A través del silencio plano y caliente de las sabanas,
¿Por qué lloran tus caimanes en el lejano aduar del Pongo,
Oh mi fino, mi melado Duque de la Mermelada?

LAGARTO VERDE

EL Condesito de la Limonada,
Juguetón, pequeñín . . . Una monada
Rodando, pequeñín y juguetón,
Por los salones de Cristobalón.
Su alegre rostro de tití.
A todos dice: Sí.
—Sí, Madame Cafolé, Monsieur Haití,
Por allí, por aquí.—

Mientras los aristócratas macacos
Pasan armados de cocomacacos,
Solemnemente negros de nobleza,
El Conde, pequeñín y juguetón,
Es un fluído de delicadeza
Que llena de finuras el salón . . .
—Sí, Madame Cafolé, Monsieur Haití,
Por allí, por aquí.—

Now, in the showy frame of your French dress-coat,
You pass sugared with greetings like any courtier,
In spite of your feet, which from their ducal boots
Cry out to you: *Babilongo, climb up by the palace cornices.*

How elegantly goes my Duke with Madame Coffeewith,
All velvety and dainty in the violins' blue wave,
Restraining the hands that from their patrician gloves
Cry out to him: *Babilongo, knock her down on that rose sofa!*

From the ultimate shores of your great greatgrandfather,
Across the flat hot silence of the plain,
Why do your crocodiles weep in the far-off camp on the Pongo,
O my fine, my honeycoloured Duke of Marmalade?

D. D. W.

LOOK OUT FOR THE SNAKE!

THE little Count of Lemonade,
Playful, tiny ... A monkeyshine
Wandering, tiny and playful,
Through the salons of Christophe the Great.
His gay little monkey face
To everyone says: 'Yes.
Yes, Madame Coffeewith, Monsieur Haiti,
That way, this way.'

While the macaque patricians
Pass by, armed with squat cocoanuts,
Solemnly black with nobility,
The Count, tiny and playful,
Is a flowing delicacy
That fills the salon with niceties ...
'Yes, Madame Coffeewith, Monsieur Haiti,
That way, this way.'

Vedle en el rigodón,
Miradle en el minué ...
Nadie en la Corte de Cristobalón
Lleva con tanta gracia el casacón
Ni con tanto donaire mueve el pié.
Su fórmula social es: oh, pardon!
Su palabra elegante: volupté!

Ah, pero ante su Alteza,
Jamás oséis decir lagarto verde,
Pues perdiendo al instante la cabeza
Todo el fino aristócrata se pierde!

Y allá va el Conde de la Limonada,
Con la roja casaca alborotada
Y la fiera quijada
Rígida en epiléptica tensión ...
Allá va entre grotescos ademanes,
Multiplicando los orangutanes
En los espejos de Cristobalón.

ÑÁÑIGO* AL CIELO

EL ñáñigo sube al cielo.
El cielo se ha decorado
De melón y calabaza
Para la entrada del ñáñigo.
Los arcángeles, vestidos
Con verdes hojas de plátano,
Lucen coronas de ananá
Y espadones de malango.
La gloria del Padre Eterno
Rompe en triunfal taponazo,

* Individuo de una sociedad secreta de los
negros cubanos.

See him in the rigadoon,
Watch him in the minuet . . .
No one in the Court of Christophe the Great
Wears the brocade coat with so much grace
Or moves on such a genteel foot.
His social formula is: *oh, pardon!*
His word of elegance: *volupté!*

Ah, but in the presence of His Highness
You must never dare say: *Look out for the snake!*
Because, losing his head in an instant,
All the fine aristocrat vanishes!

And there goes the Count of Lemonade
With his red brocade coat in a whirl
And his proud jaw
Rigid in epileptic tension . . .
There he goes with grotesque gestures
Multiplying orang-utans
In the mirrors of Christophe the Great.

                                        D.D.W.

ÑÁÑIGO* TO HEAVEN

THE *ñáñigo* mounts up to Heaven.
Heaven is decked out
With melons and calabash
For the entrance of the *ñáñigo*.
The archangels, robed
In green banana leaves,
Are sporting pineapple crowns
And broadswords of malango.
The glory of the Eternal Father
Bursts in a triumphant cork-pop,

---

* Member of a secret society of Cuban Negroes.

Y espuma de serafines
Se riega por los espacios.
El ñáñigo va rompiendo
Tiernas oleadas de blanco,
En su ascensión milagrosa
Al dulce mundo seráfico.
Sobre el cerdo y el caimán
Jehová, el potente, ha triunfado . . .
¡Gloria a Dios en las alturas
Que nos trae por fin el ñáñigo!

Fiesta del cielo. Dulzura
De merengues y caratos.
Mermelada de oraciones.
Honesta horchata de salmos.
Con dedos de bronce y oro,
Las trompas de los heraldos
Por los balcones del cielo
Cuelgan racimos de cantos.
Para aclararse la voz,
Los querubes sonrosados
Del egregio coro apuran
Huevos de Espíritu Santo.
El buen humor celestial
Hace alegre despilfarro
De chistes de muselina,
En palabras que ha lavado
De todo tizne terreno
El celo azul de los santos.

El ñáñigo asciende por
La escalinata de mármol,
Con meneo contagioso
De caderas y omoplatos.
—Las órdenes celestiales

And the foam of seraphim
Sprays over space.
The *ñáñigo* is breasting
Soft combers of white
In his wondrous ascension
To the sweet seraphic world.
Over hog and alligator
Triumphs Jehovah the mighty . . .
Glory to God in the highest
For bringing us the *ñáñigo* at last!

A fiesta in Heaven. Sweetness
of meringues and *caratos.**
Marmalade of prayer.
Genuine milkshake of psalmody.
With bronze and golden fingers
The trumpets of heralds
On the balconies of Heaven
Hang festoons of song.
To clear their throats,
The rosy cherubim
Of the Heavenly Choir
Gulp down Holy Ghost eggs.
The celestial good humour
Is a joyous scattering
Of muslin jokes
In words washed clean
Of all earthly stain
By the Saints' azure zeal.

The *ñáñigo* goes up
The marble staircase
To a contagious slapping
Of backs and thighs.
—The celestial Orders

* A soft drink made of sugar, water, and the
juice of the genip tree.

Le acogen culipandeando—

Hete aquí las blancas órdenes
Del ceremonial hierático:
La Orden del Golpe de Pecho,
La Orden del Ojo Extasiado,
La que preside San Memo,
La Real Orden de San Mamo,
Las parsimoniosas órdenes
Del Arrojo Sacrosanto
Que con matraca y rabel
Barren el cielo de diablos.

En loa del alma nueva
Que el Empíreo ha conquistado,
Ondula el cielo en escuadras
De doctores y de santos.
Con arrobos maternales,
A que contemplen el ñáñigo
Las castas once mil vírgenes
Traen a los niños nonatos.
Las Altas Cancillerías
Despliegan sus diplomáticos,
Y se ven, en el desfile,
Con eximio goce extático
Y clueca sananería
De capones gallipavos.

De pronto Jehová conmueve
De una patada el espacio.
Rueda el trueno y quedan solos
Frente a frente, Dios y el ñáñigo.
—En la diestra del Señor,
Agrio foete, fulge el rayo.—

(Palabra de Dios, no es música
Transportable a ritmo humano.

Receive him, tails a-waggle:

Lo the white Orders
Of hieratic ceremony:
Order of The Beaten Breast,
Order of The Ecstatic Eye,
Saint Memo's Order,
The Royal Order of Saint Mamo,
The frugal Orders
Of The Sacrosanct Valour,
With rattles and rebecs
Sweeping Heaven clean of devils.

Praising the new soul
That has conquered the Empyrean,
Heaven surges with squadrons
Of Doctors and Saints.
With maternal quiverings,
To lay eyes on the *ñáñigo*
The chaste Eleven Thousand Virgins
Bring their unborn children.
The High Chancelleries
Pour out their diplomats,
And they strut in the procession
With the proud ecstatic delight
And brooding silliness
Of turkey capons.

Suddenly Jehovah shakes
The void with a kick.
Thunder peals; and there, alone,
Face to face stand God and *ñáñigo*.
—In the Lord's right hand
Burns the sour whip of the lightning.

(Word of God! this is no music
To be transposed to human rhythms.

Lo que Jehová preguntara,
Lo que respondiera el ñáñigo,
Pide un más noble instrumento
Y exige un atril más alto.
Ataquen, pues, los exégetas
El tronco de tal milagro,
Y quédese mi romance
Por las ramas picoteando.
Pero donde el pico es corto,
Vista y olfato van largos,
Y mientras aquélla mira
A Dios y al negro abrazados,
Este percibe un mareante
Tufo de ron antillano
Que envuelve las dos figuras
Protagonistas del cuadro,
Y da tonos de cumbancha
Al festival del espacio.)

¿Por qué va aprisa San Memo?
¿Por qué está alegre San Mamo?
¿Por qué las once mil vírgenes
Sobre los varones castos
Echan, con grave descoco,
La carga de los nonatos?
¿Quién enciende en las alturas
Tal borococo antillano,
Que en oleadas de bochinche
Estremece los espacios?
¿Cuya es esa gran figura
Que va dando barquinazos,
Con su rezongo de truenos
Y su orla azul de relámpagos?

Ha entrado un alma en el cielo
¡Y esa alma es el alma del ñáñigo!

What Jehovah may have asked
And the *ñáñigo* replied
Calls for a nobler instrument,
A taller music-stand.
Then let exegetes attack
The trunk of this miracle,
And my ballad remain
Pecking on the boughs.
But where the beak is short,
Sight and smell go far;
And while the eyes behold
God and the negro embracing,
The nose perceives a drifting
Steam of Antillean rum
Surrounding the two chief
Figures in the scene
And lending a jamboree tone
To the festival of space.)

Why is Saint Memo rushing?
Why is Saint Mamo so gay?
Why do the Eleven Thousand Virgins
Thrust upon the chaste males,
With heavy shamelessness,
The charge of their unborn children?
Who kindles in the heights
This Antillean hubbub
That with waves hurlyburly
Sets all space a-tremble?
Whose is that great figure
That goes thumping along
With its snarling thunder
And its blue hem of lightning?

A soul has entered Heaven,
And that soul is the *ñáñigo!*

D. F.

CAMPESINA, NO DEJES . . .

CAMPESINA, no dejes de acudir al mercado
con tus rubios cabellos—coliflor en mostaza—
y tus ojos, tus ojos donde anida el pecado...

¡Quién no acude por verte cuando cruzas la plaza! ...
¡Si hasta el cura del pueblo, de alma ingenua y sencilla,
cuando asomas sacude su indolente cachaza! ...

¡Si eres égloga! ... Y cantas, sin cantar, la
      semilla
y el surco, los molinos, el arroyo parlero,
donde viajan las hojas su tristeza amarilla ...

¡Qué te importa que un zafio, que un panzudo banquero,
y que aquella muchacha, solterona y muy fea,
no te compren—esclavos de su inútil dinero—

tus claveles y lirios, flor gentil de tu aldea! ...
¡Que se vayan al cuerno! ... ¡Que se vayan al ajo
y al tomate! ... ¡Y que coman arroz con jicotea! ...

Porque tú, campesina de sombrero y refajo,
cuando pasas en burro, sandunguera y sabrosa,
pones alas y trinos de jilguero en el grajo ...

¡Pones alas y trinos! ... ¡Y te llevas la rosa
de tu faz! ... ¡Y te llevas tu maligna mirada,
y tu dulce sonrisa que me ha dicho esa cosa
que a un glotón le sugiere la entreabierta granada! ...

LUIS CARLOS LOPEZ

COUNTRY GIRL, DON'T STAY AWAY ...

COUNTRY girl, don't stay away from the market,
you with the blond hair—cauliflower in mustard—
and those eyes, those eyes where wickedness makes its nest! ...

Who wouldn't run to watch you crossing the square!
Even the village priest, that frank and simple soul,
when you appear shakes off his lazy languor! ...

You are an eclogue! ... and you sing, without singing, the
          seeds,
the furrows, the mills, the bubbling streams
where leaves float their yellow sadness ...

What do you care if that crass, that potbellied banker,
and that spinster there—old and very ugly—
do not buy from you (slaves to their useless wealth!)

your pinks and lilies—lovely flower of your village ...
To the devil with them! To the garlic and
tomato with them! Let them eat rice and turtle-meat!

For you, country girl with your hat and skirt,
you, debonaire and sweet, riding by on your donkey,
give the wings and trills of a goldfinch to a crow!

The wings and trills! ... And you take away the rose
of your face! ... And you take away your malicious glance,
and your sweet smile which has said to me the thing
that to a glutton suggests the half-open pomegranate! ...

D. D. W.

NOCHE DE PUEBLO

Noche de pueblo tropical: las horas
lentas y graves. Viene la oración,
y después, cuando llegan las señoras,
la musical cerrada del portón . . .

Se oyen de pronto, cual un disparate,
los chanclos de un gañán. Y en el sopor
de las cosas, ¡qué olor a chocolate
y queso, a pan de yuca y alfajor! . . .

De lejos y a la sombra clandestina
de la rústica cuadra, un garañón
le ofrece una retreta a una pollina,
tocando amablemente su acordeón . . .

Tan sólo el boticario, mi vecino,
vela impasible tras del mostrador,
para vender—con gesto sibilino—
dos centavos de aceite de castor . . .

Mientras la luna, desde el hondo arcano,
calca la iglesia. En el azul plafón,
la luna tumefacta es como un grano . . .
Y la iglesia un enorme biberón.

SIESTA DEL TRÓPICO

Domingo de bochorno, mediodía
de reverberación
solar. Un policía
como empotrado en un guardacantón,

LUIS CARLOS LOPEZ

VILLAGE NIGHT

Tropic village night: the hours
slow and grave. The vesper bell,
and then, as the ladies return,
the musical closing of the gate . . .

Suddenly, the incongruous sound
of peasant clogs. And in the drowsiness
of things, what a smell of chocolate
and cheese, of yucca bread and honey-cake!

Far off in clandestine shadow,
in the rustic stable, a jackass
brays taps for his donkey love
with a friendly squeeze on his accordion . . .

Only the druggist, my neighbour,
keeps stolid watch behind his counter,
to sell—with a sibylline gesture—
two cents' worth of castor oil . . .

While the moon, from its arcane depth,
outlines the church. In its blue vault
the tumid moon is like a pimple . . .
And the church an enormous nursing-bottle.

                                             D. D. W.

TROPIC SIESTA

Sultry Sunday, noon
of shimmering
sun. A policeman
as if embedded in the curb,

durmiendo gravemente. Porquería
de un perro en un pretil. Indigestión
de abad, cacofonía
sorda de un cigarrón. . . .

Soledad de necrópolis, severo
y hosco mutismo. Pero
de pronto en el poblacho

se rompe la quietud dominical,
porque grita un borracho
feroz:—¡Viva el partido liberal! . . . .

TOQUE DE ORACIÓN

Un pedazo de luna que no brilla
sino con timidez. Canta un marino
y su triste canción, tosca y sencilla,
tartamudea con sabor de vino.

El mar, que el biceps de la playa humilla,
tiene sinuosidades de felino,
y se deja caer sobre la orilla
con la cadencia de un alejandrino.

Pienso en ti, pienso que te quiero mucho,
porque me encuentro triste, porque escucho
la esquila del pequeño campanario,

que se queja con un sollozo tierno,
mientras los sapos cantan el invierno
con una letra del abecedario . . .

profoundly asleep. A dog's
filth smeared on a fence. An abbot's
indigestion, the muffled
cacophony of a locust ...

Solitude of the grave, complete
and sullen silence. But
suddenly in the ugly town

the dominical hush is broken,
for a raving drunkard screams:
Hooray for the Liberal Party!

D. D. W.

VESPERS

A FRAGMENT of moon that shines
but timidly. A sailor sings,
and his sad song, rough and plain,
stammers with the tang of wine.

The sea, baffled by the shore's biceps,
has a feline sinuosity,
and it drops itself upon the beach
with the cadence of an alexandrine.

I am thinking of you, thinking that I love you,
because I am sad, because I am listening
to the small bell in the little tower

which mourns with a tender sobbing
while the toads sing about winter
with a letter from the spelling book ...

D. D. W.

PROLETARIOS

Un burro
escalando una montaña,
lentamente,
vibrando bajo el peso de las banastas.
        (Sus orejas optimistas
        se inclinan hacia la cumbre.)

Un albañil
colocando ladrillo sobre ladrillo.
        (Su tararear es monótono,
        interminable.)

Dios,
bregando con las estrellas.
        (Su silencio es profundo.)

PANFLETO

He roto el arcoiris
contra mi corazón,
como se rompe una espada inútil contra una rodilla.
He soplado las nubes de rosa y sangre
más allá de los últimos horizontes.
He ahogado mis sueños
para saciar los sueños que me duermen en las venas
de los hombres que sudaron y lloraron y rabiaron
para sazonar mi café . . .

224

LUIS MUÑOZ MARIN

PROLETARIANS

A DONKEY
ascending a mountain,
slowly,
vibrating under the weight of the saddlebags.
> (His optimist ears
> slant toward the summit.)

A bricklayer
setting brick upon brick.
> (His humming is monotonous,
> interminable.)

God,
hard at work with the stars.
> (His silence is profound.)

M. L.

PAMPHLET

I HAVE broken the rainbow
against my heart
as one breaks a useless sword against a knee.
I have blown the clouds of rose colour and blood colour
beyond the farthest horizons.
I have drowned my dreams
in order to glut the dreams that sleep for me in the veins
of men who sweated and wept and raged
to season my coffee . . .

El sueño que duerme en los pechos estrujados por la tisis
     (¡Un poco de aire, un poco de sol!);
el sueño que sueñan los estómagos estrangulados por el hambre
     (¡Un pedazo de pan, un pedazo de pan blanco!);
el sueño de los pies descalzos
     (¡Menos piedras en el camino, Señor, menos botellas
     rotas!);
el sueño de las manos callosas
     (¡Musgo . . . olán limpio . . . cosas suaves, blandas,
     cariñosas!)
El sueño de los corazones pisoteados
     (¡Amor . . . Vida . . . Vida! . . .)

Yo soy el panfletista de Dios,
el agitador de Dios,
y voy con la turba de estrellas y hombres hambrientos
hacia la gran aurora . . .

The dream that sleeps in breasts stifled by tuberculosis
      (A little air, a little sunshine!);
the dream that dreams in stomachs strangled by hunger
      (A bit of bread, a bit of white bread!);
the dream of bare feet
      (Fewer stones on the road, Lord, fewer broken
      bottles!);
the dream of calloused hands
      (Moss . . . clean cambric . . . things smooth, soft,
      soothing!)
The dream of trampled hearts
      (Love . . . Life . . . Life! . . .)

I am the pamphleteer of God,
God's agitator,
and I go with the mob of stars and hungry men
toward the great dawn . . .

                                          M. L.

RAPSODIA PARA EL MULO

Con qué seguro paso el mulo en el abismo.

Lento es el mulo. Su misíon no siente.
Su destino frente a la piedra, piedra que sangra
creando la abierta risa en las granadas.
Su piel rajada, pequeñísimo triunfo ya en lo oscuro,
pequeñísimo fango de alas ciegas.
La ceguera, el vidrio y el agua de tus ojos
tienen la fuerza de un tendón oculto,
y así los inmutables ojos recorriendo
lo oscuro progresivo y fugitivo.
El espacio de agua comprendido
entre sus ojos y el abierto túnel,
fija su centro que la faja
como la carga de plomo necesaria
que viene a caer como el sonido
del mulo cayendo en el abismo.

Las salvadas alas en el mulo inexistentes,
más apuntala su cuerpo en el abismo
la faja que le impide la dispersión
de la carga de plomo que en la entraña
del mulo pesa cayendo en la tierra húmeda
de piedras pisadas con un nombre.
Seguro, fajado por Dios,
entra el poderoso mulo en el abismo.

Las sucesivas coronas del desfiladero
—van creciendo coròna tras corona—
y allí en lo alto la carroña

RHAPSODY FOR THE MULE

How certain the mule's step in the abyss.

Slow is the mule. He does not sense his mission.
His fate facing the stone, stone that bleeds
creating the open laughter of pomegranates.
His cracked skin, tiniest triumph now in the dark,
tiniest blind-winged clod.
The blindness, the glassiness, the water of your eyes
have the strength of a hidden tendon:
just so his motionless eyes scanning
the increasing fugitive dark.
The space of water between
his eyes and the open tunnel
fixes the centre that cinches him
like the necessary load of lead
to fall like the sound of the mule
falling in the abyss.

No saving wings existing for the mule,
his body is more sustained in the abyss
by the swath belting-in the dispersion
of the leaden charge heavy in the bowels
of the mule as he falls to the moist earth
of stones trampled with a name.
Steadily, cinched by God,
the strong mule enters the abyss.

The successive crests of the ravine—
crest crescent beyond crest—
and there on high the carrion

de las ancianas aves que en el cuello
muestran corona tras corona.
Seguir con su paso en el abismo.
El no puede, no crea ni persigue,
ni brincan sus ojos
ni sus ojos buscan el secuestrado asilo
al borde preñado de la tierra.
No crea, eso es tal vez decir:
¿No siente, no ama ni pregunta?
El amor traído a la traición de alas sonrosadas,
infantil en su oscura caracola.
Su amor a los cuatro signos
del desfiladero, a las sucesivas coronas
en que asciende vidrioso, cegato,
como un oscuro cuerpo hinchado
por el agua de los orígenes,
no la de la redención y los perfumes.
Paso es el paso del mulo en el abismo.

Su don ya no es estéril: su creación
la segura marcha en el abismo.
Amigo del desfiladero, la profunda
hinchazón del plomo dilata sus carillos.
Sus ojos soportan cajas de agua
y el jugo de sus ojos
—sus sucias lágrimas—
son en la redención ofrenda altiva.
Entontado el ojo del mulo en el abismo
y sigue en lo oscuro con sus cuatro signos.
Peldaños de agua soportan sus ojos,
pero ya frente al mar
la ola retrocede como el cuerpo volteado
en el instante de la muerte súbita.
Hinchado está el mulo, valerosa hinchazón
que le lleva a caer hinchado en el abismo.

of ancient birds, their necks
displaying crest upon crest.
The step onward in the abyss.
He has no power of creation or pursuit,
his eyes neither leap
nor seek the sanctuary sequestered
at earth's teeming border.
No creation; and is that perhaps
no feeling, no loving, no questioning?
Love brought by betrayal of rosy wings,
childlike in the dark conch.
His love for the four hoof-signs
in the ravine, the successive crests
of his glassy blind ascent,
the dark body swollen
by the water of origins,
not the water of redemption and perfume.
Each step is a step of the mule in the abyss.

His gift is no longer sterile: his creation
the steady march in the abyss.
Familiar of the ravine, the deep
lead swelling puffs out his cheeks.
His eyes hold boxes of water,
and the juice of his eyes—
his grimy tears—
are proud oblation for redemption.
Bewildered the eye of the mule in the abyss,
and he marches on in the dark with his four hoof-signs.
Steps of water are shored up in his eyes,
but now confronting the sea
the wave retreats like a wrestler thrown
at the moment of sudden death.
Swollen is the mule, a mighty swelling
that bears him swollen to fall into the abyss.

Sentado en el ojo del mulo,
vidrioso, cegato, el abismo
lentamente repasa su invisible.
En el sentado abismo,
paso a paso, sólo se oyen
las preguntas que el mulo
va dejando caer sobre la piedra al fuego.

Son ya los cuatro signos
conque se asienta su fajado cuerpo
sobre el serpentín de calcinadas piedras.
Cuando se adentra más en el abismo
la piel le tiembla cual si fuesen clavos
las rápidas preguntas que rebotan.
En el abismo sólo el paso del mulo.
Sus cuatro ojos de húmeda yesca
sobre la piedra envuelven rápidas miradas.
Los cuatro pies, los cuatro signos
maniatados revierten en las piedras.
El remolino de chispas sólo impide
seguir la misma aventura en la costumbre.
Ya se acostumbra, colcha del mulo,
a estar clavado en lo oscuro sucesivo;
a caer sobre la tierra hinchado
de aguas nocturnas y pacientes lunas.
En los ojos del mulo, cajas de agua.
Aprieta Dios la faja del mulo
y lo hincha de plomo como premio.
Cuando el gamo bailarín pellizca el fuego
en el desfiladero prosigue el mulo
avanzando como las aguas impulsadas
por los ojos de los maniatados.
Paso es el paso del mulo en el abismo.

El sudor manando sobre el casco
ablanda la piedra entresacada

Settled in the mule's eye,
glassy, myopic, the abyss
slowly reviews its invisible.
In the settled abyss,
step by step, are heard only
the questions which the mule
treads into the burning stone.

Now there are four hoof-signs,
and so his cinched body settles
upon the serpentine calcined stones.
Entering deeper into the abyss
his skin trembles as if the swift
bouncing questions were nails.
In the abyss only the mule's step.
His four eyes of humid tinder
weave quick glances on the rock.
The four feet, the four manacled
signs, overflow on the stones.
Only the flurry of sparks impedes
the repetition of the familiar story.
Now the mule is used to his quilt:
to being nailed to successive darkness;
to falling, swollen with nocturnal
waters and suffering moons, upon the earth.
In the mule's eyes, boxes of water.
God tightens the mule's cinch
and swells him with lead for a prize.
When the dancing buck plucks at the fire
in the ravine, the mule continues
advancing like waters raised
by the stares of manacled men.
Each step is a step of the mule in the abyss.

Sweat oozing over the hoof
softens stones sifted

del fuego no en las vasijas educado,
sino al centro del tragaluz, oscuro miente.
Su paso en la piedra nueva carne
formada de un despertar brillante
en la cerrada sierra que oscurece.
Ya despertado, mágica soga
cierra el desfiladero comenzado
por hundir sus rodillas vaporosas.
Ese seguro paso del mulo en el abismo
suele confundirse con los pintados guantes de lo estéril.
Suele confundirse con los comienzos
de la oscura cabeza negadora.
Por ti suele confundirse, descastado vidrioso.
Por ti, cadera con lazos charolados
que parece decirnos yo no soy y yo no soy,
pero que penetra también en las casonas
donde la araña hogareña ya no alumbra
y la portátil lámpara traslada
de un horror a otro horror.
Por ti suele confundirse, tú, vidrio descastado,
que paso es el paso del mulo en el abismo.

La faja de Dios sigue sirviendo.
Así cuando sólo no es chispas la caída
sino una piedra que volteando
arroja el sentido como pelado fuego
que en la piedra deja sus mordidas intocables.
Así contraída la faja, Dios lo quiere,—
la entraña no revierte sobre el cuerpo,
aprieta el gesto posterior a toda muerte.
Cuerpo pesado, tu plomada entraña
inencontrada ha sido en el abismo,
ya que cayendo, terrible vertical
trenzada de luminosos puntos ciegos,
aspa volteando incesante oscuro,
has puesto en cruz los dos abismos.

234

from fire formed not in vessels,
but in the skylight-centre, giving the lie to darkness.
His step on the stone new flesh
fashioned of a bright awakening
in the dense darkening mountains.
Alert now, the ravine completes
the magic cord begun
with the bending of its vapoury knees.
That steady step of the mule in the abyss
is often confused with sterility's painted gloves,
confused often with the first probings
of the dark denying head.
Confused through you, glassy outcast;
through you, haunch with glossy looping braids
that seem to tell us *I am not* and *I am not,*
but pierce also those mansions
no longer lit by ancestral candelabra,
where the lamp is carried
from one horror to another horror.
Through you confused, you, outcast glass,
for each step is a step of the mule in the abyss.

The buckle of God still serves.
Thus when the fall is not merely sparks,
but a bounding stone
hurling the sense like a blazing fire
that leaves its intangible bite upon the stone.
The buckle thus tightened (God wills it),
the bowels do not burst out in bodily rupture;
the look that follows every death grows strong.
Heavy body, your lead-like bowels
were unencountered in the abyss,
for in falling, a horrible vertical braided
with shining blind points,
wheel spinning incessant dark,
of two abysses you have formed a cross.

Tu final no siempre es la vertical de dos abismos.
Los ojos del mulo parecen entregar
a la entraña del abismo, húmedo árbol.
Arbol que no se extiende en acanalados verdes
sino cerrado como la única voz de los comienzos.
Entontado, Dios lo quiere,
el mulo sigue transportando en sus ojos
árboles visibles y en sus músculos
los árboles que la música han rehusado.
Arbol de sombra y árbol de figura
han llegado también a la última corona desfilada.
La soga hinchada transporta la marea
y en el cuello del mulo nadan voces
necesarias al pasar del vacío al haz del abismo.

Paso es el paso, cajas de agua, fajado por Dios
el poderoso mulo duerme temblando.
Con sus ojos sentados y acuosos,
al fin el mulo árboles encaja en todo abismo.

Your terminus is not always the vertical of two abysses.
The mule's eyes seem to yield
a humid tree to the heart of the abyss.
A tree that does not spread out in channelled greens,
but thick like the single voice of the beginnings.
Bewildered, God wills it,
the mule carries in his eyes
trees visible, and in his muscles
the trees that have rejected music.
Tree of shade and tree of shape,
they too have won the last crest of the ravine.
The swollen rope carries the tides over
and in the mule's neck voices are swimming
as he passes from the void to the face of the deep.

Each step is a step, boxes of water, God-cinched,
trembling sleeps the powerful mule.
With his set and watery eyes
in each abyss the mule plants trees at last.

D. D. W.: J. R. F.: D. F.

CONSTANTINO SUASNAVAR

NÚMEROS

XXVI

He perdido los zapatos
en el gran Valle de Sula.

Pasando sobre los ríos
por los puentes adormidos
bajo el mantón de la luna.

Al son de los bananales
y los rugidos del puma,
caramba! ya voy llegando.

Llegando yo, sin zapatos,
llegando a San Pedro Sula.

IX

Qué flaca vive la niña
vendedora de pescado...

Anda sucia y mal oliente
semivestida de harapos,
dando tumbos y retumbos
en un próximo desmayo.

Qué niña tan enfermiza.
Ay! qué semblante tan pálido.

Tiene los ojos tan tristes
y son sus ojos tan garzos
como las garzas morenas.
Ay! la niña, niña, niña,
vendedora de pescado.

CONSTANTINO SUASNAVAR

NUMBERS

XXVI

I HAVE lost my shoes
in the great Valley of Sula.

Crossing over rivers
by slumbering bridges
under the cloak of the moon.

To the rustling of banana groves
and the roars of the puma
here I come, *caramba!*,

here I come, shoeless,
to San Pedro Sula.

M. L.

IX

What a thin life the girl
fish-vendor leads . . .

She goes about dirty and smelly,
half-clothed in rags,
tumbling around noisily
in a near faint.

What a sickly girl!
Ah, what a pale face!

She has such sad eyes,
and her eyes are as blue
as the dark herons.
Ah, the girl, girl, girl
fish-vendor!

M. L.

XXX

Paso revista de hoteles
para barrer por comer,
y nada.

Paso por esos mercados
y tampoco,
nada.

Paso por todas las calles
y no puedo recoger
ni palabras.

Nada, nada, nada.

XXI

Los plantíos.
Los ganados.
Las montañas.
El sol, el viento, y el agua.

(Van los ríos
vagabundos
murmurando
sus canciones a las flores del camino).

Ríe un niño.
Canta un viejo.
Bajo el cielo
dos campesinos jóvenes se besan.

Y yo
escribo estos versos
por toda la vida nueva.

CONSTANTINO SUASNAVAR

XXX

I look up hotels
to sweep so I can eat—
nothing.

I go through those markets,
and it's just the same:
nothing.

I go through all the streets
and I can't pick up
even words.

Nothing, nothing, nothing.

M. L.

XXI

Sown fields.
Herds.
Mountains.
Sun, wind, and water.

(The rivers go
wandering,
murmuring
their songs to the roadside flowers.)

A child laughs.
An old man sings.
Beneath the sky
two young rustics kiss.

And I
set down this poem
for the whole of the new life.

D. F.

XVII

La hija del amo me gusta
como la leche y el pan;
me gusta verla en la tarde
de tiempo primaveral.

Por eso en noches de luna
hasta le voy a cantar;
le canto con la guitarra
como en era medioeval.

Le canto aquella canción
de 'sirenita del mar';
pero me dijo hace poco:
—Vos no sos más que jayán.
—Ya no le vuelvo a cantar.

XLIII

Son tres principios, amigo,
en el arte y en la vida:
el primer principio es
el de la Monotonía.

Son tres principios, amigo,
en la ciencia y en la vida:
el segundo principio es
el de la Polifonía ...

Son tres principios, amigo,
en la historia y en la vida:
el tercer principio es
el de la Armonía.

XVII

I like the boss' daughter
as I like milk and bread;
it makes me feel good to see her
on a spring afternoon.

And so on moonlight nights
I even go to sing to her;
I sing to her with a guitar,
as in mediæval times.

I sing her that song
called *The Little Sea-Siren;*
but a while back she told me,
'You're just a big dope.'
No more songs for her!

                                        D. F.

XLIII

These are the three principles, friend,
in art and in life:
the first principle is
Monotonic.

These are the three principles, friend,
in science and in life:
the second principle is
Polyphonic.

These are the three principles, friend,
in history and in life:
the third principle is
Harmonic.

                                        D. F.

MAÑANA

Como forjamos el hierro forjaremos días nuevos.

Sudorosos y fuertes,
descenderemos a lo profundo
y arrancaremos a sus entrañas las nuevas conquistas.

Ascenderemos a las montañas,
y el sol nos llenará de su vida:
seremos pedazos de sol.

Forjaremos otra vida grandiosa y humana;
la eternizaremos con un potente esfuerzo unánime.
Y bajo el ojo virgen de los amaneceres
cantaremos a la fuerza creadora del músculo
y a la armonía fraterna de las almas.

Muchos,
y seremos solo uno.
Para el gran canto sólo tendremos una voz.

Cantaremos al hierro,
a la belleza fuerte y nueva de la máquina.

Los yunques, los tractores
que violan a la tierra en cópula mecánica;
la turbina, la dínamo;
la fuga infinita de los rieles—
sistema venoso de acero por donde circula la vida.
Los canales de luz de los cables eléctricos,
células cerebrales del mundo,
donde vibra la fuerza.

TOMORROW

As WE hammer out iron we shall hammer out new days.

Sweaty and strong,
we shall go down into the depths
and wrest new conquests from the bowels of the earth.

We shall climb the mountains,
and the sun will fill us with its life:
we shall be pieces of sun.

We shall forge another life, magnificent and human;
make it eternal with a concerted mighty effort.
And beneath the virgin eye of dawn
we shall sing to the creator-force of muscles
and the brotherly concord of hearts.

Many,
we shall be a single one.
For that great song we shall have but one voice.

We shall sing to iron,
to the fierce new beauty of the machine.

Anvils, tractors
that ravish the earth with their mechanized coupling;
the turbine, the dynamo;
the endless fugue of the rails—
vein-system of steel through which life flows.
Light-ducts of electric cables,
brain-cells of the world,
where vigour throbs.

Cantaremos al hierro, porque el mundo es de hierro,
y somos hijos de hierro;
pero estaremos sobre la máquina.

Un sentimiento nuevo brotará en nuestros pechos,
y será tan inmenso,
que para amarlo seremos sólo un corazón.

¿Dónde estará entonces nuestra amargura?
¿Dónde estos días miserables e inválidos? ...

Como forjamos el hierro forjaremos otros siglos.
Enjoyados de júbilo
los nuevos días nos verán,
musculosos y fuertes desfilar frente al sol.

Vendremos de los campos, de las ciudades, de los talleres:
cada instrumento de trabajo será como un arma;
—una sierra, una llave, un martillo, una hoz—
y ocuparemos la tierra como un ejército en marcha,
saludando a la vida con nuestro canto unánime.

CONCEPTOS DEL NUEVO ESTUDIANTE

Yo FUÍ hasta ayer ceremonioso y pacífico...

Antaño bebí el té de hojas maduras del Yunnan
en fina taza de porcelana;
descifraba los textos sagrados de Lao-Tseu,
de Meng-seu,
y del más sabio de los sabios, Kung-fu-Tseu.

En el misterio de las pagodas
mi vida transcurría armoniosa y serena;
blanca como los lotos de los estanques,

We shall sing to iron, for the world is of iron,
and we are are sons of iron;
but we shall stand above the machine.

A new feeling will blossom in our breasts,
so huge
that to love it we shall be a single heart.

And then where will our bitterness be?
Where these wretched and futile days?

As we hammer out iron we shall hammer out new ages.
Bejewelled with joy
the new days will behold us
muscular and strong as we march before the sun.

We shall come from the fields, the cities, the shops:
every work-tool will be like a weapon—
saw, wrench, hammer, sickle—
we shall occupy the earth like a marching army,
hailing life with our unanimous song.

D. F.

OPINIONS OF THE NEW STUDENT

UNTIL yesterday I was polite and peaceful ...

Last year I drank the yellow-leaved Yunnan tea
in fine cups of porcelain,
and deciphered the sacred texts of Lao-Tze,
of Mang-tze,
and of the wisest of the wise, Kung-fu-Tseu.

Deep in the shade of the pagodas
my life ran on, harmonious and serene,
white as the lilies in the pools,

dulce como un poema de Li-tai-Pe,
siguiendo en los crepúsculos
el 'looping the loop' de un vuelo de cigüeñas
perfilarse en el biombo de un cielo de alabastro.

Me ha despertado un eco de voces extranjeras
surgido de las bocas de instrumentos mecánicos;
dragones que incendian con gritos de metrallas
—ante el horror de mis hermanos,
asesinados en la noche—
mis casas de bambú
y mis pagodas milenarias.

Y ahora, desde el avión de mi nueva conciencia,
atalayo las verdes llanuras de Europa,
sus ciudades magníficas,
florecidas de piedra y de hierro.

Se ha desnudado en mis ojos el alba de Occidente.
Entre mis manos pálidas,
la larga pipa de los siglos,
ya no me brinda el opio de la barbarie;
y hoy marcho hacia la cultura de los pueblos
ejercitando mis dedos en el gatillo del máuser.

En la llama de ahora
cocciono impaciente la droga de mañana;
quiero profundamente aspirar la nueva época
en mi ancha pipa de jade.
Una inquietud curiosa ha insomnizado mis ojos
          oblicuos.
Y para otear más hondo el horizonte,
salto sobre la vieja muralla del pasado . . .

Yo fuí hasta ayer ceremonioso y pacífico . . .

gentle as a poem by Li Tai Po,
watching the loop-the-loop
of white storks at eve
against the screen of an alabaster sky.

But I have been awakened by the echo of foreign voices
booming from the mouths of mechanical instruments:
dragons setting ablaze with howls of grapeshot—
to the horror of my brothers
murdered in the night—
my bamboo houses
and my ancient pagodas.

And now, from the airplane of my new conscience,
I watch over the green plains of Europe,
and her magnificent cities
blossoming in stone and iron.

Before my eyes the western world is naked.
With the long pipe of the centuries
in my pale hands,
I am no longer enticed by the opium of barbarism;
and today I march toward the progress of the people,
training my fingers on the trigger of a Mauser.

Over the flame of today
impatiently I cook the drug of tomorrow;
I would breathe deep of the new era
in my great pipe of jade.
A strange restlessness has taken all sleep from my slanting
        eyes.
To gain a deeper view of the horizon
I leap up on the old wall of the past ...

Until yesterday I was polite and peaceful ...

                                          L. H.

CEMENTERIO ISRAELITA

A national home for the Jewish people.
LORD BALFOUR

SORDAS al hervidero de la calle, felices
en su modorra y libres de todo desvarío,
reposan cara al mundo con sus corvas narices
estas almas cesantes del realengo judío.

Fondeadas ya las naves definitivamente
tras de la travesía por caminos sin vuelta,
se hicieron estos lechos y esta ciudad yacente
para dormir el sueño postrer a pierna suelta.

Los ayes de las viejas con su dolor ruidoso
no turban este mundo supino satisfecho
donde arden los compases del *moles* quejumbroso
cantado a precio fijo con sus golpes al pecho.

Danzan aquí los días su ocio pausadamente,
da la palingenesia de las flores su gracia,
y convertido el *schnórrer* en un terrateniente
también está en el suelo junto a la aristocracia.

Mientras las noches lucen sus condecoraciones
sobre la calma espesa de la ciudad enana,
la grey semita duerme sin vanas ambiciones,
confiando que la vida no empezará mañana ...

CESAR TIEMPO

ISRAELITE GRAVEYARD

A national home for the Jewish people.
        LORD BALFOUR

DEAF to the hurly-burly of the street,
drowsy-content, free from delirium,
face upward, with the down-curved noses, rest
these souls discharged from Jewry and its cares.

After a crossing by paths without return
their boats have come to mooring here at last;
they have made themselves these beds, this sprawling city,
in the sure repose of everlasting sleep.

The moans of old women with their noisy grief
can not disturb this smug and supine world
where throb the rhythms of the whining dirge
sung for a set price, with beatings of the breast.

Here the days dance their slowly-measured ease,
the flowers' resurrection confers its grace;
the *schnorrer* has taken title to the land,
the aristocrat his neighbour in the ground.

And while the nights display their decorations
above this dwarfed city's heavy calm,
the Semite flock sleeps without vain ambition,
assured that life will not begin tomorrow...

                                R. H., D. D. W., D. F.

ARENGA EN LA MUERTE DE
JAIM NAJMAN BIÁLIK

*¿Qué otra preocupación que la del día pre-
sente puede tener un pueblo que se arrastra
en sus tinieblas y en sus abismos?*

BIÁLIK

EL 5 de julio la Associated Press dió la noticia al mundo:
falleció en Viena Jaim Najman Biálik.

Pasaron veinte días y en la misma ciudad
ultimaron a Dollfuss, el 'Milemetternich'.

¡Cuidado con los poetas
cuyos puños golpean sobre las mesas de los verdugos!

Los diarios de la colectividad
pudieron publicar la noticia en 'Sociales',
junto a la crónica de la fiesta
con que la familia Barabánchik
celebraba la circuncisión de su vástago.

Tengo un corazón violento
y una voz áspera.

Cruzo las calles de la judería
con mi rencor y mi dolor a cuestas.

Hermanos de Buenos Aires:
nuestro más alto poeta ha muerto.
Como en los Salmos
Dios le ciñó de fuerzas e hizo perfecto su camino.

Minkowski fué la lágrima,
Biálik la imprecación.

Y ambos se pudrirán bajo la tierra,
frente a los ojos ciegos de la noche tremenda.

* * *

Un cielo en mangas de camisa corre sobre los tejados.

HARANGUE ON THE DEATH OF
CHAYIM NACHMAN BIALIK

*What other interest than that of the present
moment can a people have which must drag
itself through its shadows and abysses?*
                                    BIALIK

ON July 5 the Associated Press gave the news to the world:
Chayim Nachman Bialik had died in Vienna.

Twenty days later, and in the same city,
they put an end to Dollfuss, the 'Millimetternich'.

Look out for poets
whose fists pound on the desks of hangmen!

The world's dailies
were able to publish the item on the Society Page
next to the account of the party
with which the Barabanchik family
celebrated the circumcision of their offspring.

I have a violent heart
and a harsh voice.

I walk the streets of the Jewish Quarter
weighed down by my anger and my grief.

Brothers of Buenos Aires:
our proudest poet is dead.
As in the Psalms,
God girded him with strength and made straight his way.

Minkowski was plaintive,
Bialik an imprecation.

And both will rot under the earth,
facing the blind eyes of tremendous night.

                    *   *   *

A shirtsleeve sky runs over the roofs.

Los buhoneros juegan en el Pilsen su diuturna partida de
     dominó.

Las muchachas que quieren casarse no pasan bajo los
     andamios.

Señores burgueses que infrinjís todos los Mandamientos
y estáis los sábados sobre vuestros libros de tapas negras
pasándoles la mano por el lomo a las cifras
para que se alarguen como gatos,
os he visto en los templos resplandecientes
—apartados como los 'purs sangs' en los bretes suntuosos—,
con los ojillos redondos y desvaídos
y las altas galeras y los 'thaléisem' de seda pura,
queriendo sobornar a Dios
que os conoce mejor que vuestros empleados.

Jaim Najman Biálik ha muerto.

Hoy en 'El Internacional' hay pescado relleno
y un buen stock de doctores para vuestras pobres hijas
     lánguidas.

¿Quién se acuerda de las masacres de Ukrania,
de la tempestad delirante de los pogroms,
cuando los juliganes violaban a vuestras madres
y estabais en los sótanos temblorosos e inútiles
como la luz que lame los espejos?

Biálik clamó, tronó sobre las negras aguas
y su risa iracunda corrió como un viento loco sobre las aldeas.
'El pueblo es una hierba marchita,
se ha puesto seco como una madera'.
Y hubo jóvenes que supieron sacudirse como lobeznos
y sus dientes agudos despedazaron nuestra humillación.

Jaim Najman Biálik ha muerto.

Los chamarileros sonríen en las puertas de su pandemonio.

The pedlars in the *Pilsen* are at their endless game of
    dominoes.

Girls who want to get married don't walk under
    scaffolding.

You bourgeois who break all the Commandments
and spend your Sabbaths over your books bound in black,
stroking the spines of the figures
in order to make them stretch out like cats,
I have seen you in your glittering temples—
ranged like thoroughbreds in sumptuous stalls—
with your round lifeless little eyes,
with your formal tall hats and your pure silk prayer-shawls,
trying to bribe God
who knows you better than your employees.

Chayim Nachman Bialik is dead.

There's gefüllte fisch today in 'The International',
and a good stock of doctors for your poor drooping daughters.

Who remembers the massacres in the Ukraine,
the raving storm of the pogroms,
when hooligans raped your mothers
and you were trembling in your cellars, useless
as a ray of light striking a mirror?

Bialik shouted, he thundered across the black waters,
and his angry laughter ran through the villages like a wild
    wind.
'The people are withered grass,
they have gone dry as timber.'
And there were youths who shook themselves like wolf cubs
and their sharp teeth tore our shame to shreds.

Chayim Nachman Bialik is dead.

The old-clothes dealers smile in the doorways of their
    pandemoniums.

Los Lacrozes están más verdes que nunca.

Echa tu pan sobre las aguas, dice Eclesiastés.

Da gusto oír a Mischa Elman desde una muelle butaca del
Colón.

Gorki dijo que con Biálik el pueblo judío había dado un nuevo
Homero al mundo.

¿El Banco Israelita le daría un crédito a su sola firma?

Voces:
—Esta noche cuando cierre el negocio, mientas mojo la
tostada en el vaso de té, le voy a decir a mi señora que
me lea *El Pájaro* y *El Jardín,* y después de comer
vamos a ir al Teatro Ombú: para ser de la 'Comisión'
hay que estar 'preparado'.

Jaim Najman Biálik ha muerto.

—Mamá ¿me lavo la cabeza con querosén y me pongo el
vestido de raso celeste para ir a la Biblioteca?—Bueno,
querida, y a ver si consigues un novio como la gente,
que ya es tiempo.

Jaim Najman Biálik ha muerto.

En la puerta de la Cocina Popular nuestros hermanos, los que
no se atreven a morirse de hambre, esperan su ración.

Jaim Najman Biálik ha muerto.

Nuestras piernas se arrastran en las más profundas ciénagas
de la noche y sobre nuestras cabezas brilla una luz pura.

En Tel Aviv hubo un poeta.

¿Y ahora?

The Lacroze trolleys are greener than ever.

Cast thy bread upon the waters, says Ecclesiastes.

How nice to hear Mischa Elman from a soft orchestra seat at
the Colón.

Gorki said that with Bialik the Jewish race gave a new
Homer to the world.

Would the Bank of Israel give him credit on just one
signature?

Voices:
'Tonight when the store's closed and I'm dunking my toast in
a glass of tea, I am going to ask my Missus to read me
The Bird and *The Garden,* and after supper we're go-
ing to the Ombú Theatre: if you want to get on the
"Committee," you've got to be on your toes.'

Chayim Nachman Bialik is dead.

'Ma, will I wash my hair with kerosene and put on my
sky-blue satin dress to go to the Library?'—'All
right, darling, and mind you get yourself a young man,
like the rest of the girls: it's about time.'

Chayim Nachman Bialik is dead.

At the door of the People's Kitchen our brothers, the ones who
haven't the courage to starve to death, are waiting for
their ration.

Chayim Nachman Bialik is dead.

Our legs drag through the deepest marshes of the night and
above our heads shines a pure light.

In Tel-Aviv there was a poet.

And now?

D. D. W.

CÉSAR TIEMPO

ORACIÓN

Luna, madre del Sábado, transfunde tu amorosa
serenidad, tu polen de paz, tu alma viajera
en la esposa que espera
la llegada del hijo como una melodiosa
consagración pascual de fruto en primavera.

Domingo, hijo del sol, que tu luz no la hiera,
tu alabandina luz que no descansa;
que el clamor de la calle se haga música mansa
para el hijo que avanza
con un temblor de agua que busca su ribera.

Sábadomingo, el niño nuevo como la danza
que muere y renace sobre la tierra hérida,
llega con su esperanza a buscar tu esperanza,
una madre judía con su amor te lo alcanza,
dale tu claridad para toda la vida.

LLORANDO Y CANTANDO

*"Los que siembran llorando,
cantando cosecharán."*
SALMOS, CXXVI, 5

De un país de leche y miel,
de colinas y ríos claros
salió el pueblo de Israel
llorando.

Columnas de fuego y nubes
sus pasos fueron guiando
e Israel cruzó el desierto
llorando.

258

CÉSAR TIEMPO

PRAYER

Moon, mother of the Sabbath, transfuse your loving
calm, your pollen of peace, your wandering soul
into the wife that awaits
the son's coming like a melodious
paschal consecration of spring fruits.

Sunday, son of the sun, let your light not strike her,
your light alabandine that knows no rest;
let the roar of the street become gentle music
for the son advancing
with the tremor of water seeking its shore.

Sabbath-Sunday, the child new as the dance,
that dies and is reborn upon the stricken earth,
comes with its hope to seek your hope;
a Jewish mother brings it you with her love:
give her your brightness all the days of her life.

D. D. W.

WEEPING AND SINGING

*"They that sow in tears
    shall reap in joy."*
        PSALMS, CXXVI, 5

From a land of milk and honey,
from hills and rivers clear,
the people of Israel went forth,
weeping.

Pillars of fire and cloud
went on before their steps
and Israel crossed the desert,
weeping.

Los cautivos levantaron
ciudades de muros altos
y dieron gracias a Dios
llorando.

Las lanzas se hicieron rastras
y las espadas arados
trabajaron noche y día
llorando.

El mar de aguas encendidas
pasaron con sus caballos,
los encontró la borrasca
llorando.

Estuvieron en los ghettos
sombríos emparedados
pero encontraron la luz
llorando.

El sábado fué su escudo,
su isla, su candelabro
y bendijeron el sábado
llorando.

Vejados y escarnecidos,
sobre la tierra encorvados,
siembran sin odio y sin tregua
llorando.

Mañana el sol sonreirá
sobre los campos sembrados
y entonces cosecharemos
cantando, hermanos, cantando.

CÉSAR TIEMPO

The captives lifted up their
cities of mighty walls
and they gave thanks to God,
weeping.

Their lances became harrows,
their swords were turned to ploughs,
night and day they laboured,
weeping.

The sea of fiery waters
they crossed over with their horses,
the tempest fell upon them,
weeping.

They were walled about
in the shadow of the ghettos
but they found out the light,
weeping.

The Sabbath was their buckler,
their isle, their candelabrum,
and they called the Sabbath holy,
weeping.

Taunted and spat upon,
bent low above the earth,
they sow without hate or rest,
weeping.

Tomorrow the sun will smile
upon the seed-rich fields
and then, then we shall reap,
singing, brothers, singing.

D. D. W.

'NO SÉ POR QUÉ PIENSAS TÚ'

No sé por qué piensas tú,
soldado, que te odio yo,
si somos la misma cosa,
yo,
tú.

Tú eres pobre, lo soy yo;
soy de abajo, lo eres tú:
¿de dónde has sacado tú,
soldado, que te odio yo?

Me duele que a veces tú
te olvides de quién soy yo;
¡caramba!, si yo soy tú,
lo mismo que tú eres yo.

Pero no por eso yo
he de malquererte, tú:
si somos la misma cosa
yo,
tú,
no sé por qué piensas tú,
soldado, que te odio yo.

¡Ya nos veremos yo y tú,
juntos en la misma calle,
hombro con hombro, tú y yo!
Sin odios, ni yo ni tú,
pero sabiendo tú y yo
adónde vamos yo y tú...

¡No sé por qué piensas tú,
soldado, que te odio yo!

'SOLDIER, I CAN'T FIGURE WHY'

Soldier, I can't figure why
you should think I hate you,—
why, we are the same, we two,
me,
you.

You are poor, and so am I;
I'm from down under, so are you;
where in the world did you get the idea,
soldier, that I hate you?

I'm sorry that you sometimes
can forget who I am; why,
hell, man! but I *am* you,
just the same as you are me.

But that's no reason why I should
have a grudge against *you:*
if we are the same, we two,
me,
you,
soldier, I can't figure why
you should think I hate you.

We'll see each other, you and me,
out in the same street together,
shoulder to shoulder, you and me!
With no hatreds, me or you,
but knowing well, you and me,
where we're going, me and you . . .

Soldier, I can't figure why
you should think I hate you!

                                    H. R. H.

NICOLAS GUILLEN

SOLDADO MUERTO

a Miguel N. Lira

—¿Qué bala lo mataría?
—Nadie lo sabe.
—¿En qué pueblo nacería?
—En Jovellanos, dijeron.
—¿Cómo fué que lo trajeron?
—Estaba muerto en la vía,
y otros soldados lo vieron.
—¡Qué bala lo mataría!

La novia viene, y lo besa;
llorando, la madre viene.
Cuando llega el capitán,
sólo dice:
    —¡Que lo entierren!

  ¡Chin! ¡Chin! ¡Chin!
AQUI VA EL SOLDADO MUERTO.
  ¡Chin! ¡Chin! ¡Chin!
DE LA CALLE LO TRAJERON.
  ¡Chin! ¡Chin! ¡Chin!
EL SOLDADO ES LO DE MENOS.
  ¡Chin! ¡Chin! ¡Chin!
QUE MAS SOLDADOS TENEMOS.

DOS NIÑOS

Dos niños, ramas de un mismo árbol de miseria,
juntos en un portal, bajo la noche calurosa,
dos niños pordioseros llenos de pústulas,
comen en una misma lata, como perros hambrientos,
la comida lanzada por el pleamar de los manteles.
Dos niños: uno negro, otro blanco.

NICOLAS GUILLEN

DEAD SOLDIER

To Miguel N. Lira

WHAT bullet could have killed him?
  Nobody knows.
Where do you suppose he was born?
  In Jovellanos, they say.
How come they picked him up?
  He was dead in the road
  and some other soldiers saw him.
What bullet could have killed him!

His girl comes and kisses him;
his mother comes and cries.
When the Captain comes,
all he says is:
         Bury him!

  Rat-ta-tat-tat!
THERE GOES THE DEAD SOLDIER.
  Rat-ta-tat-tat!
THEY PICKED HIM UP FROM THE STREET.
  Rat-ta-tat-tat!
A SOLDIER AIN'T NOTHING.
  Rat-ta-tat-tat!
WE GOT PLENTY OF SOLDIERS.

               L. H.

TWO CHILDREN

Two children, branches of the same tree of wretchedness,
together in a doorway, beneath the torrid night,
two beggar children, covered with sores,
are eating from the same tin, like hungry dogs,
the food cast up by the tide of the tablecloths.
Two children: one black, the other white.

Sus cabezas unidas están sembradas de piojos;
sus pies, muy juntos y descalzos;
las bocas incansables en un mismo frenesí de mandíbulas,
y sobre la comida grasienta y agria,
dos manos: una negra, otra blanca.

¡Qué unión sincera y fuerte!
Están sujetos por los estómagos, y por las noches foscas,
y por las tardes melancólicas en los paseos brillantes,
y por las mañanas explosivas,
cuando despierta el día con sus ojos alcohólicos.

Están unidos como dos buenos perros . . .
Juntos así, como dos buenos perros,
uno negro, otro blanco,
cuando llegue la hora de la marcha,
¿querrán marchar también, como dos buenos hombres,
uno negro, otro blanco?

Dos niños, ramas de un mismo árbol de miseria,
están en un portal, bajo la noche calurosa.

CANTALISO EN UN BAR

*(Los turistas en el bar;
Cantaliso, su guitarra,
y un son que comienza a andar).*

—No ME paguen porque cante
lo que no les cantaré:
ahora tendrán que escucharme
todo lo que antes callé.

Their heads, pressed together, are sown with lice;
their bare feet, closely joined;
their mouths, tireless in an identical frenzy of jaws;
and above the sour and greasy food,
two hands: one black, the other white.

What a powerful and sincere union!
They are bound by their hunger and by sullen nights,
and by melancholy afternoons in the gleaming avenues,
and by explosive mornings
when the day awakens with its alcoholic eyes.

They are side by side like two good dogs . . .
Together thus, like two good dogs,
one black, the other white,
when the hour of marching comes
will they march as well, like two good men,
one black, the other white?

Two children, branches of the same tree of wretchedness,
are in a doorway, beneath the torrid night.

H. R. H.

CANTALISO IN A BAR

*(Tourists in a bar;
Cantaliso, his guitar,
and a són that shapes itself).*

—Don't pay me for singing
what I'm *not* going to sing:
you're going to hear now
all I shut up about before.

¿Quién los llamó?
Gasten su plata,
beban su alcol,
cómprense un güiro,
pero a mí no,
pero a mí no,
pero a mí no!

Todos estos yanquis rojos
son hijos de un camarón,
y los parió una botella,
una botella de ron.
¿Quién los llamó?
Ustedes viven,
me muero yo,
comen y beben,
pero yo no,
pero yo no,
pero yo no!

Aunque soy un pobre negro,
sé que el mundo no anda bien;
ay, yo conozco un mecánico,
que lo puede componer.
¿Quién los llamó?
Cuando regresen
a Nueva York,
mándenme pobres
como soy yo,
como soy yo,
como soy yo!
A ellos les daré mi mano,
y con ellos cantaré,
porque el canto que ellos saben
es el mismo que yo sé!

Who sent for you?
Spend your money,
drink your licker,
buy yourself a maraca—
but you can't buy me,
not me,
not me!

All these red Yankees
are sons of a shrimp,
born from a bottle,
a bottle of rum.
Who told you to come?
You live,
and I die,
you eat and you drink,
but not me,
but not me,
but not me!

Though I'm just a poor Negro,
I know the world's going wrong;
ah, and I know a mechanic
who can fix it up right.
Who sent for you?
When you get back
to New York,
send me some poor folks,
poor like me,
poor like me,
poor like me!
I'll give them my hand,
and I'll sing with them,
because the song they know
is the same that I know.

L. H.

VISITA A UN SOLAR

*(Turistas en un solar. Canta Cantaliso
un* son *que no se puede bailar).*

—MEJOR que en hotel de lujo,
quédense en este solar;
aquí encontrarán de sobra
lo que allá no han de encontrar.
Voy a presentar, señores,
a Juan Cocinero:
tiene una mesa, tiene una silla,
tiene una silla, tiene una mesa,
y un reverbero!
El reverbero está sin candela,
muy disgustado con la cazuela.
¡Verán qué alegre, qué placentero,
qué alimentado, qué complacido,
pasa su vida Juan Cocinero!

INTERRUMPE JUAN COCINERO

—Con lo que un yanqui se tome
de una visita a la barra,
to' un año cualquiera come!

SIGUE EL SON

. . . Y éste es Luis, el caramelero;
y éste es Carlos, el isleño,
y aquel negro
se llama Pedro Martínez,
y aquel otro,
Norberto Soto,
y aquella negra de más allá,
Petra Sardá.
Todos viven en un cuarto,
seguramente

VISIT TO A TENEMENT

*(Tourists in a tenement. Cantaliso sings
a són that can't be danced to.)*

—RATHER than a first class hotel,
stop here in this tenement;
here you'll find more than enough
of what you won't find there.
Gents, I want to introduce
Juan Cocinero:
he owns one table, he owns one chair,
he owns one chair, he owns one table,
and a cooking-lamp!
The cooking-lamp is minus a wick,
plenty disturbed about the stew.
You'll see how happily, how agreeably,
how well fed, how contentedly,
Juan Cocinero passes his days!

JUAN COCINERO INTERRUPTS

On what a Yankee drinks
in one visit to the bar,
anyone else could eat for a whole year!

THE *SÓN* GOES ON

...And this is Luis the candymaker;
and this is Carlos, from the Canaries;
and that Negro
is called Pedro Martínez,
and that other one
Norberto Soto,
and that Negress over yonder
is Petra Sardá.
They all live in one room,
you bet,

porque sale más barato.
¡Qué gente,
qué gente tan consecuente!

TODOS A CORO

—Con lo que un turista traga
nada más que en aguardiente,
cualquiera un cuarto se paga!

SIGUE EL SON

... Y la que tose, señores,
sobre esa cama,
se llama Juana:
tuberculosis en tercer grado,
de un constipado
muy mal cuidado.
La muy idiota pasaba el día
sin un bocado.
¡Qué bobería!
¡Tanta comida que se ha botado!

TODOS A CORO

—Con lo que un yanqui ha gastado
no más que en comprar botellas,
se hubiera Juana curado!

TERMINA EL SON

—Turistas, quédense aquí,
que voy a hacerlos gozar;
turistas, quédense aquí,
que voy a hacerlos gozar;
cantándoles sones, sones
que no se pueden bailar.

because it comes out cheaper that way!
What folks,
what important folks!

FULL CHORUS

With what a tourist swallows
in brandy alone
anyone else could pay for a room!

THE *SÓN* GOES ON

... And that one who's coughing, gents,
over there on that bed—
her name is Juana:
tuberculosis, third degree,
coming from a cold
that didn't get cured.
The poor sap used to go all day
without a mouthful to eat.
What a dope!
When there's so much food being thrown away!

FULL CHORUS

With what a Yankee spends
just buying bottles,
Juana could have been cured!

END OF THE *SON*

Tourists, just you stay here,
I'm going to make you feel happy;
tourists, just you stay here,
I'm going to make you feel happy,
singing you *sóns, sóns*
that can't be danced to.

D. F.

VELORIO DE PAPÁ MONTERO

a Vicente Martínez

¡QUEMASTE la madrugada
con fuego de tu guitarra,
zumo de caña en la jícara
de tu carne prieta y viva
bajo luna muerta y blanca!

El son te salió redondo
y mulato, como un níspero.

Bebedor de trago largo,
garguero de hoja de lata,
en mar de ron barco suelto,
jinete de la cumbancha:
¿qué vas a hacer con la noche
si ya no podrás tomártela;
ni qué vena te dará
la sangre que te hace falta,
si se te fué por el caño
negro de la puñalada?

¡Ahora sí que te rompieron,
Papá Montero!

En el solar te esperaban,
pero te trajeron muerto;
fué bronca de jaladera,
pero te trajeron muerto;
dicen que él era tu ecobio,
pero te trajeron muerto;
el hierro no apareció,
pero te trajeron muerto...

NICOLAS GUILLEN

WAKE FOR PAPA MONTERO

To Vicente Martínez

You burned the dawn
with the flame of your guitar,
juice of the sweet cane in the gourd
of your dusky quick flesh
beneath a dead, white moon!

Music poured from you
as round and mulatto as a plum.

Drinker of tall drinks,
gullet of tin,
boat cut loose in a sea of rum,
horseman of the wild party:
what will you do with the night
now that you can no longer drink it,
and what vein will give you back
the blood you've lost,
gone down the black
drain of a knife-wound?

They certainly got you this time,
Papa Montero!

They were waiting for you in the tenement,
but they brought you home dead;
it was a drunken brawl,
but they brought you home dead;
they say he was your pal,
but they brought you home dead;
nobody could find the knife,
but they brought you home dead . . .

¡Ya se acabó Baldomero,
zumba, canalla y rumbero!

Sólo dos velas están
quemando un poco de sombra;
para tu pequeña muerte
con esas dos velas sobra.
¡Y aún te alumbran, más que velas,
la camisa colorada
que iluminó tus canciones,
la prieta sal de tus sones
y tu melena planchada!

¡Ahora sí que te rompieron,
Papá Montero!

Hoy amaneció la luna
en el patio de mi casa;
de filo cayó en la tierra
y allí se quedó clavada.
¡Los muchachos la cogieron
para lavarle la cara,
y yo la traje esta noche
y te la puse de almohada!

Baldomero's done for—
Attaboy, you old dancing devil!

Only two candles are
burning a little of the shadow;
for your humble death
two candles are too many.
But brighter than the candles
is the red shirt
that lighted your songs,
the dark salt of your music,
your glossy straightened hair!

They certainly got you this time,
Papa Montero!

Today the moon dawned
in the courtyard of my house;
it fell blade-wise to earth,
and there it stuck.
The kids picked it up
and washed its face,
so I bring it tonight
to be your pillow!

L. H.

ROMANCE DE AMOR Y DE SANGRE

Como guitarra morena
pulsé tu cuerpo desnudo;
cintas eran tus cabellos,
cintas negras y sin luto.

Con dientes de luna clara
mordí la copla madura;
se nos mojaron las sombras
de leche fresca de luna.

Cruzó tu grito la noche
—flecha de oro ensangrentada:—
—¡Ay, ay, ay, era la copla
que a mí tanto me gustaba!

Cintas negras tus cabellos,
cintas negras y sin luto;
en mis manos los jazmines
de tu llanto y tu gusto.

¡Ay mi niña morenita
en los flecos de la sombra
tejidos de copla y llanto
de blanca luna y de aroma!

¡Cintas eran tus cabellos,
cintas negras y sin luto!

ANGEL MIGUEL QUEREMEL

BALLAD OF LOVE AND BLOOD

As on a dark guitar,
I played your naked body;
your tresses were ribbons,
black ribbons, but not of mourning.

With teeth of clear moonlight
I bit the song's ripe fruit;
we lay drenched in the milky
shadows of the moon.

Your cry winged the night—
arrow of bloodwet gold:—
Ai, ai, ai, it was the song
that pleased me so!

Black ribbons were your tresses,
black ribbons, but not of mourning;
in my hand the jasmines
of your complaint and pleasure.

Ah little dusky girl
in the shadowy fringes
of woven song and sorrow,
white moon and scented sweetness!

Your tresses were ribbons,
black ribbons, but not of mourning!

R. H.

UN ALERTA PARA ABRAHAM LINCOLN

Mi capitán, yo he visto
cómo salen del hueco de tu herida
las abejas contentas,
a posarse en los ojos de Walt Whitman
y a mecerle la barba rumorosa.

Mi capitán, te busco
porque oí que te quieren asesinar de nuevo.
Y esta vez lo sabemos.

Oye las pisadas
de quien tras de la puerta conspira entre langostas,
suelta la nube y goza ya con el hartazgo de los verdes.

Alerta, capitán, alerta.
Que tiemblan las espigas y está sombrío el cielo.
Élitros y tenazas y mandíbulas
te están diciendo: alerta.

Allí, en tu palco.

Lo sé yo y te lo digo,
porque el eclipse anda rondando los campos más hermosos.
Y no quedará piedra sobre piedra,
porque ya tu ciudad está llorando por sus grietas.

Si te matan de nuevo,
quién sacará la miel de tus colmenas,
ni encauzará los trenes
de tu leche de paz a tus hormigas.

JACINTO FOMBONA-PACHANO

A WARNING FOR ABRAHAM LINCOLN

CAPTAIN, I have seen
how from the hollow of your wound
the bees emerge contented
to settle upon the eyes of Walt Whitman
and rock his rustling beard.

Captain, I am seeking you,
for I have heard that they are trying to murder you again.
And this time we know it.

Listen to his footsteps
who conspires behind the door among the locusts,
loosing the swarm and gloating at the thought of their feast
      of green.

Beware, Captain, beware!
For the ears of grain are trembling and the sky is sombre.
Elytrons and pincers and mandibles
are telling you: Beware!

There, in your theatre box.

I know it, and I tell you:
for over the most beautiful fields hovers the eclipse,
and no stone will remain on stone,
for already your city is crying through its crevices.

If they kill you again,
who will gather the honey from your beehives,
or guide the trains
of your milk of peace toward your ants?

Si te matan de nuevo,
quién verá por tus hormigas negras.
Si te matan de nuevo,
ya nunca más será posible,
ni tan siquiera en el laurel del sueño,
la ronda de tus hormigueros
entre el sol y la noche.

Mi capitán, te busco
para decirte que te buscan
con la boca de la pistola
que ya quisiera abrirte la nueva herida sin abejas,
ay, porque en ese hueco de tu muerte sin sangre
perecerían todas tus colmenas.

Y en dónde
pudiéramos entonces enterrarte
los que nos vamos por tu voz de abeja
y bebemos de tus ojos tristes.

En dónde,
que no fueras un vivo sino un muerto.

MUERTE EN EL AIRE

Quiero un poema, quiero
una canción polaca,
un valse de París, pero las bombas,
las tenemos en casa.

Sí,
las tenemos en casa.
Apagad ese radio
para que pueda ser feliz América,
cortad el ala a esos aviones,

If they kill you again,
who will look after your black ants?
If they kill you again,
never more will it be possible,
not even in the laurel of dream,
for your ant-hills to swarm
from dawn to dusk.

Captain, I am seeking you
to tell you they are after you
with the muzzle of the gun
which already would open the new wound without bees:
ah, for in that hollow of your bloodless death
all the beehives would perish.

And where then
could we bury you,
those of us who follow after your bee's voice
and drink of your sad eyes?

Where,
if you were not living, but dead?

A. F.

DEATH OVER THE AIR

I WANT a poem, I want
a Polish song,
a Paris waltz; but the bombs—
we have them at home.

Yes,
we have them at home.
Shut off that radio
so that America can be happy;
clip the wings from those planes;

que ya hasta el rascacielo se siente roto y lívido,
que el miedo ya les amputó los ojos
a los pobres negros del Sur.

Ay, la Marina y el Ejército.
Qué haría la langosta con estos verdes campos,
con tanto pensamiento
como nos vino por el mar ...

Ay, la Marina y el Ejército.
La mandíbula y la tenaza.
Silenciad ese aire
de los vientres hendidos,
de las piernas cortadas,
de los rostros sin piel.
Quemad esa película
donde se mata a un mismo niño
más de un millón de veces.

Me está doliendo el mundo en el bolsillo,
en el limón para la cena,
en el dije del brazalete.
No hay salvación, no hay puesto para todos.

Busco un tango argentino,
un joropo de Venezuela,
un jazz de Norteamérica,
pero las bombas.

Un poniente de siglos se abrió las venas.
Y el aire está, señores,
en toda latitud lloviendo sangre.

Apagad ese radio
donde agonizan las colmenas
porque ha llegado el reino de las plagas,
donde se oyen caer heridas,
cazadas en su fuga, las campanas.

for even the skyscraper already feels broken and livid,
and fear has amputated the eyes
of the poor southern negroes.

Ah, the Navy and the Army.
What would the locust do with these green fields,
with so much thought
that has come to us by sea?

Ah, the Navy and the Army.
Jaw and pincers.
Clear that air
of gaping bellies,
of severed legs,
of skinless faces.
Burn that film
where the same child is killed
a million times over.

The world is aching in my pocket,
in the lemon for supper,
in the bracelet trinkets.
There is no salvation, there is no room for us all.

I am dialing for an Argentine tango,
a Venezuelan *joropo,*
North American jazz;
but the bombs—

The age-old sunset has severed its veins,
and the air, gentlemen,
is raining blood in every latitude.

Shut off that radio
where the beehives are dying,
for the reign of plagues has come,
where one hears the bells, wounded, fall
captured in their flight.

No quiero respirar brazos de nadie,
ojos saltados de palomas,
corazones aullantes de mujeres,
dedos, uñas, cabellos de los niños.

Quiero puro este aire,
aire libre de América,
para escribir la nueva ley.

Pero,
me despiertan las bombas.

MIENTRAS YO DECÍA MI CANTO

Yo soy el que no sabe dónde asentar los pies.
Soy el de 1940.
Soy el atado. Soy
esa pared de aire que divide
la conjunción de dos expresos.
Y ya he perdido el tacto de mis manos,
pero guardo los ojos.

Y canto.
Me gustaba salir con las hormigas,
volver con las abejas, dormir con los castores,
marchar con las espigas hacia todas las bocas.

Hijos míos, la brisa de los pájaros,
la brisa de los retoños y las aguas,
jugaba en mis cabellos
al color de Fray Luis y de Virgilio.

Y yo era dulce y era verde y era de oro
como los bosques y las albas.

JACINTO FOMBONA-PACHANO

I do not want to breathe the arms of anyone,
gouged eyes of doves,
howling hearts of women,
fingers, nails, children's hair.

I want this air pure,
free air of America,
to write the new law.

Only,
the bombs awake me.

A. F.

WHILE I SANG MY SONG

I AM he who knows not where to set his feet.
I am of 1940.
I am the fettered one. I am
that wall of air which divides
the meeting of two express trains.
And already I have lost my sense of touch,
but I keep my eyes.

And I sing.
I used to like to go out with the ants,
to return with the bees, to sleep with the beavers,
and to go with ears of grain to every mouth.

My children, the breeze of the birds,
the breeze of the green shoots and the waters,
played on my hair
the colour of Fray Luis and Vergil.

And I was sweet and I was green and I was golden
like forests and dawns.

Sí.
Mis pies no encuentran tierra firme.
Y no sé lo que digo.
Lo que digo es mi lámina temblando,
son mis nubes entre versículos.

Y ahora
llega San Juan y llega Atila.

Y quien está sentado entre los ángeles,
el león, el cordero, la paloma y el buey,
tiene en sus labios, ya caídas,
las ciudades que se están doblando.

Abrid esas ventanas.
Mirad esos espejos
donde la imagen del extraño es nuestra imagen.
Y oíd mi voz que os ama a todos:
no piséis las hormigas,
no matéis las abejas,
no derribéis la casa a los castores,
id con la espiga a cada estómago.

Jerusalem: América:
vé que tus torres, entre nubes, tiemblan.

¿Qué viene por el aire? . . .
La angustia, la langosta,
la profecía.

He oído
quebrarse el árbol en ausencia del viento
con la aldea en cenizas que voló de una antena.
He visto y lo que he visto sale
de la trompeta y de los sellos.

Hay que volverse dulces, hijos míos.
Quiero asentar los pies.

JACINTO FOMBONA-PACHANO

Yes.
Now my feet can find no solid ground,
and I know not what I say.
What I say is my tremulous image,
my clouds among versicles.

And now
comes St. John, and Attila comes.

And he who sits among the angels,
the lion, the lamb, the dove, and the ox,
has upon his lips the cities
which, now fallen, are folding up.

Open those windows.
Look into those mirrors
where the image of the stranger is our image.
And listen to my voice that loves you all:
do not tread on the ants,
do not kill the bees,
do not tear down the beavers' house,
go with the ear of grain to every stomach.

Jerusalem: America:
see how your towers in the clouds are trembling.

What comes through the air?
Anguish, locusts,
prophecy.

I have heard
the tree breaking when there was no wind
with the village in ashes that flew from an antenna.
I have seen, and what I have seen issues
from trumpets and from postage stamps.

One must be sweet again, my children.
I want to set my feet on solid ground.

                                                    A. F.

QUAND BAT LE TAM-TAM ...

Ton cœur tremble dans l'ombre, comme le reflet
      d'un visage dans l'onde troublée
L'ancien mirage se lève au creux de la nuit
Tu connais le doux sortilège du souvenir:
Un fleuve t'emporte loin des berges,
T'emporte vers l'ancestral paysage.
Entends-tu ces voix: elles chantent l'amoureuse douleur
Et dans le morne, écoute ce tam-tam haleter telle
      la gorge d'une noire jeune fille

Ton âme, c'est ce reflet dans l'eau murmurante où
      tes pères ont penché leurs obscurs visages
Ses secrets mouvements te mêlent à la vague
Et le blanc qui te fit mulâtre, c'est ce peu
      d'écume rejeté, comme un crachat, sur le rivage.

GUINÉE

C'est le lent chemin de Guinée
La mort t'y conduira
Voici les branchages, les arbres, la forêt
Ecoute le bruit du vent dans ses longs cheveux
      d'éternelle nuit

C'est le lent chemin de Guinée
Tes pères t'attendent sans impatience
Sur la route, ils palabrent
Ils attendent
Voici l'heure où les ruisseaux grelottent comme
      des chapelets d'os

JACQUES ROUMAIN

WHEN THE TOM-TOM BEATS . . .

Your heart trembles in the shadows, like a face
     reflected in troubled water
The old mirage rises from the pit of the night
You sense the sweet sorcery of the past:
A river carries you far away from the banks,
Carries you toward the ancestral landscape.
Listen to those voices singing the sadness of love
And in the mountain, hear that tom-tom
     panting like the breast of a young black girl

Your soul is this image in the whispering water where
     your fathers bent their dark faces
Its hidden movements blend you with the waves
And the white that made you a mulatto is this bit
     of foam cast up, like spit, upon the shore.

                                L. H.

GUINEA

It's the long road to Guinea
Death takes you down
Here are the boughs, the trees, the forest
Listen to the sound of the wind in its long hair
     of eternal night

It's the long road to Guinea
Where your fathers await you without impatience
Along the way, they talk
They wait
This is the hour when the streams rattle
     like beads of bone

C'est le lent chemin de Guinée
Il ne te sera pas fait de lumineux accueil
Au noir pays des hommes noirs:
Sous un ciel fumeux percé de cris d'oiseaux
Autour de l'œil du marigot
  les cils des arbres s'écartent sur la clarté pourrissante
Là, t'attend au bord de l'eau un paisible village,
Et la cas de tes pères, et la dure pierre familiale
  où reposer enfin ton front.

JACQUES ROUMAIN

It's the long road to Guinea
No bright welcome will be made for you
In the dark land of dark men:
Under a smoky sky pierced by the cry of birds
Around the eye of the river
    the eyelashes of the trees open on decaying light
There, there awaits you beside the water a quiet village,
And the hut of your fathers, and the hard ancestral stone
   where your head will rest at last.

L. H.

SIEMBRA

Cuando de mí no quede sino un árbol,
cuando mis huesos se hayan esparcido
bajo la tierra madre;
cuando de tí no quede sino una rosa blanca
que se nutrió de aquello que tú fuiste.
Y haya zarpado ya con mil brisas distintas
el aliento del beso que hoy bebemos;
cuando ya nuestros nombres
sean sonidos sin eco
dormidos en la sombra de un sonido insondable;
tú seguirás viviendo en la belleza de la rosa,
como yo en el follaje del árbol
y nuestro amor en el murmullo de la brisa.

¡Escúchame!
Yo aspiro a que vivamos
en la palabra de los hombres.
Yo quiero perdurar junto contigo
en la savia profunda de la humanidad:
en la risa del niño,
en la paz de los hombres,
en el amor sin lágrimas.

Por eso,
como habremos de darnos a la rosa y al árbol,
a la tierra y al viento,
te pido que nos demos al futuro del mundo...

MIGUEL OTERO SILVA

SOWING

WHEN nothing remains of me but a tree,
when my bones have been scattered
beneath our mother earth:
when nothing remains of you but a white rose
nourished by that which once you were:
when the breath of the kiss that we exchange today
has embarked upon a thousand different breezes:
when even our names have become
mere sounds without echo
asleep in the shade of a fathomless sound:
then you will live on in the beauty of the rose,
and I in the rustling of the tree,
and our love in the murmur of the breeze.

Listen to me!
My wish for us is, to live
in the spoken words of men.
I would survive with you
in the deep lifestream of humanity:
in the laughter of children,
in the peace of mankind,
in love without weeping.

Therefore,
as we must give ourselves to the rose and the tree,
to the earth and the wind,
let us give ourselves, I beg you, to the future of the world.

D. D. W.

BUEN AÑO

Les nacía la canción en los labios
como en la primavera
les nace la alegría a las plantas.
En los ojos ponían suavidad de caricia
para mirar los campos:
es que hacía buen año.
El trigo, como nunca, llenó de oro la tierra.
Se temía que faltase en la mesa un lugar para el pan
y que en los corazones no pudiese caber tanta alegría.
En todas las miradas habían brotado flores
y en todas las bocas florecían sonrisas.
El amor nunca tuvo más parejas que unir
que ahora, en el buen año, dorado como el pan.

Pero no fué así.
Brotó de la tierra una inundación de trigales y flores.
Pero entre los campesinos no desapareció el hambre.
De la ciudad llegaron los señores
a llevarse, entre risas, los frutos de la tierra
y con ellos se llevaron, a su vez, las canciones.
En todos los labios murieron las sonrisas.
En las mesas vacías se oía suspirar por el pan.
Todas las miradas descubrieron espinas en las flores
y el amor se olvidó como una lección.

Un gran dolor brotaba de los campos
e impedía el regreso a los señores.
Se oía a los árboles protestar doloridos:
¡Nunca hace buen año para los labradores!

ALEJANDRO CARRION

A GOOD YEAR

A SONG sprang to their lips,
just as in spring
joy is born to the new plants.
Their eyes, with a caressing softness,
looked out upon the fields:
for it was a good year.
The wheat, as never before, covered the earth with gold.
There was fear that tables would not have room for the bread,
and that hearts would prove too small for so much happiness.
Flowers had burst into bloom in every glance,
and on every lip a smile was blossoming.
Never had love so many couples to join
as now, in the good year, golden as the bread.

But that was not how it turned out.
A flood of wheatfields and flowers burst from the earth.
But hunger did not disappear from among the farmers.
The landlord gentry came from the city
to carry off, laughing, the fruits of the earth:
and with these they took the singing as well.
On every lip the smiles died.
At the empty tables there was sighing for bread.
Every glance disclosed the thorn among the flowers,
and love was forgotten like a school lesson.

A great sorrow sprouted from the fields
to hinder the gentlemen on their way back home.
The trees were heard in doleful protestation:
The year is never good for those who till the soil!

D. F.

297

LOS MALDITOS

I

Como llagas arrastradas
como sangrientas condenas,
a flor de los cadáveres, en las cimas del pánico,
sobre los extensos territorios florecidos del hambre
sobre la honda alegría levantada del hambre

como siniestras cavernas
de la voracidad
i del fango.

—¡Los días del furor han llegado!
—¡Los tiempos se han cumplido!

Como llagas arrastradas
como sangrientas condenas.
Solos, enlodados
i negros
sobre el ojo que espantosamente los mira
sobre el dedo que implacablemente los señala.

Como llagas arrastradas
como sangrientas condenas!

II

La rebelión fué para ellos sola
sin su mancha
sin su horror
sin su sangre.

THE DAMNED

I

LIKE wretched sores
like bloody scourges,
on the surface of corpses, at the peak of panic,
across the broad territories flourishing with hunger
above the profound joy which rises from hunger

like dreadful caverns
of voraciousness
and of mud.

—The days of wrath have come!
—The times are fulfilled!

Like wretched sores
like bloody scourges.
Neglected, mudstained
and black
above the eye that fearfully observes them
above the finger that implacably points to them.

Like wretched sores
like bloody scourges!

II

Only for them was the rebellion
without stain
without horror
without blood.

Qué desnuda venía el alba
desde el espanto!

III

Qué dirían los vientres a esa altura
decidlo
qué dirían

Nadie grite para que ellos hablen
nadie grite
nadie hable.

IV

Si no fuera por qué gimen
nunca jamás volverían,
si no fuera por qué lloran
¡éste es su destino!

Si no fuera ...
el ser que los apela i los clama
... si no fuera!

V

No los habéis visto solos?
pues, vedlos!

Quién diría que nó
quién los negaría

vedlos! ...
quién? ...

How naked dawn came
out of the terror!

III

What would bellies say at that height
tell us
what would they say

Let no one cry out so that they may speak
let no one cry out
let no one speak.

IV

If there were no reason to groan
they would never return,
if there were no reason to weep,
this is their destiny!

If it were not for this ...
An existence that calls them and shouts them
... if it were not for this!

V

You have not seen them alone?
then, look at them!

Who would say No
who would deny them

look at them! ...
who? ...

VI

Eran los dientes las únicas luces de su sombra
las únicas luces
las solas.

I desde aquí al pánico
que callaban, que no creían
todo era furor
toda era sangre.

MANUEL MORENO JIMENO

VI

Teeth were the only light in their darkness
the only light
none other.

And from here to the panic
which they kept secret, in which they did not believe,
all was fury
all was blood.

H. R. H.

PLENITUD

Pudimos hacer desde la hormiga a la estrella más alta una
        larga historia que no acabará nunca;
desde la roca a los pinares,
desde los páramos a la cuna de un delgado viento reciennacido,
pudimos dar al duro suelo sin riego la alegría de verse un astro
        y una flor abierta.

Traspasada de músicas, besos y mariposas, nuestra historia es
        la historia más vieja del mundo,
sin borrarse del tiempo como lo hacen los ecos, los fantasmas
y las columnas que combaten en la niebla.

Una historia a manera de agua ronca y subterránea nos hubiese
        hecho sollozar infinitamente
hasta hacernos los ojos navegables.

Nuestra historia se alza de la tierra a la estrella más alta.

¡Qué pequeños miramos los páramos y los pinares!

Vendrán a lamentarse sobre nuestra historia todos los ángeles
        que no podrán nacer,
la rosa que sólo nace y muere en la noche sin conocer el día,
los azahares que emigran de las coronas nupciales.

Pudimos hacer desde la hormiga a la estrella más alta la
        historia más vieja del mundo.

                ¿No oyes? ¿No sientes?

Adán está cantando
y Eva suspira despertando los aires!

PLENITUDE

WE were able to weave from the ant to the loftiest star a long
  story that never will end;
from rock to pine-groves,
from wilderness to the cradle of a thin newborn wind,
we were able to give the hard unwatered earth the happiness
  of seeing itself a star and an open flower.

Transfixed with music, kisses and butterflies, our story is the
  oldest story in the world,
unobliterated by time, like echoes, phantoms,
and columns which struggle in mist.

A story in the manner of raucous and subterranean water
  would have made us weep infinitely,
till our eyes became navigable.

Our story rises from the earth to the loftiest star.

How tiny we see the wildernesses and the pine-groves!

Over our story will come to lament all the angels that can
  not be born,
the rose that is only born and dies in the night without
  knowing day,
the orange-blossoms that emigrate from nuptial crowns.

We were able to weave from the ant to the loftiest star the
  oldest story in the world.

          Don't you hear? Don't you feel it?

Adam is singing,
and Eve sighs, awakening the air!

                                        A. F.

ANTES DE LLEGAR LOS AVIONES QUE INCENDIAN LAS CIUDADES

Si mueren esos niños dormidos bajo la madrugada de lirios
     abiertos,
si mueren esos muros bajo la luna de musgos,
para no herirnos cruelmente debes enterrarlo todo,
callado sepulturero.

El clavel y la reja florida preguntan por el olvido,
mientras las mariposas esperan besar cadáveres
sobre las húmedas yerbas.

Sepulturero que vas a sentir la caída de los muros
y el grito de los niños aplastados,
¿enterrarás la madrugada
en la tumba de la niebla?

Si todo muere bajo esa lejana luna de musgos,
para no herirnos cruelmente debes enterrarlo todo,
callado sepulturero.

¡Cuidado con olvidar los niños que saben a trigo!
¡Cuidado con olvidar los muros que saben a historia!
¡Cuidado con olvidar la madrugada que sabe a herida flauta!

CANTO FINAL A UNA MUCHACHA DE PUERTO

Llegarás por el sendero de las nubes mutiladas en invierno
a la otra parte del mundo que te aguarda.

El brillo de tus ojos dirá su despedida a todos los marinos
     borrachos que creen tener mares en la luna;
y la brisa irá contigo vigilando tu silencio
sobre los montes de olivos.

OTTO D'SOLA

BEFORE THE COMING OF THE PLANES THAT BURN THE CITIES

IF yonder children asleep beneath the dawn of opened lilies
     should die,
if yonder walls beneath the moon of moss should die,
then not to wound us cruelly you must bury everything,
silent gravedigger.

Carnation and blossoming window-grate beg forgetfulness,
while butterflies wait to kiss corpses
on the damp grass.

Gravedigger who are going to hear walls falling
and the screams of children being crushed,
will you bury the dawn
in the tomb of the mist?

If everything under that distant moon of moss should die,
then not to wound us cruelly you must bury everything,
silent gravedigger.

Be careful not to forget the children who taste of wheat!
Be careful not to forget the walls that taste of history!
Be careful not to forget the dawn that tastes of wounded flutes!

A. F.

LAST SONG TO A GIRL OF THE WATERFRONT

BY the path of winter-mutilated clouds you shall reach
the other side of the world that waits for you.

The lustre of your eyes will say goodbye to all the drunken
     sailors who think they own seas in the moon;
and the breeze will go with you, guarding your silence
over the mounts of olives.

307

Bebe de ese vino que tiene el color de los cerrojos antiguos:
     en Venus la pena inmensa es llevar la garganta como un
     - pájaro muerto,
seca como un pájaro muerto de cantar.

Morirán los calendarios como siempre y las otras muchachas
     como tú pensarán en la muerte.

Lamento no acompañarte dulce muchacha de doloroso
     azúcar.

Quemarán tu recuerdo frente al mar, mar indolente de
     consentirte desgarrada:
sin un marinero que colme tu soledad,
sin panes de corazones descubiertos,
sin un balandro que te lleve a Filipinas
y a tus playas de verdes cocos que se beben los ángeles.

Sé de tu cabellera que tiene el peso de una mariposa nocturna,
de tu olor y de tu torso caído en las madrugadas,
     de aquel abanico de palomas que movías a manera
     de un ensueño
sobre mi rostro asombrado.

Llegarás por el sendero de crueles vientos invernales
a la otra parte del mundo que te aguarda.

Te aguarda, con la corona de un Rey caído,
con el oro fundido en agua cristalina,
con trajes de finas sedas hechos azules aires,
con el ruido de este mundo que hondamente te hiere
transformado en la mínima presencia de un grillo sin canto.

Te aguarda, la Nada.

Entonces verás que estás limpia de todo
entre las vírgenes que no han amanecido aún.

Drink of that wine which has the colour of ancient latches:
    in Venus the great sorrow is having a throat like a dead
    bird,
parched like a bird dead from singing.

Calendars will die as always and other girls like you will
    think of death.

I am sorry not to accompany you sweet girl of dolorous
    sugar.

They will burn your remembrance before the sea, an
    indolent sea to tolerate your wantonness:
without a sailor to fill your solitude,
without the bread of open hearts,
without a sloop to take you to the Philippines
and to your shores of green coconuts drunk by the angels.

I know your hair, which has weight of a nocturnal butterfly,
your scent and your torso fallen in the dawns,
    your fan of doves' feathers that once you waved as if in
    a dream
above my astonished face.

By the path of cruel winter winds you shall reach
the other side of the world that waits for you.

It waits for you, with the crown of a fallen King,
with gold melted in crystalline water,
with gowns of fine silk turned into blue air,
with the noise of this world that wounds you so deeply
softened to the tiny presence of a cricket without song.

There awaits you Nothingness.

Then you will see that you are washed clean of everything
there among the virgins who have not yet awakened.

                                              A. F.

WALKING AROUND

Sucede que me canso de ser hombre.
Sucede que entro en las sastrerías y en los cines
marchito, impenetrable, como un cisne de fieltro
navegando en un agua de origen y ceniza.

El olor de las peluquerías me hace llorar a gritos.
Sólo quiero un descanso de piedras o de lana,
sólo quiero no ver establecimientos ni jardines,
ni mercaderías, ni anteojos, ni ascensores.

Sucede que me canso de mis pies y mis uñas
y mi pelo y mi sombra.
Sucede que me canso de ser hombre.

Sin embargo sería delicioso
asustar a un notario con un lirio cortado
o dar muerte a una monja con un golpe de oreja.
Sería bello
ir por las calles con un cuchillo verde
y dando gritos hasta morir de frío.

No quiero seguir siendo raíz en las tinieblas,
vacilante, extendido, tiritando de sueño,
hacia abajo, en las tripas mojadas de la tierra,
absorbiendo y pensando, comiendo cada día.

No quiero para mí tantas desgracias.
No quiero continuar de raíz y de tumba,
de subterráneo solo, de bodega con muertos,
aterido, muriéndome de pena.

WALKING AROUND

It so happens I am tired of being a man.
It so happens, going into tailorshops and movies,
I am withered, impervious, like a swan of felt
navigating a water of beginnings and ashes.

The smell of barbershops makes me weep aloud.
All I want is a rest from stones or wool,
all I want is to see no establishments or gardens,
no merchandise or goggles or elevators.

It so happens I am tired of my feet and my nails
and my hair and my shadow.
It so happens I am tired of being a man.

Yet it would be delicious
to frighten a notary with a cut lily
or do a nun to death with a box on the ear.
It would be fine
to go through the streets with a green knife,
letting out yells until I died of cold.

I do not want to go on being a root in the darkness,
vacillating, spread out, shivering with sleep,
downwards, in the drenched guts of the earth,
absorbing and thinking, eating every day.

I do not want so many afflictions,
I do not want to go on being root and tomb,
being alone underground, being a vault for dead men,
numb with cold, dying of anguish.

Por eso el día lunes arde como el petróleo
cuando me ve llegar con mi cara de cárcel,
y aúlla en su transcurso como una rueda herida,
y da pasos de sangre caliente hacia la noche.

Y me empuja a ciertos rincones, a ciertas casas húmedas,
a hospitales donde los huesos salen por la ventana,
a ciertas zapaterías con olor a vinagre,
a calles espantosas como grietas.

Hay pájaros de color de azufre y horribles intestinos
colgando de las puertas de las casas que odio,
hay dentaduras olvidadas en una cafetera,
hay espejos
que debieran haber llorado de vergüenza y espanto,
hay paraguas en todas partes, y venenos, y ombligos.

Yo paseo con calma, con ojos, con zapatos,
con furia, con olvido,
paso, cruzo oficinas y tiendas de ortopedia,
y patios donde hay ropas colgadas de un alambre:
calzoncillos, toallas y camisas que lloran
lentas lágrimas sucias.

RITUAL DE MIS PIERNAS

LARGAMENTE he permanecido mirando mis largas piernas,
con ternura infinita y curiosa, con mi acostumbrada
pasión,
como si hubieran sido las piernas de una mujer divina,
profundamente sumida en el abismo de mi tórax:
y es que, la verdad, cuando el tiempo, el tiempo pasa,
sobre la tierra, sobre el techo, sobre mi impura cabeza,
y pasa, el tiempo pasa, y en mi lecho no siento de
noche que

That is why Monday blazes like petroleum
when it sees me coming with my jailbird face,
and it howls like a wounded wheel as it passes,
and takes hot-blooded steps towards night.

And it shoves me into certain corners, certain damp houses,
into hospitals where bones fly out of the window,
into certain shoeshops with a stench of vinegar,
into streets as frightful as chasms.

There are sulphur-coloured birds and horrible intestines
hanging from the doors of the houses that I hate,
there are false teeth forgotten in a coffeepot,
there are mirrors
that ought to have wept for shame and fear,
there are umbrellas all over, and poisons, and navels.

I walk with composure, with eyes, with shoes on,
with fury, with forgetfulness,
I pass, I cross by offices and orthopedic shoeshops
and patios with the washing hanging from wires:
underdrawers, towels and shirts that weep
slow filthy tears.

H. R. H.

LITURGY OF MY LEGS

For a long time I have been staring at my long legs,
with infinite and curious tenderness, with my customary
        passion,
as though they were the legs of a divine woman
sunk deep into the abyss of my thorax:
and the fact is, when time, when time passes,
over the earth, over the roof, above my impure head,
and passes, time passes, and in my bed at night I can not
        sense

una mujer está respirando, durmiendo desnuda a mi lado,
entonces, extrañas, obscuras cosas toman el lugar de la ausente,
viciosos, melancólicos pensamientos
siembran pesadas posibilidades en mi dormitorio,
y, así pues, miro mis piernas como si pertenecieran a otro
      cuerpo,
y fuerte y dulcemente estuvieran pegadas a mis entrañas.

Como tallos o femeninas, adorables cosas,
desde las rodillas suben, cilíndricas y espesas,
con turbado y compacto material de existencia,
como brutales, gruesos brazos de diosa,
como árboles monstruosamente vestidos de seres humanos,
como fatales, inmensos labios sedientos y tranquilos,
son allí la mejor parte de mi cuerpo:
lo enteramente substancial, sin complicado contenido
de sentidos o tráqueas o intestinos o ganglios:
nada, sino lo puro, lo dulce y espeso de mi propia vida,
nada, sino la forma y el volumen existiendo,
guardando la vida, sin embargo, de una manera completa.

Las gentes cruzan el mundo en la actualidad
sin apenas recordar que poseen un cuerpo y en él la vida,
y hay miedo, hay miedo en el mundo de las palabras que
      designan el cuerpo,
y se habla favorablemente de la ropa,
de pantalones es posible hablar, de trajes
y de ropa interior de mujer (de medias y ligas
      de 'señora')
como si por las calles fueran las prendas y los trajes vacíos
      por completo,
y un obscuro y obsceno guardarropas ocupara el mundo.

Tienen existencia los trajes, color, forma, designio,
y profundo lugar en nuestros mitos, demasiado lugar:
demasiados muebles y demasiadas habitaciones hay en el
      mundo,

the woman breathing, sleeping naked at my side,
then strange obscure things take her place,
vicious, melancholy thoughts
sow nagging possibilities in my bedroom,
and then, well, I look at my legs as though they belonged
      to another body
and had strongly and gently been attached to my own flesh.

Like stalks or female adorable things,
they go up from the knees, cylindrical and thick,
a restless and compact matter of existence,
like the brutal thick arms of a goddess,
like trees monstrously dressed as human beings,
like fatal, huge lips, thirsty and composed;
they are the best part of my body:
the entirely substantial part, with no complex content
of senses or tracheas or intestines or ganglia:
nothing but the pure, sweet, dense quality of my own life,
nothing but form and volume existing,
guarding life, nevertheless, in a thorough fashion.

People go through the world, as things are now,
scarcely remembering that they own bodies and life in them,
and there is fear in the world, there is fear of the words that
      designate the body,
and clothing is discussed favourably,
it is possible to speak of trousers, of suits,
and of women's underclothes (of stockings and garters for
      'Madame'),
as though garments and suits walked through the streets
      completely empty
and a dark obscene clothes-closet had taken over the world.

Clothes have their existence, colour, form, design,
and a profound place in our myths, too much of a place:
there is too much furniture, too many rooms in
      the world,

y mi cuerpo vive entre y bajo tantas cosas abatido,
con un pensamiento fijo de esclavitud y de cadenas.

Bueno, mis rodillas, como nudos,
particulares, funcionarios, evidentes,
separan las mitades de mis piernas en forma seca:
y en realidad dos mundos diferentes, dos sexos diferentes
no son tan diferentes como las dos mitades de mis piernas.

Desde la rodilla hasta el pie una forma dura,
mineral, fríamente útil aparece,
una criatura de hueso y persistencia,
y los tobillos no son sino el propósito desnudo,
la exactitud y lo necesario dispuesto en definitiva.

Sin sensualidad, cortas y duras, y masculinas,
son allí mis piernas, y dotadas
de grupos musculares como animales complementarios,
y allí también una vida, una sólida, sutil, aguda vida
sin templar permanece, aguardando y actuando.

En mis pies cosquillosos,
y duros como el sol, y abiertos como flores,
y perpetuos, magníficos soldados,
en la guerra gris del espacio,
todo termina, la vida termina definitivamente en mis pies,
lo extranjero y lo hostil allí comienza,
los nombres del mundo, lo fronterizo y lo remoto,
lo sustantivo y lo adjetivo que no caben en mi
        corazón,
con densa y fría constancia allí se originan.

Siempre,
productos manufacturados, medias, zapatos,
o simplemente aire infinito,
habrá entre mis pies y la tierra,
extremando lo aislado y lo solitario de mi ser,
algo tenazmente supuesto entre mi vida y la tierra,
algo abiertamente invencible y enemigo.

and my body lives crushed amid and beneath so many things,
with a fixed impression of slavery and of chains.

Well, then, my knees, like knots,
particular, functional, evident,
effect a strict separation of the halves of my legs:
and actually two different worlds, two different sexes,
are not so different as the two halves of my legs.

From the knee to the foot they are solid form,
mineral, coldly useful,
creatures of bone and endurance,
and the ankle-bones are nothing but naked intention,
the exact and the essential disposed once and for all.

My legs are without sensuality, short and hard
and masculine, furnished
with groups of muscles like complementary animals,
and there too a life, a solid, subtle, keen life,
exists untempered, waiting and acting.

In my ticklish feet,
hard as the sun, and open as flowers,
perpetual, magnificent soldiers
in the grey war of space,
everything ends, life ends once and for all in my feet:
there begins what is hostile and alien:
the names of the world, the near and the remote,
the substantival and adjectival that are too great for my
      heart
have their origin there, with a dense, cold, constancy.

Always,
manufactured articles, hose, shoes,
or simply infinite air,
will come between my feet and the earth,
intensifying what is isolated and solitary in my being,
something doggedly thrust between my life and the earth,
something clearly unconquerable and hostile.

D. F.

CABALLERO SOLO

Los jóvenes homosexuales y las muchachas amorosas,
y las largas viudas que sufren el delirante insomnio,
y las jóvenes señoras preñadas hace treinta horas,
y los roncos gatos que cruzan mi jardín en tinieblas,
como un collar de palpitantes ostros sexuales
rodean mi residencia solitaria,
como enemigos establecidos contra mi alma,
como conspiradores en traje de dormitorio
que cambiaran largos besos espesos por consigna.

El radiante verano conduce a los enamorados
en uniformes regimientos melancólicos,
hechos de gordas y flacas y alegres y tristes parejas:
bajo los elegantes cocoteros, junto al océano y la luna
hay una continua vida de pantalones y polleras,
un rumor de medias de seda acariciadas,
y senos femeninos que brillan como ojos.
El pequeño empleado, después de mucho,
después del tedio semanal, y las novelas leídas de noche, en
     cama,
ha definitivamente seducido a su vecina,
y la lleva a los miserables cinematógrafos
donde los héroes son potros o príncipes apasionados,
y él acaricia sus piernas llenas de dulce vello
con sus ardientes y húmedas manos que huelen a cigarillo.

Los atardeceres del seductor y las noches de los esposos
se unen como dos sábanas sepultándome,
y las horas después del almuerzo en que los jóvenes estudiantes,
y las jóvenes estudiantes, y los sacerdotes se masturban,
y los animales fornican directamente,
y las abejas huelen a sangre, y las moscas zumban coléricas,

318

LONE GENTLEMAN

THE homosexual young men and the amorous girls,
and the long widows suffering from delirious sleeplessness,
and the young wives thirty hours pregnant,
and the raucous cats that cross my garden in the dark:
these like a collar of throbbing sexual oysters
circle my lonely dwelling,
like enemies set up against my soul,
like conspirators in bedroom costume
exchanging long thick kisses for countersign.

Radiant summer leads the enamoured ones
in identical melancholy regiments
composed of fat and thin and gay and sorry pairs:
under the genteel coconut palms, near the sea and the moon,
there's a continual life of breeches and petticoats,
a murmur of caressed silk stockings,
and feminine breasts sparkling like eyes.
The petty employee, after much fussing,
after the weekly boredom, the novels read in bed at night,
has once and for all seduced his neighbour,
and he escorts her to the wretched movie palaces
where the heroes are either colts or impassioned princes,
and with his hot damp cigaret-smelling hands
he strokes her legs ensheathed in their sweet down.

The seducer's evenings and the nights of the married couples
join like twin sheets to bury me;
and the hours after luncheon when the young students
and the young co-eds and the priests pollute themselves,
and the animals couple frankly,
and bees smell of blood, and flies buzz angrily,

y los primos juegan extrañamente con sus primas,
y los médicos miran con furia al marido de la joven paciente,
y las horas de la mañana en que el profesor, como por descuido,
cumple con su deber conyugal, y desayuna,
y más aún, los adúlteros, que se aman con verdadero amor
sobre lechos altos y largos como embarcaciones:
seguramente, eternamente me rodea
este gran bosque respiratorio y enredado
con grandes flores como bocas y dentaduras
y negras raíces en forma de uñas y zapatos.

SONATA Y DESTRUCCIONES

Después de mucho, después de vagas leguas,
confuso de dominios, incierto de territorios,
acompañado de pobres esperanzas,
y compañías infieles, y desconfiados sueños,
amo lo tenaz que aun sobrevive en mis ojos,
oigo con mi corazón mis pasos de jinete,
muerdo el fuego dormido y la sal arruinada,
y de noche, de atmósfera obscura y luto prófugo,
aquel que vela a la orilla de los campamentos,
el viajero armado de estériles resistencias,
detenido entre sombras que crecen y alas que tiemblan,
me siento ser, y mi brazo de piedra me defiende.

Hay entre ciencias de llanto un altar confuso,
y en mi sesión de atardeceres sin perfume,
en mis abandonados dormitorios donde habita la luna,
y arañas de mi propiedad, y destrucciones que me son
     queridas,
adoro mi propio ser perdido, mi substancia imperfecta,
mi golpe de plata y mi pérdida eterna.

and cousins play strangely with their girl cousins,
and doctors glare furiously at the husband of the young
      patient,
and the morning hours when the professor, absent-mindedly,
fulfils his conjugal duty, and sits down to breakfast,
and, even more, the adulterers who love each other truly
on beds as lofty and long as ocean liners:
this great breathing and entangled wood
securely and eternally hems me in
with its flowers huge as mouths and dentures
and its black roots shaped like fingernails and shoes.

D. F.

SONATA AND DESTRUCTIONS

AFTER long, after vague leagues,
confused of dominions, uncertain of territories,
accompanied by poor hopes,
and faithless companions, and diffident dreams,
I love the tenacity which still survives in my eyes,
I hear with my heart my equestrian steps,
I bite the sleeping fire and the ruined salt,
and in nights of dark atmosphere and fugitive mourning,
he who keeps watch by the shore of the camps—
the traveler armed with sterile resistances,
detained among shadows that grow and wings that tremble—
I feel myself to be, and my stone arm defends me.

There is among the sciences of tears a confused altar,
and in my perfumeless afternoon sessions,
in my abandoned bedrooms inhabited by the moon,
and the spiders of my property, and destructions which are
      dear to me,
I adore my lost self, my imperfect substance,
my blow of silver and my eternal loss.

Ardió la uva húmeda, y su agua funeral
aun vacila, aun reside,
y el patrimonio estéril, y el domicilio traidor.
¿ Quién hizo ceremonia de cenizas ?
¿ Quién amó lo perdido, quién protegió lo último ?
¿ El hueso del padre, la madera del buque muerto,
y su propio final, su misma huída,
su fuerza triste, su dios miserable ?
Acecho, pues, lo inanimado y lo doliente,
y el testimonio extraño que sostengo
con eficiencia cruel y escrito en cenizas,
es la forma de olvido que prefiero,
el nombre que doy a la tierra, el valor de mis sueños,
la cantidad interminable que divido
con mis ojos de invierno, durante cada día de este mundo.

SÓLO LA MUERTE

HAY cementerios solos,
tumbas llenas de huesos sin sonido,
el corazón pasando un túnel
oscuro, oscuro, oscuro,
como un naufragio hacia adentro nos morimos,
como ahogarnos en el corazón,
como irnos cayendo desde la piel al alma.

Hay cadáveres,
hay pies de pegajosa losa fría,
hay la muerte en los huesos,
como un sonido puro,
como un ladrido sin perro,
saliendo de ciertas companas, de ciertas tumbas,
creciendo en la humedad como el llanto o la lluvia.
Yo veo, solo, a veces
ataúdes a vela,

The humid grape burned, and its funeral water
still vacillates, still lingers,
and the sterile patrimony, and the treacherous domicile.
Who made ceremony of ashes?
Who loved the lost, who protected the ultimate?
The bone of the father, the timber of the dead ship,
and his own end, his very flight,
his sad strength, his wretched god?
I lie in ambush, then, for the inanimate and the sorrowful,
and the strange testimony which I bring
with cruel efficiency and written in ashes
is the form of oblivion which I prefer,
the name which I give the earth, the worth of my dreams,
the interminable quantity which I divide
with my wintry eyes, each day of this world.

A. F.

DEATH ALONE

There are lonely cemeteries.
graves full of bones without sound,
the heart passing through a tunnel,
dark, dark, dark,
as in a shipwreck we die from within
as we drown in the heart,
as we fall out of the skin into the soul.

There are corpses,
there are feet of cold, sticky clay,
there is death within bones,
like pure sound,
like barking without dogs,
emanating from several bells, from several graves,
swelling in the humidity like tears or rain.
I see, alone, at times
coffins with sails,

zarpar con difuntos pálidos, con mujeres de trenzas muertas,
con panaderos blancos como ángeles,
con niñas pensativas casadas con notarios,
ataúdes subiendo el río vertical de los muertos,
el río morado,
hacia arriba, con las velas hinchadas por el sonido de la muerte,
hinchadas por el sonido silencioso de la muerte.

A lo sonoro llega la muerte
como un zapato sin pie, con un traje sin hombre,
llega a golpear con un anillo sin piedra y sin dedo,
llega a gritar sin boca, sin lengua, sin garganta.

Sin embargo sus pasos suenan
y su vestido suena, callado, como un árbol.

Yo no sé, yo conozco poco, yo apenas veo,
pero creo que su canto tiene color de violetas húmedas,
de violetas acostumbradas a la tierra,
porque la cara de la muerte es verde,
y la mirada de la muerte es verde,
con la aguda humedad de una hoja de violeta
y su grave color de invierno exasperado.

Pero la muerte va también por el mundo vestida de escoba,
lame el suelo buscando difuntos,
la muerte está en la escoba,
es la lengua de la muerte buscando muertos,
es la aguja de la muerte buscando hilo.

La muerte está en los catres;
en los colchones lentos, en las frazadas negras
vive tendida, y de repente sopla:
sopla un sonido oscuro que hincha sábanas;
y hay camas navegando a un puerto
en donde está esperando, vestida de almirante.

bearing away pallid dead, women with dead tresses,
bakers white as angels,
pensive girls married to public notaries,
coffins ascending the vertical river of the dead,
the purple river,
upstream, with sails filled by the sound of death,
filled by the silent sound of death.

On the sonorous shore death arrives
like a shoe without a foot, like a suit with a man,
arrives to knock with a stoneless, fingerless ring,
arrives to shout without a mouth, without a tongue, **without a
        throat.**

Still its steps echo,
and its clothing echoes, hushed, like a tree.

I do not know, I understand but little, I hardly see,
but I think that its song has the colour of humid violets,
of violets accustomed to the soil,
for the face of death is green,
and the glance of death is green,
with the penetrating moisture of a violet leaf
and its sombre colour of exasperated winter.

But death also goes through the world disguised **as a broom**
lapping the floor, in search of the dead,
death is in the broom,
is the tongue of death seeking the dead,
is the needle of death seeking the thread.

Death is in the folding cots;
in the slow mattresses, in the black blankets
it lives supine, and suddenly it blows:
it blows a dismal sound that swells up the sheets;
and the beds go sailing toward a port
where death is waiting, dressed like an admiral.

                                            A. F.

COLECCIÓN NOCTURNA

HE vencido al ángel del sueño, el funesto alegórico:
su gestión insistía, su denso paso llega
envuelto en caracoles y cigarras,
marino, perfumado de frutos agudos.

Es el viento que agita los meses, el silbido de un tren,
el paso de la temperatura sobre el lecho,
un opaco sonido de sombra
que cae como trapo en lo interminable,
una repetición de distancias, un vino de color confundido,
un paso polvoriento de vacas bramando.

A veces su canasto negro cae en mi pecho,
sus sacos de dominio hieren mi hombro,
su multitud de sal, su ejército entreabierto
recorren y revuelven las cosas del cielo:
él galopa en la respiración y su paso es de beso:
su salitre seguro planta en los párpados
con vigor esencial y solemne propósito:
entra en lo preparado como un dueño:
su substancia sin ruido equipa de pronto,
su alimento profético propaga tenazmente.

Reconozco a menudo sus guerreros,
sus piezas corroídas por el aire, sus dimensiones,
y su necesidad de espacio es tan violenta
que baja hasta mi corazón a buscarlo:
él es el propietario de las mesetas inaccesibles,
él baila con personajes trágicos y cotidianos:
de noche rompe mi piel su ácido aéreo
y escucho en mi interior temblar su instrumento.

PABLO NERUDA

NOCTURNAL COLLECTION

I VANQUISHED the angel of sleep, he of mournful allegory:
his effort persisted, his dense step came
wrapped in seashells and cicadas,
maritime, perfumed with sharp fruits.

It is the wind that shakes the months, the whistle of a train,
the passage of temperature over the bed,
an opaque sound of shade
that drops like a rag into the interminable,
a repetition of distances, a wine of confused colour,
a dusty step of cows bellowing.

At times his black basket falls upon my chest,
his bags of authority hurt my shoulders,
his multitude of salt, his half-opened army
disperse and upset the things of the heavens;
his breathing gallops and his step is made of kisses:
his sure brine implants the eyelids
with essential vigour and solemn purpose:
like a lord he enters places prepared for him:
his noiseless substance furnishes suddenly,
his prophetic nourishment propagates tenaciously.

Often I recognize his warriors,
his weapons corroded by the air, his dimensions,
and so violent is his need for space
that he sinks to my heart in search of it:
he is the proprietor of inaccessible tablelands,
he dances with tragic and everyday personages:
at night his aerial acid pierces my skin
and inwardly I listen for the trembling of his instrument.

Yo oigo el sueño de viejos compañeros y mujeres amadas,
sueños cuyos latidos me quebrantan:
su material de alfombra piso en silencio,
su luz de amapola muerdo con delirio.

Cadáveres dormidos que a menudo
danzan asidos al peso de mi corazón,
qué ciudades opacas recorremos!

Mi pardo corcel de sombra seagiganta,
y sobre envejecidos tahures, sobre lenocinios de escaleras
      gastadas,
sobre lechos de niñas desnudas, entre jugadores de foot-ball,
del viento ceñidos pasamos:
y entonces caen a nuestra boca esos frutos blandos del cielo,
los pájaros, las campanadas conventuales, los cometas:
aquel que se nutrió de geografía pura y estremecimiento
ese tal vez nos vió pasar centelleando.

Camaradas cuyas cabezas reposan sobre barriles,
en un desmantelado buque prófugo, lejos,
amigos míos sin lágrimas, mujeres de rostro cruel:
la medianoche ha llegado, y un gong de muerte
golpea en torno mío como el mar.
Hay en la boca el sabor, la sal del dormido,
fiel como una condena a cada cuerpo.
La palidez del distrito letárgico acude:
una sonrisa fría sumergida,
unos ojos cubiertos como fatigados boxeadores,
una respiración que sordamente devora fantasmas.

En esa humedad de nacimiento, con esa proporción tenebrosa,
cerrada como una bodega, el aire es criminal:
las paredes tienen un triste color de cocodrilo,
una contextura de araña siniestra:

I hear the sleep of old comrades and beloved women,
sleep whose palpitations crush me:
silently I tread his carpet-like material,
with delirium I bite his poppy light.

Corpses asleep which often
dance clinging to the weight of my heart,
what opaque cities we tour!

My dark shadowy steed grows tall as a giant,
and over ancient gambling houses, over pimping trafficking on
       wornout stairs,
over the beds of naked girls, among football players,
we pass girding the wind:
and then into our mouths fall those soft fruits of the sky,
birds, the tolling of convent bells, kites;
he who nourished himself on pure geometry and quivering
probably saw us flash by.

Comrades whose heads repose on barrels
in a dismantled fugitive ship, far away,
tearless friends of mine, women of cruel countenance:
midnight arrives, and death's gong
strikes around me like the sea.
There is in my mouth the taste, the salt of the sleeping one,
faithful as a sentence condemning each body.
The pallor of the lethargic realm appears:
a submerged cold smile,
eyes covered like weary boxers,
a breathing which deafly devours ghosts.

In this humidity of birth, with this tenebrous proportion,
shut like a winecellar, the air is criminal:
the walls have a sad crocodile colour,
a sinister spidery texture:

se pisa en lo blando como sobre un monstruo muerto:
las uvas negras inmensas, repletas,
cuelgan de entre las ruinas como odres,
oh Capitán, en nuestra hora de reparto
abre los mudos cerrojos y espérame:
allí debemos cenar vestidos de luto:
el enfermo de malaria guardará las puertas.

Mi corazón, es tarde y sin orillas,
el día como un pobre mantel puesto a secar
oscila rodeado de seres y extensión:
de cada ser viviente hay algo en la atmósfera:
mirando mucho el aire aparecerían mendigos,
abogados, bandidos, carteros, costureras,
y un poco de cada oficio, un resto humillado
quiere trabajar su parte en nuestro interior.
Yo busco desde antaño, yo examino sin arrogancia,
conquistado, sin duda, por lo vespertino.

7 DE NOVIEMBRE

ODA A UN DÍA DE VICTORIAS

*Conmemorando el quinto aniversario de la
Defensa de Madrid, y el vigésimo cuarto de
la Creación de la U. R. S. S.*

ESTE doble aniversario, este día, esta noche,
hallarán un mundo vacío, encontrarán un torpe
hueco de corazones desolados?

                Nó, más que un día con horas,

one treads upon softness as on a dead monster:
immense black grapes, replete,
hang from among the ruins like wineskins,
O Captain, in our hour of allotment
open the mute bolts and wait for me:
there we must dine dressed in mourning:
the malaria patient will stand guard at the gates.

My heart, it is late and there are no shores,
the day like a wretched tablecloth hung out to dry
oscillates surrounded by beings and extension:
there is something of every living being in the atmosphere:
watching the air carefully beggars would appear,
lawyers, bandits, postmen, seamstresses,
and a little of every profession, a humiliated remainder
wants to do its part within us.
In years I have been seeking, without arrogance I have been
        examining,
vanquished, no doubt, by the vespers.

                                        A. F.

NOVEMBER 7

ODE TO A DAY OF VICTORIES

*Commemorating the fifth anniversary of
the defense of Madrid, and the twenty-
fourth of the Foundation of the U.S.S.R.*

THIS double anniversary, this day, this night—
will they find an empty world, discover a heavy
hollow of forlorn hearts?
                    No: rather than a day with hours,

es un paso de espejos y de espadas,
es una doble flor que golpea la noche
hasta arrancar el alba de su cepa nocturna!

Día de España que del Sur
vienes, valiente día
de plumaje férreo,
llegas de allí, del último que cae con la frente
       quebrada
con tu cifra de fuego todavía en la boca!

Y vas allí con nuestro
recuerdo insumergido:
tú fuiste el día, tú eres
la lucha, tú sostienes
la columna invisible, el ala
de donde va a nacer, con tu número, el vuelo!

Siete, Noviembre, en dónde vives?
En dónde arden los pétalos, en dónde tu silbido
dice al hermano: sube! y al caído: levántate!?
En dónde tu laurel crece desde la sangre
y atraviesa la pobre carne del hombre y sube
a construir el héroe?
             En tí, otra vez, Unión,
en tí, otra vez, hermana de los pueblos del mundo,
Patria pura y soviética, vuelve a tí tu semilla
grande como un follaje derramado en la tierra!

No hay llanto para tí, Pueblo, en tu lucha!
Todo ha de ser de hierro, todo ha de andar y herir,
todo, hasta el impalpable silencio, hasta la duda,
hasta la misma duda que con mano de invierno
nos busque el corazón para helarlo y hundirlo,
todo, hasta la alegría, todo sea de hierro
para ayudarte, hermana y madre, en la victoria!

it is a procession of mirrors and swords,
a double flower that beats against the night
until it wrenches dawn from its nocturnal roots!

Day of Spain proceeding
from the South, brave day
of iron plumage:
you come from yonder, from the last man to fall with his
        temples split,
with your fiery numeral yet upon his lips!

And you go there with our
memory unsubmerged:
you were the day, you are
the struggle, you shore up
the invisible column, the wing
whence flight, with your numeral, will be born!

Seven: November: where is your dwelling?
Where are the burning petals? Where your whispered
'Go up!' to the brother, and, to the fallen, 'Arise!'?
Where is your laurel growing out of blood,
pushing up through man's frail flesh and rising
to fashion the hero?
                    In you, once more, O Union,
in you, once more, sister to the peoples of the world,
pure and soviet Homeland! To you returns your seed,
in a leafy flood that spills across the earth!

No mourning for you, O People, in your fight!
All must be iron, all must march and strike,
all, even impalpable silence, even doubt,
even that very doubt with wintry hand
groping for our hearts to freeze them and crush them:
all, even joy, let all be of iron
to aid you, sister and mother, in victory!

Que el que reniega hoy sea escupido!
Que el miserable hoy tenga su castigo en la hora
de las horas, en la sangre total,
                        que el cobarde retorne
a las tinieblas, que los laureles pasen al valiente,
al valiente camino, a la valiente nave
de nieve y sangre que defiende el mundo!

Yo te saludo, Unión Soviética, en este día,
con humildad: soy escritor y poeta.
Mi padre era ferroviario: siempre fuimos pobres.
Estuve ayer contigo, lejos, en mi pequeño
país de grandes lluvias. Allí creció tu nombre
caliente, ardiendo en el pecho del pueblo,
hasta tocar el alto cielo de mi república!

Hoy pienso en ellos, todos están contigo!
De taller a taller, de casa a casa,
vuela tu nombre como un ave roja!

Alabados sean tus héroes, y cada gota
de tu sangre, alabada
sea la desbordante marejada de pechos
que defienden tu pura y orgullosa morada!

Alabado sea el heróico y amargo
pan que te nutre, mientras las puertas del tiempo
        se abren
para que tu Ejército de Pueblo y de hierro marche cantando
entre ceniza y páramo, sobre los asesinos,
a plantar una rosa grande como la luna
en la fina y divina tierra de la victoria!

[1941]

Let today's denier be spat upon!
Today let the wretch meet his punishment in the hour
of hours, in total blood,
                                    let the coward go back
to his murk, let the laurels pass to the brave,
the brave highway, the brave ship
of snow and blood that defends the world!

I greet you, Soviet Union, on this day,
humbly: I am a writer, a poet.
My father was a railroad worker: we were always poor.
I was with you yesterday, far away in my small
country of the big rains. There grew your name,
hot, burning in the people's breast,
until it touched my republic's lofty skies!

I am thinking of them today, they are all with you!
From workshop to workshop, from house to house,
your name flies like a red bird!

Praised be your heroes, and every drop
of your blood; praised
be the overflowing tide of hearts
that defend your pure proud land!

Praised be the heroic bitter
bread of your nourishment, while the doors of time swing
        wide
for your People's Army of iron to march singing
among ashes and cold wastes against the murderers,
to plant a rose immense as the moon
in the fine divine earth of victory!

[1941]

D. F.

335

ENTIERRO EN EL ESTE

Yo trabajo de noche, rodeado de ciudad,
de pescadores, de alfareros, de difuntos quemados
con azafrán y frutas, envueltos en muselina escarlata:
bajo mi balcón esos muertos terribles
pasan sonando cadenas y flautas de cobre,
estridentes y finas y lúgubres silban
entre el color de las pesadas flores envenenadas
y el grito de los cenicientos danzarines
y el creciente monótono de los tam-tam
y el humo de las maderas que arden y huelen.

Porque una vez doblado el camino, junto al turbio río,
sus corazones detenidos o iniciando un mayor movimiento,
rodarán quemados, con la pierna y el pie hechos fuego,
y la trémula ceniza caerá sobre el agua,
flotará como ramo de flores calcinadas
o como extinto fuego dejado por tan poderosos viajeros
que hicieron arder algo sobre las negras aguas, y devoraron
un alimento desaparecido y un licor extremo.

PABLO NERUDA

BURIAL IN THE EAST

I work at night, surrounded by city,
by fishermen, by potters, by corpses burned
with saffron and fruit, wrapped in scarlet muslin:
underneath my balcony those terrible dead
go by, sounding their chains and copper flutes,
strident and clear and lugubrious they pipe
amid the colour of heavy poisoned flowers
and the cry of the ash-coloured dancers
and the mounting monotony of the drums
and smoke from logs that burn and smell.

For, once they reach the turn in the road, near the turbid
  river,
their hearts unmoving, or in greater movement,
they will roll burning, leg and foot made flame,
and the tremulous ashes will fall upon the water,
will float like a cluster of calcined flowers
or a quenched fire left by travelers so powerful
that they burned something over the black waters, and
  devoured
a vanished food, an utter liquor.

           A. F.

EFRAÍN HUERTA

LOS RUIDOS DEL ALBA

I

Te repito que descubrí el silencio
aquella lenta tarde de tu nombre mordido,
carbonizado y vivo
en la gran llama de oro de tus diecinueve años.
Mi amor se desligó de las auroras
para entregarse todo a tu murmullo,
a tu cristal murmullo de madera blanca incendiada.

Es una herida de alfiler sobre los labios tu recuerdo,
y hoy escribí leyendas de tu vida
sobre la superficie tierna de una manzana.
Y mientras todo eso,
mis impulsos permanecen inquietos,
esperando que se abra una ventana para seguirte
o estrellarse en el cemento doloroso de las banquetas.
Pero de las montañas viene un ruido tan frío
que recordar es muerte y es agonía el sueño.

Y el silencio se aparta, temeroso
del cielo sin estrellas,
de la prisa de nuestras bocas
y de las camelias y claveles desfallecidos.

II

Expliquemos al viento nuestros besos.
Piensa que el alba nos entiende: ..
ella sabe lo bien que saboreamos
el rumor a limones de sus ojos,
el agua blanca de sus brazos.

EFRAÍN HUERTA

THE SOUNDS OF DAWN

I

I TELL you again that I discovered silence
that slow afternoon when your name was etched,
carbonized alive
in the great gold flame of your nineteen years.
My love shook off the ties of dawn
to give itself wholly to your murmur,
to your crystal murmur of white wood flame.

Your memory is a pinprick on my lips,
and today I composed myths of your life
upon the delicate surface of an apple.
And all the while
my impulses are restless,
waiting for the opening of a window to follow you
or to dash to pieces on the sad sidewalk cement.
But from the mountains comes so cold a sound
that remembering is death, and sleep a torment.

And the silence withdraws timidly
from the starless sky,
from the urgency of our mouths,
and from the withered camelias and carnations.

II

Let us explain our kisses to the wind.
Think: dawn understands us:
she knows how much we relish
the lemon murmur of her eyes,
the white water of her arms.

(Parece que los dientes rasgan trozos de nieve.
El frío es grande y siempre adolescente.
El frío, el frío: ausencia sin olvido).

Cantemos a las flores cerradas,
a las mujeres sin senos
y a los niños que no miran la luna.
Cantemos sin mirarnos.

Mienten aquellos pájaros y esas cornisas.
Nosotros no nos amamos ya.
Realmente nunca nos amamos.
Llegamos con el deseo y seguimos con él.
Estamos en el ruido del alba,
en el umbral de la sabiduría,
en el seno de la locura.

Dos columnas en el atrio
donde mendigan las pasiones.
Perduramos, gozamos simplemente.

Expliquemos al viento nuestros besos
y el amargo sentido de lo que cantamos.

No es el amor de fuego ni de mármol.

El amor es la piedad que nos tenemos.

RECUERDO DEL AMOR

En el oscuro cielo mi recuerdo.
Hombre desnudo y luz;
sabiduría y letargo;
tardanza y prisa muerta.

(You would say that teeth are crunching chunks of snow.
Cold is big and ever adolescent.
Cold, cold: absence without forgetting.)

Let us sing to shut flowers,
to breastless women,
and to children who do not watch the moon.
Sing without looking at each other.

They are liars, those birds and cornices.
We are in love no longer.
We were never really in love.
We came with desire and we go along with it.
We are in the dawn's sound,
on the threshold of wisdom,
at the heard of madness.

Two columns in the courtyard
where passions beg for alms.
We endure, we enjoy simply.

Let us explain our kisses to the wind
and the bitter burden of our singing.

Love is neither fire nor marble.

Love is the pity that we feel for one another.

D. F.

RECOLLECTION OF LOVE

My memory in the dark sky.
Naked man and light;
wisdom and lethargy;
delaying and dead haste.

Recuerdo inagotable como fatiga sorda
o dolor del crepúsculo.
Recuerdo: imagen larga y cruel.
Llanura virgen.
Mutilada sonrisa y selva desprovista de pájaros.
Blanco y verde el recuerdo;
nunca negro ni oro,
sino lento de sueño como sangre reciente.
Tibio como penumbra marchita
en la que hubiesen muerto cientos de luces tristes.

(Había llegado a mi presencia.
Era sencillamente un hombre fatigado,
con la voz apagada y las manos dormidas.
Recuerdo. Recuerdo ese murmullo del sudor en su cuerpo.
El sol caía a pedazos en el mundo agitado.
Yo solo yo con el recuerdo.)

Primero fué la Muerte.
Era en el mes de junio y nuestras vidas parecían
inquietos ríos con fiebre,
soledades nacidas al calor de un helecho.
Sobre la Tierra tibia crecían hombres y árboles,
negras nubes, y rosas, y canciones.
Clarísima ternura como día amanecido.

Así llegó el abismo, portentoso y solemne,
del Amor necesario: sueño fragante y tímido.
Era en el mes de junio.
Y las frutas maduras—los duraznos, las uvas—
parecían imprevistos murmullos sofocados y ciegos.
No veímos. No vimos. La niebla la inventamos,
pero nos apretaba como corteza seca.
¡El Amor dominaba! Recia y blanda dolencia,
en el pecho, en las manos; cuando el alba
y la lluvia; cuando el calor y el frío.

342

Memory exhaustless as deaf weariness
or twilight grief.
Memory: long cruel image.
Virgin plain.
Mutilated smile and woodland stripped of birds.
Memory white and green;
black and gold never,
but slow with sleep as fresh-spilt blood.
Tepid as a withered penumbra
in which have perished hundreds of dismal lights.

(He had come before me.
He was simply a tired man
with extinguished voice and sleeping hands.
I remember. I remember that murmur of sweat on his body.
The sun fell piecemeal upon the shaken world.
And I alone with the memory.)

Death was first.
It was in the month of June and our lives were like
uneasy feverish rivers,
loneliness born in the heat of some fern.
On the lukewarm earth men and trees were growing,
black clouds, and roses, and songs.
Clearest tenderness like risen day.

And so came the abyss, fatal, solemn,
of necessitous love: fragrant and furtive dream.
It was the month of June.
And the ripe fruit—the peaches, grapes—
were like unexpected murmurs, stifled and blind.
We did not see. We could not. We invented mist,
but it clung to us like a dry rind.
O mastery of love! Violent gentle ache,
in the breast, the hands: at the time of dawn
and rain; of heat and cold.

Literalmente perdemos contacto con el suelo;
vamos al infinito apoyados en nuestra propia sangre.
Olvidamos los ríos y el silencio.
Gritamos por la noche y las voces del viento se recogen
en un puro rencor de ojos desorbitados.
¡Qué destino, qué lucha y cuánta cólera reprimida!
Ansias desmenuzadas; dolor de brazos muertos.
Imperioso dominio desconocido para los corazones y los labios.
Manos que se alargaron oprimidas por el alba de hielo.
Músculos negros como signo de misterio en la vida.

Se derrama en el mundo el sentido amoroso
y la piedad parece agonizante pájaro con las alas cortadas.
Sentimos un insomnio gozosamente prolongado
en una noche desconocida para los niños y los ancianos.
Poderosa tibieza en el amor.
Y poderosa también esa apacible castidad sangrienta y horrible
en que naufragan los futuros suicidas.

Agotador murmullo de pantano y de nieve,
seca desesperanza en los ruidos del alba.

We literally lose contact with the ground;
we pass to the infinite buoyed up by our own blood.
We forget the rivers and silence.
We scream in the night and the voices of wind gather
in a pure hatred of wild staring eyes.
What destiny! what struggle! what controlled rage!
Crumbling worries; pain of dead arms.
Imperious dominion foreign to hearts and lips.
Stretched-out hands heavy with the dawn of ice.
Black muscles, symbols of wretchedness in life.

The amorous sense floods through the world
and mercy is an agonized wing-cropped bird.
We are aware of a sleeplessness luxuriously prolonged
in a night unknown to children and to the old.
Powerful indifference in love.
And powerful too that mild and bloody and horrible chastity
in which are wrecked the suicides to come.

Exhausting murmur of marsh and snow,
dry despair in the sounds of dawn.

D. F.

ESTUDIO

Apenas te conozco y ya me digo:
¿Nunca sabrá que su persona exalta
todo lo que hay en mí de sangre y fuego?

¡Como si fuese mucho
esperar unos días—¿muchos, pocos?—
porque toda esperanza
parece mar del Sur, profunda, larga!
Y porque siempre somos
frutos de la impaciencia bosque todos.

Apenas te conozco y ya arrasé
ciudades nubes y paisajes viajes
y atónito, descubro de repente,
que dentro estoy de la piedra presente
y que en cielo aún no hay un celaje.
Cómo serán estas palabras, nuevas,
cuando ya junto a ti, salgan volando
y en el acento de tus manos vea
el límite inefable del espacio.

DOMINGO

La mesa es imponente
como un monumento a los héroes
de cualquier nacionalidad.
Reverencio al pescado,
brillante caballero medioeval.

CARLOS PELLICER

ÉTUDE

I HARDLY know you, and already I say to myself:
Will she never understand how her person exalts
all that there is in me of blood and fire?

As though it were much
to wait a few days—many? few?—
since all hope
seems a southern sea, deep, long!
And since we are always
fruits of impatience all forest.

I hardly know you and I have already demolished
cities clouds and landscapes journeys
and amazed, I discover suddenly
that I am within the actual stone
and that in the sky there are still no clouds.
How will these words be, new,
that now, when I am close to you, go flying forth
and show me in the accent of your hands
the ineffable limit of space.

H. R. H.

SUNDAY

THE table is imposing
like a monument to the heroes
of any land.
I revere the fish,
gleaming mediaeval knight.

Amo al cervatillo, tan fino
que ha muerto solamente de estar.
Sonrío a la naranja casi mondada.
Me entristece la torta acabada de violar.
Y frutas deslumbrantes dignas de corbatas
propias a un *garden-party* tropical.
Granadas delirantes. Manzanas vírgenes,
—holandesas naturalmente—, y van
las miradas como rayos X,
penetrantes, inexorables, en paladeo augural
que hace brillar los labios, y acidular los dientes
con un cierto apogeo magnífico y animal.
Y la divina poesía,
como en las bodas de Caná,
hechiza el agua y el vino vibra
en una larga copa de cristal.

TERCERA VEZ

Desde el avión,
la orquesta panorámica de Río de Janeiro
se escucha en mi corazón.
Desde la cumbre del Corcovado
hasta las olas de Copacabana,
la dicha es una simple distancia que ha pasado
borrando fechas próximas con sus manos plateadas.
Ataré mi existencia sideral
a la divina roca del Páo de Assucar
que ve nacer la aurora antes que el agua mar.
El mar de Río Janeiro
es una antigua barcarola
que está aprendiendo la ola
leve de mi pensamiento.
Guanabara su nombre. Guanabara,

I adore the small roast deer, so delicate
that it died simply from existing.
I smile at the orange, nearly peeled.
I am saddened by the freshly ravished cake.
And the dazzling fruits, fit for badges
to be worn at tropical garden-parties.
Raving pomegranates. Virgin apples—
Dutch, naturally—
and my eyes like X-rays,
piercing, relentless, in an auspicious relishing
that makes the lips glisten and the teeth acid
with a sure magnificent animal culmination.
And divine Poetry,
as at the marriage feast of Cana,
casts a spell on the water: and wine shimmers
in a tall crystal goblet.

D. F.

THIRD TIME

FROM the plane,
the panoramic orchestra of Rio de Janeiro
sounds in my heart.
From the crest of Corcovado
to the waves of Copacabana
happiness is a simple distance that has passed
blurring the nearest dates with its silvery hands.
I'll bind my starry existence
to the divine rock of Pão de Açucar
which sees the bursting dawn sooner than the ocean waters.
The sea of Rio Janeiro
is an old-time barcarolle
being learnt by the gentle
wave of my thought
Guanabara its name. Guanabara,

como una estrella que se alargara
sobre el ritmo de un momento.
Ciudad naval, tus avenidas
de orohidrográficos prodigios
anclan mis ojos en un aire
de eternidad sin abismos.
Tu mar y tu montaña
—un puñadito de Andes y mil litros de Atlántico—
pasan bajo las alas
del avión, como síntesis del Continente amado.
Las grandes rocas están de oro,
las montañas en verde y morado.
El agua se mueve en semitono.
La ciudad es un libro deshojado.
El aire está en soprano ligero.
La escuadra va a salir a pescar.
Un 'looping the loop' hace pedazos el regreso
y hace estallar la ciudad.

like a star stretching out
above the rhythm of a moment.
Naval city, your avenues
of orohydrographic marvels
anchor my eyes in an air
of depthless eternity.
Your sea and your mountain—
a tiny handful of Andes and a thousand litres of Atlantic—
pass beneath the wings
of my plane like a synthesis of the beloved Continent.
The mighty rocks are golden,
the mountains green and purple.
The water stirs in a semitone.
The town is a leaf-stripped book.
The air, a soprano trilling .
The fleet is putting out to fish.
A loop-the-loop shatters our return
and sends the city exploding.

D. F.

POEMA DEL MANICOMIO

TUVE miedo
y me regresé de la locura

Tuve miedo de ser
        una rueda
          un color
            un paso

PORQUE MIS OJOS ERAN NIÑOS
     y mi corazón
       un botón
        más
         de
mi camisa de fuerza

Pero hoy que mis ojos visten pantalones largos
veo a la calle que está mendiga de pasos

POEMA SURREALISTA DEL ELEFANTE Y DEL CANTO

LOS ELEFANTES ortopédicos al comienzo se volverán manzanas
        constantemente
Porque los aviadores aman las ciudades encendidas como flores
Música entretejida en los abrigos de invierno
Tu boca surtidor de ademanes ascendentes
Palmeras cálidas alrededor de tu palabra itinerarios de viajes
        fáciles
Tómame como las violetas abiertas al sol.

CARLOS OQUENDO DE AMAT

MADHOUSE POEM

I WAS afraid
and I came back from madness

I was afraid of being
        a wheel
           a colour
               a footstep

BECAUSE MY EYES WERE CHILDREN
      and my heart
     one button
       more
      on
    my straitjacket

But today since my eyes wear long trousers
I look out at the street which goes begging for footsteps

H. R. H.

SURREALIST POEM OF THE ELEPHANT AND THE SONG

THE orthopedic elephants at the beginning will constantly
   · turn into apples
Because aviators love cities aflame like flowers
Music woven into winter overcoats
Your mouth purveyor of ascending gestures
Hot palmtrees around your word itineraries of easy
      voyages
Take me like violets opened to the sun.

H. R. H.

353

CARLOS OQUENDO DE AMAT

EL ÁNGEL Y LA ROSA

a José María Eguren claro y sencillo

Voz DE ángel rosa recién cortada
piel de rosa un ángel mirando el mar
crece el brazo de una rosa por eso una estrella niña llora
ya encontré tu flor ayer mirabas demasiado el
       parque
el niño cree que la cebra es un animal
la cebra es un jabón vegetal
y la rosa es un botón de nácar
o una golondrina pintada en el mar el ángel solo

MADRE

Tu nombre viene lento como las músicas humildes
y de tus manos vuelan palomas blancas

Mi recuerdo te viste siempre de blanco
como un recreo de niños que los hombres miran desde aquí
      distante

Un cielo muere en tus brazos y otro nace en tu ternura
A tu lado el cariño se abre como una flor cuando pienso

Entre tí y el horizónte
mi palabra está primitiva como la lluvia o como los himnos

Porque ante tí callan las rosas y la canción

CARLOS OQUENDO DE AMAT

THE ANGEL AND THE ROSE

To José María Eguren clear and simple

ANGEL's voice rose recently cut
rosy skin an angel looking at the sea
the arm of a rose grows therefore a little girl star weeps
I found your blossom yesterday you were looking too
    much at the park
the child thinks the zebra is an animal
the zebra is a vegetable soap
and the rose is a pearl button
or a swallow painted on the sea the angel alone

H. R. H.

MOTHER

YOUR name comes slowly like modest music
and from your hands fly white doves

My memory always dresses you in white
like a children's game which the men here watch from a
    distance

A heaven dies in your arms and another is born in your
    tenderness
At your side affection opens like a flower when I am thinking

Between you and the horizon
my word is primitive like rain or like hymns

Since in your presence roses and song are silent

H. R. H.

BERNARDO ORTIZ DE MONTELLANO

SEGUNDO SUEÑO

Una máscara de cloroformo, verde y olorosa a éter, cae sobre mi cuerpo angustiado, horizontal, sobre la mesa de operaciones erizada de signos . . . Grito. Veo mis gritos que no se oyen, que no los oigo, que se alejan y se pierden. Ultima imagen mi boca . . . Angustia y soledad. El cuerpo vive. ¿Alma? ¿Cuerpo? . . . Lo último que se pierde es el oído. Una voz nos lleva y una voz—la misma—nos trae desde muy lejos, desde otro túnel maternal, en ascenso del fantasma a la carne y del silencio al rumor.

(Apuntes después de la anestesia)

Au fond de l'inconnu pour trouver du nouveau.
Ch. Baudelaire

Del sonido a la piedra y de la voz al sueño
en la postura eterna del dormido
sobre mármol de cirios y cuchillos
ofensa a la raíz
del árbol de la sangre—concentrado—
mi cuerpo vivo, mío,
mi concha de armadillo
triángulo de color sentido y movimiento
contorno de mi mundo que me adhiere y me forma
y me conduce
del sonido a la voz y de la voz al sueño.

Batas blancas y manos como encías
Pasos leves de goma de ratones
Luz hendida, amarilla, luz que hiere
bisturí del más hondo hueco de sombra oculta
Luz de paredes blancas, anémica, de mármol
Nidos del algodón para lo verde y negro
de la vida y la muerte

BERNARDO ORTIZ DE MONTELLANO

SECOND DREAM

A chloroform mask, green and redolent of ether, falls over my anguished body, horizontal upon the operating-table bristling with signs ... I cry out. I see my cries that cannot be heard, my cries that I do not hear, that fade away and are lost. Last image my mouth ... Anguish and solitude. The body lives on. Soul? Body? ... The last thing to go is hearing. A voice takes us with it, and a voice—the same one —carries us back from very far away, from some other maternal tunnel, in an ascent from phantom to flesh and from silence to sound. (Notes after anaesthesia)

Au fond de l'inconnu pour trouver du nouveau.
                                    Ch. Baudelaire

From sound to stone and from the voice to the dream
in the eternal posture of the sleeper
upon marble laden with tapers and knives
those offenders to the root
of the tree of the blood—concentrated—
my living body, mine,
my armadillo shell
my triangle of sentient colour and movement
contours of my world that cling to me, and form me
and lead me
from the sound to the voice and from the voice to the dream.

White smocks and hands like gums
Mouse-patterings of rubber soles
Piercing yellow light, sharp wounding light
scalpel from the deepest hollow of hidden shadow
Light from white walls, anemic light, marble walls
Cotton nests for the green and the black
of life and of death

Mármoles y aluminios
que no empaña el reflejo ni el aliento ni el alba
de unos ojos de niño
Luz de allá de la llama amarillenta
para el aire del éter más fino de los cielos
Nidos del algodón
para las alas de los peces del alcanfor y el yodo
líquidos mensajeros de la muerte.

¡Oh, Saturno,
escafandra de siglos en mi siglo,
descenderás conmigo entre los brazos
a un mundo de sigilos

Y detrás de la muerte—centinelas—
ojos de dos en dos vivos, cautivos.

Soy el último testigo de mi cuerpo

Veo los rostros, la sábana, los cuchillos, las voces
y el calor de mi sangre que enrojece los bordes
y el olor de mi aliento tan alegre y tan mío!

Soy el último testigo de mi cuerpo

Siento que siento
lo frío del mármol
y lo verde
y lo negro
de mi pensamiento.

Soy el último testigo de mi cuerpo

Postigo de sangre y llamas
Que bajo la piel respira
Equilibrio de las palmas

BERNARDO ORTIZ DE MONTELLANO

Marbles and aluminums
whose reflection neither breath nor the dawn
in a child's eyes can blur
Light from beyond the yellow flame
for the ether air, finest of all heaven's,
Cotton nests
for the fish-wings of camphor and iodine
liquid messengers of death.

O Saturn
diver of centuries in my century
you will descend with me in your arms
into a sealed world

And behind death—standing sentinel—
pair upon pair of living eyes, held captive.

I am the last witness to my body

I see the faces, the sheet, the knives, the voices
and the warmth of my blood reddening the edges
and the odour of my breath so joyous and so much mine!

I am the last witness to my body

I feel that I feel
the cold marble
and the green
and the black
of my thought.

I am the last witness to my body

Tiny door of blood and flame
Beneath the flesh breathing
Palms' balance

Que los vientos equilibra
Onda de otra mar salina
Con la tierra horizontada
Para paloma perdida
Y entre latidos hallada

Vida que por mí vigila
Oculta detrás del alma
La que mi cuerpo equilibra
Postigo de sangre y llamas
Mi nombre mi edad mi cuerpo
Ese que fuí le he olvidado
Soy el alma que me hice
Y el cuerpo que me han quitado.

(minero de mis ojos y mi oído
minero de mi cuerpo oscurecido
buzo perdido entre sus propias redes
horadando prisiones y montañas
por el silencio a flor de mis entrañas
en donde se evapora lo sentido
entre lunas, calor, sangre y paredes
desciendo verdinegro y aturdido)

Ni vivo ni muerto—sólo solo
El alma que me hice no la encuentro
Sin sentidos, despierto
Con mi sangre, dormido
Vivo y muerto
Perdido para mí
pero para los otros
hallado, junto, cerca, convivido,
con pulso, sangre, corazón, ardiendo. . . .

Esqueleto de nieve y de silencio
de sombra recogida en su vislumbre

BERNARDO ORTIZ DE MONTELLANO

That balances the winds
Wave from another saline sea
Brought down to earth's level
Lost to the dove
And found among pulsations

Life that for me keeps vigil
Hidden behind the soul
Which my body balances
Tiny door to the blood and flame
My name my age my body
The one that I was I have forgotten
I am the soul that I made
And the body they have taken from me.

(miner into my eyes and ears
miner into my darkened body
diver lost among his own snares
piercing prisons and mountains
through the silence on the surface of my entrails
where what is felt evaporates
among the moons, warmth, blood, and walls
bewildered and dark-green I burrow)

Neither alive nor dead—only alone
I can not find the soul I made
Bereft of senses, awake,
And with my blood, asleep
Alive and dead
Lost to myself
but for others
found, united, near, lived with,
having pulse, blood, heart, burning. . . .

Skeleton of snow and silence
of shadow retreating into its half light

desnudo en el dintel de los desiertos,
forma distinta de belleza rara
que la voz de mi estatua
no pudo asir desde su estrecha plaza,
esparce su corona de equilibrios
en mi silencio enjuto y envidiable
más allá de la boca de los pinos
que al Tiempo alternan su minuto de aire.

Para un Dios sin latidos—Dios de sueño—
abrevia mi silencio en su silencio
donde crece la luna
donde agoniza el pájaro
donde el Espacio ignora su pie leve.

Para que el árbol goce de su verde
La raíz nace oculta y amarilla
Y de savia la sangre se acuchilla
Y de aroma la fruta su piel muerde

      Para que el árbol goce de su verde.

Para que el hombre nutra su ceniza
Guarda calor en la inválida mano
Sollozo mutilado en la sonrisa
Y la caricia verde del gusano

      Para que el hombre nutra su ceniza.

Para que el alma su cordaje mida
Desistida del cuerpo y de la fecha
Impersonal como la muerte acecha
La memoria dispersa de su vida

      Para que el alma su cordaje mida.

naked on the threshold of the deserts
a distinct form of rare beauty
which the voice of my statue
could not seize from its constricted square,
it scatters its crown of balances
over my stripped and enviable silence
on yonder side of the mouth of the pine trees
which alternate in Time their moment of air.

For a God without throbbings—God of dreams—
it shortens my silence in its silence
where the moon grows
where the bird agonizes
where Space knows nothing of its light footfall.

That the tree may enjoy its green
The root is born hidden and yellow
The blood is slashed from the sap
And the fruit bites its fragrant skin

   That the tree may enjoy its green.

That man may give food to his ashes
He keeps his helpless hand warm
His sob mutilated by smiling
And the green caress of the worm

   That man may give food to his ashes.

That the soul may measure its rigging
Severed from the flesh and from time
Selfless as death it awaits
The dispersed memory of its life

   That the soul may measure its rigging.

Para que el sueño con sus pies descubra
La morada precisa de la muerte
Tiene el ojo conciencia de lo inerte
Y la voz: el silencio y la penumbra

Para que el sueño con sus pies descubra
La morada precisa de la muerte.

El que goza su cuerpo y su sonrisa
El que pesa la rosa
El que se baña en púrpuras de sangre
Espesa como mármol sin caricia
El que vive a la sombra deshojada
Del aire poco que respira y mancha
El verde por la orina verdenado
El plateado en ceniza
Que horada
Olvida
Hiere
Mientras goza el rescoldo de la muerte
El que de la mujer nada recibe
Y al hombre no da nada
El que asoma a los ojos sin cruzarlos
El partido por dos y en dos mitades
Iguales repartido
El sin olor
El Hombre
Sólo por la palabra redimido.

alúcida veloz clara ceñuda
desnuda sofocada misteriosa
menuda pura impura deseada
libre precisa frágil despojada
sola solemne solitaria y alma

That the feet of the dream may discover
The precise dwelling of death
Its eye is aware of the lifeless,
And its voice: of silence and shade

That the feet of the dream may discover
The precise dwelling of death.

He who delights in his body and his smile
Who weighs the rose
Who bathes himself in purpling blood
Dense as caressless marble
Who, shorn of his leaves, lives in the shadow
Breathing and staining an air grown small
The green one greened by urine
The silver one in ashes
Who pierces
Forgets
Wounds
While he delights in the embers of death
Who receives nothing from woman
And gives nothing to man
Who looks from his eyes without crossing their portal
Sundered in half and in equal parts
Divided
The odourless one
The Man
Redeemed by the word alone.

a-lucid swift clear frowning
naked smothered mysterious
minute pure impure desired
free precise fragile despoiled
alone solemn solitary and soul

alúcida veloz cálida oscura
orgullosa dolida apasionada
ávida tímida arrojada sobria
sensible fina libre leve dueña
multiforme constante sangre sangra

Debe ser débil rama la que a tu voz responde,
impreciso el dominio del fantasma
y la muerte,
llano el césped de lirios y delirios
por donde corra libre lamento el de la mente
Debe ser fango el frío de las horas después
cuando se apague el fuego de la sangre
y el postigo y la llama,
horrendo el cataclismo de la separación de lo que unido
fué vida y fué veneno,
para que desde el mármol olvido de mi cuerpo
tu voz de viento y sombra
de medida medida
de calores delgados
me atraiga y me deslice y me conduzca
otra vez al torrente de la vida
Debe ser débil rama mi voluntad,
humo la sensitiva de mi mano
y mi presencia aislada y amarilla
cuando tu voz ariadna, voz de viento y. de sombra
caracol de palabras,
es mi último recuerdo y mi primer llamada
apenas balbuceo
en forma de palabra
que de nuevo me arranca a las entrañas
y me nace del sueño.

Luz que del sueño torna—forma clara,
luz, presencia, color y movimiento,

a-lucid swift warm obscure
proud aching passionate
avid timid dashing sombre
sensitive fine free light mistress
multiform constant blood bleeds

The branch must be weak that answers your voice,
blurred the realm of the phantasm
and of death,
flat the turf of lilies and delirium
where the mind's lament may run free
It must be mire, that chill of the hours after,
extinguished the fire of the blood
and the tiny door and the flame,
horrendous the cataclysm of the disunion of what, united,
was life and was poison,
so that from the marble oblivion of my body
your voice of wind and shadow
of measured measure
of thin warmth
should draw me and glide me and lead me
back to the torrent of life
It must be a weak branch, my will,
and smoke the sensitive-plant of my hand,
and my presence shut away and yellow
when your ariadne voice, voice of wind and shadow
shell of words,
is my last remembrance and my first summons
barely a lisp
shaped like a word
which tears me again from my body's depth
born out of the dream.

Light returning from dream—clear shape,
light, presence, colour and movement,

sin peso y sin pesar, desenlutada
que a las cosas devuelve su aislamiento

Luz que del sueño vuelve—forma viva,
insistente mirar de la mirada
absorta, nueva, día,
y por primera vez iluminada

Aire corredor
Forma desnuda
en su volumen fresco
y en su modo de ser casi de fruta
Aire que muerdo a gritos y cuchillos
por la primera vez
como un ahogado
que a la orilla del aire
sabe que respirar es verbo, gracia y pájaro.

Diluído en alegría
encuentro justo el mundo que se toca
se mira y me compara,
el multiforme y único
el mundo de mis piernas y mis brazos
discípulos del ojo
maestro de distancias,
el mundo colmenero de voluntad y llamas,
calles, ciudades, hombres, amenazas,
imágenes, prisiones, ríos, ventanas,
triángulo de colores que me devuelve el alma.

Voz que del sueño vuelve,
adonde la caricia no penetra
desciende, alegra, el aire, el sol, la sangre . . .

                            y me despierta.

weightless and unweighing, in mourning no longer,
restoring their aloneness to things

Light returning from dream—living shape,
insistent gazing of the gaze
absorbed, new, day,
and for the first time lighted

Racing air
Shape naked
in its fresh volume
and its way of being almost fruitlike
Air that I bite with screams and knives
for the first time
like a drowned man
on the shore of the air
who knows that breathing is word, grace and bird.

Dissolved in joy
I find that it is just, this world that is felt,
that is seen and that weighs me,
multiform and unique
the world of my legs and my arms
the eye's disciples,
that master of distances,
the beehive world of will and flame,
streets, cities, men, threats,
images, prisons, rivers, windows,
coloured triangle that gives me back my soul.

The voice returning from dream,
where the caress does not reach,
descends, rejoices, air, sun, blood . . .

and wakes me.

T. L., D. D. W., D. F.

VICENTE HUIDOBRO

'APPORTEZ DES JEUX'

Apportez des jeux
Des petites distractions pour l'infini
Qui bâille dans le regard de Dieu

Et pile et face
        et jour et nuit

Le ciel traverse lent lent traîné par des gros nuages

Irons-nous surveiller les antipodes
Le ciel commence à avoir de l'âge
Et l'expérience dit
Il faut se soulager en pluie
Ou chercher d'autres amusements

Mais le jour se tourne de l'autre côté
Et c'est l'obscurité

Laissons les parachutes à mi-chemin
Les histoires se dispersent tous les soirs
Quand pousse la rose de l'aurevoir

'JE SUIS UN PEU LUNE . . . '

Je suis un peu lune et commis voyageur
J'ai la spécialité de trouver les heures
Qui ont perdu leur montre

VICENTE HUIDOBRO

'BRING GAMES'

BRING games
Little distractions for the infinite
Which yawns in the face of God

Both heads and tails
                    both day and night

The sky crosses slowly slowly drawn by heavy clouds

Shall we go survey the ends of the earth
The sky is beginning to come of age
And experience tells us
We must seek solace in rain
Or look for other amusements

But the day turns over on its other side
And it is darkness

Let us leave the parachutes half way
Stories scatter every night
When grows the rose of solong

J. S.

'I AM PARTLY MOON ...'

I AM partly moon and partly traveling salesman
My specialty is finding hours
Which have lost their watches

Croyez-moi bien
Sous mon œil d'amiral tout se rencontre
Et ce n'est pas plus rare que les cas d'enfants
Perdus dans les magasins

Il y a des heures qui se noient
Il y en a d'autres mangées par les cannibales
Je connais un oiseau qui les boit
On peut les faire aussi mélodies commerciales

Mais dans les bals atlantiques ainsi déguisées
C'est très difficile de les distinguer

'TU N'AS JAMAIS CONNU L'ARBRE DE LA TENDRESSE . . .'

TU N'AS jamais connu l'arbre de la tendresse d'où
        j'extrais mon essence
Il pousse à chaque étage sans préférence
Au milieu d'une discussion de pianos
Il est aussi joli que soixante mètres d'eau.

Les yeux de circonstance
Regardent le temps troué
A coups de pistolet

Mais s'il n'y a pas d'oreille
Nos yeux pourtant sont des bouteilles
Vidées à chaque regard
La nuit gardons les yeux dans mon hangar

Maladie d'instrument écoutez son conseil
L'archet glisse glisse sur les escaliers du sommeil
Maladie mélodie

VICENTE HUIDOBRO

Believe me
Under my admiral's eye everything meets
And this is no more rare than the cases of children
Lost in department stores

There are some hours which drown
There are others eaten by cannibals
I know a bird which drinks them
You can also make them into commercial melodies

But disguised thus at the Atlantic balls
It is very difficult to single them out

J. S.

'YOU HAVE NEVER KNOWN THE TREE OF TENDERNESS . . .'

You have never known the tree of tenderness whence
      I extract my essence
It grows on any floor without preference
In the midst of a discussion of pianos
It is as pretty as a sixty-yard expanse of water.

The eyes of circumstance
Are looking at time riddled
By pistol shots

But if there is no ear
Nevertheless our eyes are bottles
Emptied at each glance
At night let us keep our eyes in my shed

Instrumental malady listen to its counsel
The bow glides glides over the stairs of sleep
Malady melody

Cherche bien sous les chaises
Cherche bien sous les ponts
Il y a des morceaux d'âme sciés par mon violon

'NOYÉ CHARMANT'

Noyé charmant quelle heure est-il
Dis-moi la consistance des rêveries
Interchangeables en chaos civil

Le calme est plein de laines de mouton
Et je ne sais rien

Dans les souffrances en marche sur la vie
Les linges sèchent jour et nuit
Sur la corde de l'horizon
(Cela se passe très loin)

Noyé charmant
La belle musique des équinoxes entraîne les amants
Selon la loi des gravitations
Et détend les murs du salon

Noyé charmant
Si tu voyais maintenant
Les vagues apprivoisées
Venir avec des révérences à nos pieds

Noyé charmant
Que t'a dit la Sainte Vierge
Garde-t-elle encore la rose des vents
Entre ses doigts diaphanes
Que discutent les autres saints
Dans leur langage d'aéroplane

> Look well under the chairs

Look well under the bridges

There are bits of soul sawn away by my violin

J. S.

'BEWITCHING DROWNED'

BEWITCHING drowned what time is it

Tell me the consistency of reveries

Which can be changed into civil chaos

Calmness is full of sheep's wool

And I know nothing

In the sufferings pacing over life

Clothes are drying day and night

On the horizon's line

(This is happening very far away)

Bewitching drowned

The beautiful music of the equinoxes gathers in lovers

By the law of gravitation

And strips the walls of the salon

Bewitching drowned

If you were to see now

The gentled waves

Coming with little bows to our feet

Bewitching drowned

What did the Holy Virgin tell you

Does she still hold the rose of the winds

In her diaphanous fingers

What are the other saints discussing

In their airplane language

J. S.

VICENTE HUIDOBRO

ARTE POÉTICA

QUE el verso sea como una llave
que abra mil puertas.
Una hoja cae; algo pasa volando;
cuanto miren los ojos creado sea,
y el alma del oyente quede temblando.

Inventa mundos nuevos y cuida tu palabra;
el adjetivo, cuando no da vida, mata.

Estamos en el ciclo de los nervios.
El músculo cuelga
como recuerdo, en los museos;
mas no por eso tenemos menos fuerza:
el vigor verdadero
reside en la cabeza.

¿Por qué cantáis la rosa, oh, poetas?
¡Hacedla florecer en el poema!

Sólo para nosotros
viven todas las cosas bajo el sol.

El poeta es un pequeño Dios.

RONDA

EL viento pasea a la luna
Y las banderas caen sobre el mar
Golpea golpea
La luna abre la puerta

Entrad señoras entrad señores
Las velas caen sobre el mar
Y la montaña cargada de cadenas
Espera aquí abajo el juicio final

376

VICENTE HUIDOBRO

THE ART OF POETRY

LET verse be as a key
that opens a thousand doors.
A leaf falls; something passes flying;
let all that the eyes see become created,
and let the soul of the hearer stand trembling.

Discover new worlds and keep watch over your word;
when an adjective does not strengthen, it destroys.

We are in the cycle of nerves.
Our brawn hangs
like a memory, in museums;
but not for that are we less strong:
the true vigour
abides in the head.

Poets: why do you sing of the rose?
Make it bloom in your poem!

For us alone
live all things under the sun.

The poet is a little God.

M. B. D.

ROUND

THE wind takes the moon riding
And the flags fall upon the sea
Knock knock
The moon opens the door

Come in ladies come in gentlemen
The sails fall upon the sea
And the mountain laden with chains
Awaits the last judgment here below

El viento pasea al ojo
Y los cabellos caen sobre el mar
Golpea golpea
El ojo abre la puerta

Entrad señoras entrad señores
Las voces caen sobre el mar
Hay un insecto milenario
Que frota sus nervios en la vida

El viento pasea al corazón
Las lágrimas caen sobre el mar
Golpea golpea
El corazón abre la puerta

Entrad señoras entrad señores
Los dedos caen sobre el mar
El mar cae en el vacío
El vacío cae en el tiempo
Y yo cazo conejos blancos
En la palma de tu mano

NATURALEZA VIVA

El deja al acordeón el fin del mundo
Paga con la lluvia la última canción
Allí donde las voces se juntan nace un enorme cedro
Más confortable que el cielo

Una golondrina me dice papá
Una anemona me dice mamá

Azul azul allí y en la boca del lobo
Azul Señor Cielo que se aleja
Qué dice usted   Hacia dónde irá

VICENTE HUIDOBRO

The wind takes the eye riding
And the tresses fall upon the sea
Knock knock
The eye opens the door

Come in ladies come in gentlemen
The voices fall upon the sea
There is a millenial insect
That is rubbing its nerves in life

The wind takes the heart riding
The tears fall upon the sea
Knock knock
The heart opens the door

Come in ladies come in gentlemen
The fingers fall upon the sea
The sea falls into emptiness
The emptiness falls into time
And I am hunting white rabbits
In the palm of your hand

D. D. W.

NATURE VIVE

To the accordion he leaves the end of the world
Pays with the rain for the last song
There where the voices join a huge cedar is born
More soothing than the sky

A swallow says Papa to me
An anemone says Mamma to me

Blue blue there and in the wolf's mouth
Blue Mr Sky who moves away
What's that you say   Where will he head for

VICENTE HUIDOBRO

Ah el hermoso brazo azul azul
Dad el brazo a la Señora Nube
Si tenéis miedo del lobo
El lobo de la boca azul azul
Del diente largo largo
Para devorar a la abuela naturaleza

Señor Cielo rasque su golondrina
Señora Nube apague sus anemonas

Las voces se juntan sobre el pájaro
Más grande que el árbol de la creación
Más hermoso que una corriente de aire entre dos astros

ELLA

ELLA daba dos pasos hacia delante
Daba dos pasos hacia atrás
El primer paso decía buenos días señor
El segundo paso decía buenos días señora
Y los otros decían cómo está la familia
Hoy es un día hermoso como una paloma en el cielo

Ella llevaba una camisa ardiente
Ella tenía ojos de adormecedora de mares
Ella había escondido un sueño en un armario oscuro
Ella había encontrado un muerto en medio de su cabeza
Cuando ella llegaba dejaba una parte más hermosa muy lejos
Cuando ella se iba algo se formaba en el horizonte para
        esperarla
Sus miradas estaban heridas y sangraban sobre la colina
Tenía los senos abiertos y cantaba las tinieblas de su edad
Era hermosa como un cielo bajo una paloma

VICENTE HUIDOBRO

Ah the lovely blue blue arm
Give your arm to Mrs Cloud
If you are afraid of the wolf
The wolf with the blue blue mouth
With the long long tooth
To eat up Grandmother Nature

Mr Sky scratch out your swallows
Mrs Cloud extinguish your anemones

The voices join above the bird
Greater than the tree of Creation
Lovelier than a current of air between two stars

D. F.

SHE

SHE stepped two paces forward
And two paces back
The first step said good morning sir
The second step said good morning ma'am
And the others said how is your family
Today is as lovely a day as a dove in the sky

She was wearing a burning shirt
Her eyes were sea-lulling
She had hidden a dream in a dark closet
She had met a dead man in the middle of her head
When she arrived she would leave a lovelier part far away
When she left something would take shape to wait for her
          on the horizon
Her glances were wounded and bled upon the hill
Her breasts were wide and she sang the dusks of her age
She was lovely as a sky beneath a dove

VICENTE HUIDOBRO

Tenía una boca de acero
Y una bandera mortal dibujada entre los labios
Reía como el mar que siente carbones en su vientre
Como el mar cuando la luna se mira ahogarse
Como el mar que ha mordido todas las playas
El mar que desborda y cae en el vacío en los tiempos de
      abundancia
Cuando las estrellas arrullan sobre nuestras cabezas
Antes que el viento norte abra sus ojos
Era hermosa en sus horizontes de huesos
Con su camisa ardiente y sus miradas de árbol fatigado
Como el cielo a caballo sobre las palomas

Her mouth was steel
And a deathbound banner was traced between her lips
She would laugh like the sea that feels coals in its belly
Like the sea when the moon watches itself drown
Like the sea that has bitten at all the beaches
The sea overflowing and falling into the void in times of
      abundance
When the stars coo above our heads
Before the north wind opens its eyes
She was lovely in her horizons of bones
With her burning shirt and her weary tree eyes
Like the sky on horseback above the doves

D. F.

LOS DÓLMENES

La niebla me ha vendado los ojos. Estoy ciego.
Tiembla el pinar como una cúpula
sobre mi cabeza rebelde.
La noche suena como un órgano.
Mis manos incandescen.
He apretado los troncos de los árboles.
Estrangulé los torsos de las mujeres
y rompí la tierra, como un vientre.
¡Hoy, hoy!
¡Trueno, sorbo de Dios!
Mis brazos se agigantan como trombas oceánicas.
Y estoy solo
ante mi eternidad, como los dólmenes.
Nadie sabrá después quién sopló los ciclones,
quién abrió los abismos como fauces.
¡Nadie!
Huracanes, gritad, que estoy solo.
La niebla me ha vendado los ojos. ¡Estoy ciego!

DIOS

Sobre la noche de ébano, tiendo mis manos bárbaras
para buscar a Dios ... Y enarbolo en mis mástiles
el silencio. Y conduzco huracanes alígeros.
Y hasta muerdo la fruta de tus dos senos núbiles
para encontrar a Dios en sus pezones túrgidos
maravillosamente convertido en miel límpida.
Y hasta quiero palparle en la caricia tímida
de los niños que penden como manzanas pródigas

THE DOLMENS

THE fog has bandaged my eyes. I am blinded.
The pine grove trembles like a dome
above my rebel head.
Night has an organ sound.
My hands burst into flame.
I have clutched the trunks of the trees.
I strangled the torsos of women
and broke the earth wide, like a belly.
Today! Today!
Thunder, draught of God!
My arms grow huge, like waterspouts at sea.
And I am alone
before my eternity, like the dolmens.
Afterwards, no one will know who puffed up the cyclones,
who opened the abysses like jaws.
No one!
Hurricanes, shout! For I am alone.
The fog has bandaged my eyes. I am blinded!

D. F.

GOD

I REACH out with my barbaric hands above the ebony night
in search of God ... And at my mast-heads I break out
silence. And I guide wing-borne hurricanes.
And I even bite the fruit of your two nubile breasts
to find, in their swelling nipples, God
marvelously transformed into clear honey.
I would touch him even in the timid caress
of children hanging like lavish apples

del árbol de las madres. Y hasta en la llama pálida
del alcohol de tu mirada muerta. Y hasta en la lámpara
que me hizo conocer tus dos flancos de náyade
aquella nochebuena de los primeros pámpanos.
Y hasta en la madrugada de linos arcangélicos
de tu muerte quisiera buscarle, y en el trémolo
de una tarde sin fin con arcoiris diáfanos
y corderos pascuales de hatos inverosímiles
y golondrinas de oro y campaniles de ángelus.
Y hasta en las nubes blandas de un otoño translúcido
que nos haga llorar sin saber cómo . . . Céspedes
de berilo impalpable han caído de un álamo.
Mil grillos tintinean unísonos sus crótalos
e ilumina su doble candela una luciérnaga.

Estoy tranquilo. Floto en algodones húmedos,
mientras Dios se desmaya dulcemente en mis párpados.

ZOO

Sol,
inventario del color.

Los caballos han aprendido a leer el mundo
en las frutas de vidrio de sus ojos.
Colonia nudista de las madréporas.
Grúas de chocolate de las jirafas.
Claude Debussy es apenas
la aguja de sonido de las ratas.
Convoyes eléctricos de los boas constrictores.
Pantalones marineros de los elefantes.
Stravinsky es la pubertad de los gatos en los techos de luna
    llena.
Metalurgia de los proyectiles de los pájaros.

upon their mother-trees. And even in the pale
alcohol-flame of your dead gaze. And even in the lamp
that revealed to me your twin naiad thighs
on that Christmas Eve of the first new vines.
And even in the archangelical linen-
dawn of your death I would seek him, and in the tremolo
of an endless evening with transparent rainbows
and paschal lambs of improbable flocks
and golden swallows and angelus belltowers.
Even in the soft clouds of a shining autumn
that makes us weep, we do not know why . . . Lawns
of impalpable beryl have dropped from a poplar.
A thousand crickets are clinking in unison their tiny cymbals,
and a firefly lights its double candle.

I am at peace. I drift upon moist cotton,
while God swoons sweetly upon my eyelids.

D. F.

ZOO

Sun,
inventory of colour.

The horses have learned to read the world
in the glass fruits of their eyes.
Nudist colony of the white corals.
Chocolate derricks of the giraffes.
Claude Debussy is barely
the gramophone-needle of the rats.
Electric trains of the boa constrictors.
Sailor pants of the elephants.
Stravinsky, the puberty of tomcats on the roofs in the full
     moon.
Metallurgy of bird-projectiles.

Cremallera de cobre de la iguana.
¿Qué cordillera se encabrita como los camellos?
¿Qué transatlántico enarbola los surtidores de las ballenas?
Geodesia, sabiduría del caracol.
La erudición de Marx es el soviet de las hormigas.
Los pingüinos son los camisas negras del cielo.
Carlos Chaplin se doctoró en el salto de los antílopes.
Nadie resolverá la ecuación algebraica de una serpiente X.
¿Qué nodriza británica como el canguro
donde Freud aprendió a balbucear la libido?

Relojería de las ostras.
¿Qué cortesana vistió en invierno como los armiños?
Traje dominical de las cebras penitenciarias.

Las avestruces raudas son los automóviles de pluma.
Araña títere de los andamios de cristal.

Y todo, para que el murciélago abra el paraguas de la noche.

GONZALO ESCUDERO

Copper cog-rack of the iguana.
What mountain range rears up like the camels?
What liner branches up such spoutings as the whales?
Geodesy, wisdom of the snail.
The erudition of Marx is the soviet of the ants.
The penguins are the black-shirts of the sky.
Charlie Chaplin took his doctorate in antelope-leaping.
Nobody will solve the alebraic equation of a serpent X.
What British wet nurse better than the kangaroo,
where Freud learned to babble the libido?

Clock-shop of the oysters.
What fancy woman dresses in winter like the ermines?
Sunday suit of the penitentiary zebras.

The swift ostriches are automobiles of feather.
Spider, puppet of the crystal scaffolding.

And all this, that the bat may open the umbrella of night.

R. O'C.

NOCTURNO DEL PECADO Y SU DELACIÓN

a Fernando Cabrices

ANTORCHAS golpean, al compás de tu cuerpo oscurecido,
      las tinieblas del mundo ...
Duele a mis ojos húmedos la noche, como el cedro cortado.
Camina sobre plumas mi voz hacia tu sueño.
Quiero saber en qué manantial canta tu nombre de criatura
      deshabitada,
cuál el guijarro que resbala en el viento hacia mi sombra,
cuál la montaña en que penetra el sendero que vá hasta Dios ...

No importa el desamparo del río sin árboles que pregunta
      en los anocheceres:
no estamos lejos del jardín aherrojado
      donde el musgo suele nacer y morir al plazo de tu
      huella.
Sólo miro tu cuerpo tendido entre la hierba y los
      balidos,
me toca tu lamento desflorado con su corona de sarmientos
      amargos,
mientras fluyen mandrágoras de tus poros cerrados al pecado
      y al ósculo.

Antes de que las torres lleguen para la bienvenida,
antes de que rompa su cáscara el sopor que nos liga,
antes de tí ye de mí,
antes de que los humillados escondan en los surcos sus
      lágrimas
y los infantes besen la sal llorada en los mendrugos,
antes de que el alba ponga su dedo en los capullos,
quiero vendar a tus pulsos mi pulso
y cegar la penumbra que llenas con tu cuerpo derramado ...

JOSE MIGUEL FERRER

NOCTURNE OF SIN AND ITS ACCUSATION

To Fernando Cabrices

TORCHES beat out, to your dark body's rhythm, the shadows of
      the world ...
Night wounds my moist eyes, like cut cedarwood.
My voice walks upon feathers toward your dream.
I must know in what fountain sings your unfrequented name,
know the pebble slipping through the wind toward my
        shadow,
and the mountain pierced by the path that leads to God ...

What matters the forlornness of the treeless river asking in
      the dusk?
We are not far from the garden held in chains
      where the moss is born and dies beneath
      your tread.
I look only at your body lying in the grass among bleating
      sheep,
your ravaged lament touches me with its crown of bitter
      vines,
while mandrakes flow from your pores closed to sin and to
      kisses.

Before the towers come here for welcome,
before the heaviness that binds us breaks its shell,
before you and before me,
before the humbled can hide their tears in the furrows,
and children kiss the salt of tear-drenched crusts,
before dawn can lay its finger on the buds,
I would bind your pulse to my pulse,
and blot out the penumbra that you will fill with your prodigal
      body ...

Antorchas golpean, al compás de tu cuerpo oscurecido,
    las tinieblas del mundo...
Hacia nuestras sombras caminan las espigas de traje blanco
y los escarabajos que saben dulces las cañas que nos hieren.

Recobrándote, en vilo, de las zarzas y las alondras,
entre campanas ya viene, gritando, el ave de las madrugadas:
fuera de los peñascos echan a andar, como hombres,
    los ecos....

Siento que te desgarras en los retoños entumecidos,
gimen dulces candados en los dinteles de tu aparición:

    ¡y sube tu secreto por los flancos del mundo al contacto
    de tu última primavera!...

JOSE MIGUEL FERRER

Torches beat out, to your dark body's rhythm, the shadows of
      the world ...
Toward our shadows move the whitesuited grain spikes
and the beetles tasting sugar in the cane that wounds us.

Snatching you free from thorns and larks,
with ringing of bells now comes the shouting bird of daybreak:
out of the great rocks the echoes start to move away like
     men ...

I feel that you withdraw from me into the swollen sprouts,
soft padlocks groan on the threshold of your presence:

      and your secret ascends the flanks of the world at the
        touch of your last springtime!

                            R. O'C.

NOCTURNO EN QUE HABLA LA MUERTE

Si la muerte hubiera venido aquí, conmigo, a New Haven,
escondida en un hueco de mi ropa en la maleta,
en el bolsillo de uno de mis trajes,
entre las páginas de un libro
como la señal que ya no me recuerda nada;
si mi muerte particular estuviera esperando
una fecha, un instante que sólo ella conoce
para decirme: '—Aquí estoy.
Te he seguido como la sombra
que no es posible dejar así nomás en casa;
como un poco de aire cálido e invisible
mezclado al aire frío y duro que respiras;
como el recuerdo de lo que más quieres;
como el olvido, sí, como el olvido
que has dejado caer sobre las cosas
que no quisieras recordar ahora.
Y es inútil que vuelvas la cabeza en mi busca:
estoy fuera de ti y a un tiempo dentro.
Nada es el mar que como un dios quisiste
poner entre los dos;
nada es la tierra que los hombres miden
y por la que matan y mueren;
ni el sueño en que quisieras creer que vives
sin mí, cuando yo misma lo dibujo y lo borro;
ni los días que cuentas
una vez y otra vez a todas horas,
ni las horas que matas con orgullo
sin pensar que renacen fuera de ti.
Nada son estas cosas ni los innumerables
lazos que me tendiste,

XAVIER VILLAURRUTIA

NOCTURNE IN WHICH DEATH SPEAKS

IF death had come here with me, to New Haven,
hidden in a fold of my clothing in the suitcase,
in the pocket of one of my suits,
between the pages of a book
like a bookmark that no longer recalls anything to me;
if my own private death should be waiting
for a date, for a moment that only it knows,
to say to me: '—Here I am.
I have followed you like the shadow
that you can't just leave behind at home like this;
like a bit of warm invisible air
mixed with the cold hard air that you breathe;
like the memory of what you love best;
like the forgetfulness, yes, the forgetfulness
that you have allowed to fall over things
that you would rather not remember now.
And it is useless to turn your head in search of me:
I am outside you and at the same time within you.
That sea is nothing that, like a god, you tried
to set between us two;
that earth is nothing, that men measure,
and for which they kill and die;
nor your dream of wishing to believe you are alive
without me, when I myself draw it and erase it;
nor the days that you count over
once and again at all hours,
nor the hours that you kill in your pride,
not thinking that they are born again outside you.
These things are nothing, nothing the countless
snares that you set for me,

ni las infantiles argucias con que has querido dejarme
engañada, olvidada.
Aquí estoy, ¿no lo sientes?
Abre los ojos; ciérralos, si quieres.'

Y me pregunto ahora,
¿si nadie entró en la pieza contigua,
quién cerró cautelosamente la puerta?
¿Qué misteriosa fuerza de gravedad
hizo caer la hoja de papel que estaba en la mesa?
¿Por qué se instala aquí, de pronto, y sin que yo la invite,
la voz de una mujer que habla en la calle?

Y al oprimir la pluma,
algo como la sangre late y circula en ella,
y siento que las letras desiguales
que escribo ahora,
más pequeñas, más trémulas, más débiles,
ya no son de mi mano solamente.

NOCTURNO DE LOS ÁNGELES

Se diría que las calles fluyen dulcemente en la noche.
Las luces no son tan vivas que logren desvelar el secreto,
el secreto que los hombres que van y vienen conocen,
porque todos están en el secreto
y nada se ganaría con partirlo en mil pedazos
si, por el contrario, es tan dulce guardarlo
y compartirlo sólo con la persona elegida.

Si cada uno dijera en un momento dado,
en sólo una palabra, lo que piensa,
las cinco letras del DESEO formarían una enorme cicatriz
     luminosa,

nor the childish cunning with which you tried to leave me
tricked, forgotten.
Here I am. Can you not feel it?
Open your eyes; shut them, if you like.'

And now I wonder:
if no one came into the next room,
who closed the door so cautiously?
What mysterious power of gravity
made the piece of paper fall that was on the table?
Why do I find installed here, suddenly, without invitation,
the voice of a woman talking in the street?

And as I press on my pen,
something like blood pulses and circulates in it,
and I feel that the uneven letters
that I set down now—
smaller, more wavering, weaker—
are no longer coming from my hand alone.

D. F.

ANGEL-NOCTURNE

You would say that the streets flow sweetly in the night.
Lights are not quick enough to reveal the secret,
the secret known to the men who come and go,
for they are all in the secret,
and nothing were gained by dividing it in a thousand pieces
if, on the contrary, it is so sweet to keep it
to share alone with the chosen person.

If everyone should utter, at a given moment,
in one word only, that which he is thinking,
the six letters of DESIRE would form a huge shining scar,

una constelación más antigua, más viva aún que las otras.
Y esa constelación sería como un ardiente sexo
en el profundo cuerpo de la noche,
o, mejor, como los Gemelos que por vez primera en la vida
se miraran de frente, a los ojos, y se abrazaran ya para siempre.

De pronto el río de la calle se puebla de sedientos seres.
Caminan, se detienen, prosiguen.
Cambian miradas, atreven sonrisas.
Forman imprevistas parejas ...

Hay recodos y bancos de sombra,
orillas de indefinibles formas profundas
y súbitos huecos de luz que ciega
y puertas que ceden a la presión más leve.

El río de la calle queda desierto un instante.
Luego parece remontar de sí mismo
deseoso de volver a empezar.
Queda un momento paralizado, mudo anhelante
como el corazón entre dos espasmos.

Pero una nueva pulsación, un nuevo latido
arroja al río de la calle nuevos sedientos seres.
Se cruzan, se entrecruzan y suben.
Vuelan a ras de tierra.

Nadan de pie, tan milagrosamente
que nadie se atrevería a decir que no caminan.
Son los Angeles.
Han bajado a la tierra
por invisibles escalas.
Vienen del mar, que es el espejo del cielo,
en barcos de humo y sombra,
a fundirse y confundirse con los mortales,

a constellation still older, still more intense than the others.
And that constellation would be like a burning sex
in the deep body of the night,
or rather, like the Twins when, for the first time in their lives,
they looked, face to face, into each other's eyes and embraced
      each other for ever.

Suddenly the river of the street is peopled with thirsty beings.
They walk, pause, go on again.
Exchange glances, venture smiles.
They form in casual couples . . .

There are turning paths and shaded benches,
shores of undefinable deep forms
and sudden hollows of blinding light
and doors which yield to the slightest touch.

The river of the street is deserted for a moment.
But then it seems to rise up from itself
as though it would begin again.
It is left for a moment paralyzed, a panting mute
like the heart between two spasms.

But a new pulsing, a new throbbing
hurls new thirsty beings into the river of the street.
They cross, intercross, go up.
They fly close to the ground.

They swim on foot, so miraculously
that no one would dare to say they are not walking.
These are the Angels.
They have come down to earth
by invisible ladders.
They come from the sea, heaven's mirror,
in ships of smoke and shade,
to fuse and confuse themselves with mortal men,

a rendir sus frentes en los muslos de las mujeres,
a dejar que otras manos palpen sus cuerpos febrilmente,
y que otros cuerpos busquen los suyos hasta encontrarlos
como se encuentran al cerrarse los labios de una misma boca,
a fatigar su boca tanto tiempo inactiva,
a poner en libertad sus lenguas de fuego,
a decir las canciones, los juramentos, las malas palabras
en que los hombres concentran el antiguo misterio
de la carne, la sangre, y el deseo.

Tienen nombres supuestos, divinamente sencillos.
Se llaman Dick o John, o Marvin o Louis.
En nada sino en la belleza se distinguen de los mortales.
Caminan, se detienen, prosiguen.
Cambian miradas, atreven sonrisas.
Forman imprevistas parejas.
Sonríen maliciosamente al subir en los ascensores de los
          hoteles
donde aún se practica el vuelo lento y vertical.
En sus cuerpos desnudos hay huellas celestiales:
signos, estrellas y letras azules.
Se dejan caer en las camas, se hunden en las almohadas
que los hacen pensar todavía un momento en las nubes.
Pero cierran los ojos para entregarse mejor a los goces de su
          encarnación misteriosa,
y cuando duermen sueñan no con los ángeles sino con los
          mortales.

to abase their brows to women's thighs,
permit other feverish hands to caress their bodies,
other bodies to seek theirs to the point of knowledge
as the lips of the same mouth know each other in closing,
to wear out mouths inactive for so long,
to set free their tongues of fire,
to utter the songs, oaths, and evil words
in which men concentrate the ancient enigma
of flesh, blood, and desire.

They bear assumed names, divinely simple.
They are called Dick or John, Marvin or Louis.
Only in their beauty are they to be distinguished from mortal
      men.
They walk, pause, go on again.
Exchange glances, venture smiles.
They form in casual couples.
They smile maliciously going up in hotel elevators
where vertical slow flight is still being practised.
On their naked bodies there are celestial marks:
signs, stars, blue letters.
They drop into beds, sink into the pillows
that make them think for a moment longer of the clouds.
But they close their eyes, the better to yield to the delights of
      their mysterious incarnation,
and when they sleep they dream not of angels but of mortals.

D. F.

ELEGÍA A LO PERDIDO Y YA BORRADO DEL TIEMPO

(La sombra de yedra
que aflige tu semblante,
apaga la hondura de tus ojos
como un sepulcro en el fondo del bosque).

LÁPIDA borrosa y oculta en el bosque,
más allá de la muerte del mármol
y de la pátina del tiempo.

Testigos son las bravas corrientes,
los últimos resplandores,
las adelfas y el silencio.

Podéis confundir sus ojos con las letras
blancas de la muerte,
con el negror que cae del cielo todas las noches de la muerte,
con ella misma si la luz la hubiera conocido.

¡La piedra que la cubre desde la muerte,
la sombra que la oculta desde la muerte!

Olvidad el paisaje que la secuestra a fondo de mares y de
        llanto.
Así será mejor para el olvido,
dura piedra, leve flor.

Muerta en el alba despertará en el aire la música dormida
        de las flores.

Piérdanse costas de espanto y cabelleras,
piérdese el mundo en sitio tan pequeño:
tumba, oscuridad, tragedia vegetal, mar de su cuerpo.

Y todo lo que es música la exalta en alto vacío,
en bosque incinerado:
¡nube, piedra de martirio, tabla de naufragio,
mudo fuego de sacrificio!

ELEGY TO THE LOST AND ALREADY BLURRED BY TIME

(The ivy shadow,
troubling your look
quenches the depths of your eyes
like a tomb in the depths of the woods.)

BLURRED tombstone, hidden in the woods,
beyond the death of marble
and the patina of time.

The wild streams are witness,
the sun's last flares,
the rosebays and the silence.

You may take her eyes for the white
letters of death,
for the darkness that falls from above every night of death,
for death itself, had the light known it.

The stone that covers her since death,
the shadow that conceals her since death!

Forget the landscape that isolates her in depths of sea and
      weeping.
It will be better so for the forgetting,
hard stone, light flower.

Dead at dawn the slumbering music of the flowers will
      awaken in the air.

Let shores of fright and streaming hair be lost,
the world is lost in so small a place:
tomb, darkness, vegetal tragedy, sea of her flesh.

And all that is music exalts her into the lofty void,
in the charred forest:
cloud, stone of immolation, plank of wreckage,
mute fire of sacrifice!

Considerad detrás del tiempo de músicas y lluvias
su definitiva posición, su color personal,
su nombre ya perdido y las palabras de su boca.
Como si lo supieran, los pájaros dialogan a duro pico
con arbustos y peñas de la quietud natural.

Al fondo del cielo, al borde de su lápida,
la tempestad bate bosques y cuernos de animales.
La tempestad, la música total,
envuelve al sér y cuanto ha sido.
La frágil muerte bajo la piedra, bajo la sombra.
El olvido, el silencio, la música total.

ELEGÍA A LA MUJER INVENTADA

UNA mujer o su sombra de yedra
llena esta soledad de lámparas vacías.

En la memoria del corazón
está marchita una flor,
un nombre de mujer.

Los ojos de la ausencia
están llenos de lluvia, de paisajes helados y sin árboles.

¿Quién conoce el nombre de esa mujer
que olvida su cabellera en los ríos del alba?

¡Qué difícil es distinguir entre la noche
y una mujer ahogada hace tiempo en un estanque!

El desmayo de una flor no se compara
al silencio de sus párpados cerrados.

Ponder beyond the time of music and rains
her eternal placement, her personal colour,
her name already lost and the words of her mouth.
As if they knew it, the birds' harsh beaks converse
with shrubs and peaks of nature's stillness.

In the depth of heaven, at the edge of her gravestone,
the tempest beats at the woods and the horns of beasts.
The tempest, total music,
envelops being and all that has been.
Fragile death beneath the stone, beneath the shadow.
Forgetfulness, silence, total music.

B. L. C.

ELEGY TO THE INVENTED WOMAN

A WOMAN or her shadow of ivy
fills this solitude with empty lamps.

In the memory of the heart
a flower is withered,—
a woman's name.

The eyes of absence
are full of rain, of frozen landscapes without trees.

Who knows the name of that woman
who forgets her tresses in rivers of dawn?

How difficult to distinguish between the night
and a woman long-drowned in a pool!

The swooning of a flower can not compare
with the silence of her shut eyelids.

M. L.

EXALTACIÓN DE LAS MATERIAS ELEMENTALES

*(En desnudez intacta,
escalofrío, desmayo y sueño.
Debajo de sus senos nace un río
que olvida los temblores de su cuerpo).*

¿Te quieres dar a mí hasta palidecer
desmayada en la noche?
¿Y que tu cabellera encienda
los trópicos íntimos del amor?

¿Sentir la claridad del alba
anegada en tus senos?
¿Hundirte en mí,
en la temeraria orfandad de la sangre?

Yo sueño verte un día
desnuda de tallos y de aurora,
señalando la transformación de las esferas,
alta de mediodía, cenital y luminosa,
solitaria, única: ¡eterna rosa!

NOCTURNO

¡Cómo has podido entrar así, nebulosa,
en el silencio de esta noche vacía de amor,
rota de dolor,
a iluminar la soledad de mi vida!

Oculto estaba dentro de mí mismo,
sordo y perdido en la mina del odio.

Fué un suave rumor,
una mirada,
¡y me sangró la vida en lo interior!

XAVIER ABRIL

EXALTATION OF ELEMENTARY MATERIALS

(Complete in nakedness,
shiver, swoon and sleep.
Beneath her breasts a stream is born
which forgets the trembling of her body.)

Do you wish to give yourself to me until you lose colour
swooning in the night?
And until your hair sets on fire
the secret tropics of love?

To feel the clarity of dawn
drowned in your breasts?
To sink into me
in the foolhardy orphanhood of the blood?

I dream of seeing you one day
stripped of stems and of dawn,
marking the transformation of the spheres,
lofty with noon, at the zenith, luminous,
solitary, single: eternal rose!

H. R. H.

NOCTURNE

How HAVE you managed to enter so, like a mist,
into the silence of this night empty of love,
broken with grief,
bringing light into the loneliness of my life!

I was hidden within myself,
deaf and lost in the mine of hatred.

It was a gentle sound,
a look,
and my life drained away within me!

H. R. H.

VIENES EN LA NOCHE CON EL HUMO
FABULOSO DE TU CABELLERA

APARECES
La vida es cierta
El olor de la lluvia es cierto
La lluvia te hace nacer
Y golpear mi puerta
Oh árbol
Y la ciudad el mar que navegaste
Y la noche se abre a tu paso
Y el corazón vuelve de lejos a asomarse
Hasta llegar a tu frente
Y verte como la magia resplandeciente
Montaña de oro o de nieve
Con el humo fabuloso de tu cabellera
Con las bestias nocturnas en los ojos
Y tu cuerpo de rescoldo
Con la noche que riegas a pedazos
Con los bloques de noche que caen de tus manos
Con el silencio que prende a tu llegada
Con el trastorno y el oleaje
Con el vaivén de las casas
Y el oscilar de luces y la sombra más dura
Y tus palabras de avenida fluvial
Tan pronto llegas y te fuiste
Y quieres poner a flote mi vida
Y sólo preparas mi muerte
Y la muerte de esperar
Y el morir de verte lejos
Y los silencios y el esperar el tiempo
Para vivir cuando llegas
Y me rodeas de sombra
Y me haces luminoso

YOU COME IN THE NIGHT WITH THE
FABULOUS SMOKE OF YOUR HAIR

You appear
Life is certain
The smell of rain is certain
Rain gives birth to you
And makes you knock at my door
O tree
And the city the sea that you sailed upon
And the night opens at your step
And the heart peers out again from afar
Until it reaches your forehead
And sees you glittering like magic
Mountain of gold or of snow
With the fabulous smoke of your hair
With nocturnal beasts in your eyes
And your body of embers
With night that you sprinkle in fragments
With blocks of night that fall from your hands
With the silence that takes fire at your coming
With the upheaval and the surging
With the swaying of houses
And the oscillation of lights and the most solid shadow
And your words a street like a river
So quickly you come and you went away
And you seek to launch my life
And you only prepare my death
And the death from waiting
And the dying from seeing you far away
And the silences and the waiting for time
To live when you come
And you surround me with shadow
And you make me luminous

Y me sumerges en el mar fosforescente donde acaece
    tu estar
Y donde sólo dialogamos tú y mi noción oscura y pavorosa de
    tu ser
Estrella desprendiéndose en el apocalipsis
Entre bramidos de tigres y lágrimas
De gozo y gemir eterno y eterno
Solazarse en el aire rarificado
En que quiero aprisionarte
Y rodar por la pendiente de tu cuerpo
Hasta tus pies centelleantes
Hasta tus pies de constelaciones gemelas
En la noche terrestre
Que te sigue encadenada y muda
Enredadera de tu sangre
Sosteniendo la flor de tu cabeza de cristal moreno
Acuario encerrando planetas y caudas
Y la potencia que hace que el mundo siga en pie y guarda el
    equilibrio de los mares
Y tu cerebro de materia luminosa
Y mi adhesión sin fin y el amor que nace sin cesar
Y te envuelve
Y que tus pies transitan
Abriendo huellas indelebles
Donde puede leerse la historia del mundo
Y el porvenir del universo
Y ese ligarse luminoso de mi vida
A tu existencia

VISIÓN DE PIANOS APOLILLADOS
CAYENDO EN RUINAS

EL incesto representado por un señor de levita
Recibe las felicitaciones del viento caliente del incesto
Una rosa fatigada soporta un cadáver de pájaro

And you drown me in the phosphorescent sea where you
    happen to be
And where there is no speech but between you and my
    obscure and fearful notion of your being
Star issuing out in the apocalypse
Among howls of tigers and tears
Of joy and moaning for ever and for ever
Self-solace in the thin air
In which I seek to imprison you
And to roll down the slope of your body
Even to your sparkling feet
Even to the twin constellations of your feet
In the earthly night
That follows you enchained and dumb
Entangled in your blood
Supporting the dark crystal flower of your head
Aquarium enclosing planets and pontifical trains
And the power that makes the world follow afoot and keeps
    the balance of the seas
And your brain of luminous matter
And my endless adherence and the love that is ceaselessly born
And enfolds you
And that your feet travel upon
Opening indelible footprints
Where the history of the world can be read
And the future of the universe
And that luminous binding together of my life
With your existence

H. R. H.

VISION OF MOTH-EATEN PIANOS
FALLING TO PIECES

INCEST represented by a frockcoated gentleman
Receives the congratulations of the hot wind of incest
A fatigued rose supports the corpse of a bird

Pájaro de plomo dónde tienes el cesto del canto
Y las provisiones para tu cría de serpientes de reloj
Cuando acabes de estar muerto serás una brújula borracha
Un cabestro sobre el lecho esperando un caballero moribundo
        de las islas del Pacífico que navega en una tortuga
        musical divina y cretina
Serás un mausoleo a las víctimas de la peste o un equilibrio
        pasajero entre dos trenes que chocan
Mientras la plaza se llena de humo y de paja y llueve algodón
        arroz agua cebollas y vestigios de alta arqueología
Una sartén dorada con un retrato de mi madre
Un banco de césped con tres estátuas de carbón
Ocho cuartillas de papel manuscritas en alemán
Algunos días de la semana en cartón con la nariz azul
Pelos de barba de diferentes presidentes de la república del
        Perú clavándose como flechas de piedra en la calzada
        y produciendo un patriotismo violento en los enfer-
        mos de la vejiga
Serás un volcán minúsculo más bello que tres perros sedientos
        haciéndose reverencias y recomendaciones sobre la
        manera de hacer crecer el trigo sobre pianos fuera de uso

EL MUNDO ILUSTRADO

IGUAL que tu ventana que no existe
Como una sombra de mano en un instrumento fantasma
Con la misma igualdad con la continuidad preciosa que me
        asegura idealmente tu existencia
A una distancia
A la distancia
A pesar de la distancia
Con tu frente y tu rostro
Y toda tu presencia sin cerrar los ojos

Leaden bird where is your basket of song
And provisions for your brood of clock serpents
When you stop being dead you will be a drunken compass
A halter on the bed awaiting a moribund gentleman from the
    isles of the Pacific who sails on a musical turtle divine and
    cretinous
You will be a mausoleum for victims of the plague or a passing
    equilibrium between two trains in collision
While the square fills with smoke and straw and rains down
    cotton rice water onions and vestiges of high archaeology
A gilded frying-pan with my mother's portrait
A lawn settee with three charcoal statues
Eight sheets of paper written in German script
Some days of the week in cardboard with blue noses
Hairs from the beards of different presidents of the Republic
    of Peru nailing themselves like stone arrows into the
    causeway and producing a violent patriotism in those
    with ailing bladders
You will be a minuscule volcano more beautiful than three
    thirsty dogs bowing to one another and recommending a
    method of making wheat grow on disused pianos

M. L.

THE ILLUSTRATED WORLD

LIKE your window that does not exist
Like the shadow of a hand on a phantom instrument
With the same equality with the precious continuity that your
    existence ideally assures me of
At a distance
At the distance
In spite of the distance
With your forehead and your face
And your whole presence without closing the eyes

Y el paisaje que brota de tu presencia cuando la ciudad no era
      no podía ser sino el reflejo de tu presencia
      de hecatombe
Para mejor mojar las plumas de las aves
Cae esta lluvia de muy alto
Y me encierra dentro de tí a mí solo
Dentro y lejos de tí
Como un camino que se pierde en otro continente

CESAR MORO

And the landscape that blossoms from your presence when the
    city was not could not be anything but the reflection of
    your hecatomb presence
The better to moisten the plumage of birds
This rain falls from on very high
And shuts me up alone within you
Within and far from you
Like a road which is lost on another continent

M. L.

ANDANDO EL TIEMPO

ANDANDO el tiempo
los pies crecen y maduran
andando el tiempo
los hombres se miran en los espejos
y no se ven
andando el tiempo
zapatos de cabritilla
corriendo el tiempo
zapatos de atleta
cojeando el tiempo
con errar de cada instante y no regresar
alzando el dedo
señalando
apresurando
es el tiempo y no tiene tiempo
no tengo tiempo
mostrar la libreta
todo en orden
por aquí a la aventura silencio cerrado
por allá la descompuesta inmóvil móvil
ya llega y tarda
y se olvida
por acá con boca falsa y palabras de otra hora
el pañuelo nuevo y pronto
para el adiós
adiós y no ha llegado
esta es la señal
el tiempo
casi no es niño
pero flor no es
casi
cuando está sobre un árbol
se divisa el paisaje la estrella
los zapatos

EMILIO ADOLFO VON WESTPHALEN

AS TIME GOES ON

As TIME goes on
feet grow and mature
as time goes on
men look at themselves in mirrors
and do not see themselves
as time goes on
kidskin shoes
as time runs on
track shoes
as time limps on
with the straying of each instant and no returning
raising a finger
signaling
hastening
it is time and has no time
I have no time
show the passbook
all in order
this way to adventure locked silence
that way the run-down immobile mobile
already arrives and is late
and forgets
this way with mouth of falsity and words of another hour
the handkerchief new and quick
for goodbye
goodbye and it has not arrived
this is the signal
time
almost is not a child
but is no flower
almost
when it is over a tree
the landscape is perceived the star
shoes

osamentas de pescado
y el ojo llena el horizonte
el tiempo
aunque cojee y se hiera y se lamente
prohibido
no te hagas tan silencio
la nube sabe de otro lugar
son las escaleras que bajan
porque nadie sube
porque nadie muerde la nuca
sino las flores
o los pies llagados
andando y sangre de tiempo
gotas la lluvia el torrente
la mano llega
este es su destino
llegar el tiempo
se devuelve y usted sabe más
estaba junto al silencio
estaba con ojos pequeños
la mano a lo desierto
el pie a lo ignorado
indudable
los huesos prestados podían ser míos
si un leve signo no dijera
y no decía
alzada levantada
me doy a tu más leve giro
al amor de las pestañas
a lo no dicho
vértigo
te temía sin noche y sin día
aunque no regreses
por la marcha de mis huesos a una otra noche
por el silencio que se cae
o tu sexo

EMILIO ADOLFO VON WESTPHALEN

fish-skeletons
and the eye fills the horizon
time
even though it limps and hurts itself and bemoans itself
forbidden
do not make yourself so silence
the cloud knows of otherwhere
they are stairways that go down
since nobody comes up
since nobody bites the nape
except flowers
or wounded feet
as time bleeds on
drops the rain the torrent
the hand arrives
this is its destiny
time arriving
comes back and you know more
close to silence
with little eyes
hand in the deserted
foot in the unknown
indubitable
the lent bones could be mine
if an insignificant sign did not say
was not saying
raised lifted
I surrender to your most gentle gyre
to the love of eyelashes
to the unsaid
dizziness
I feared you without night and without day
although you do not return
in the march of my bones to another night
in the silence that falls
or your sex

H. R. H.

RAFAEL MENDEZ DORICH

LLEVABA LA LÁMPARA

Llevaba la lámpara:
—'¡Que no se apague nunca!'—decía
y la apretaba contra su pecho
y la lámpara más luz tenía.
—'¡Que no se apague nunca!'—El viento
tenazmente la zahería
y la luz de la lámpara le quemaba los ojos,
pero ella estaba contenta y reía:
—'¡Que no se apague nunca!'—decía,
y apretaba contra su pecho la lámpara encendida.

PORCELANA DEL NORTE

Pastora de porcelána, ante un rebaño de nieve,
una cestilla de mimbre tus manos sabias tejieron,
una cestilla de mimbre llena de luz y de viento
y lana de tu rebaño, Pastorcilla del Invierno.
Virgen de la noche clara, desposada de mi sueño,
florecen a la inocencia los azahares de tus senos.
De todas tus huellas han brotado azucenas
y tus palabras son palomas mensajeras,
pero, las esquilas húmedas de tus ojos siempre tristes,
acarician las llanadas donde pacen tus corderos
el alma de los almendros y el lino de tus cabellos.
Los Reyes del Crepúsculo han venido para la navidad de tus
      ojeras.

SHE WAS CARRYING THE LAMP

SHE was carrying the lamp:
'Let it never go out!' she said,
and she hugged it to her breast,
and the lamp burned brighter still.
'Let it never go out!' The wind
stubbornly rebuked her
and the light of the lamp burnt her eyes,
but she was gay and laughing:
'Let it never go out!' she said,
and hugged to her breast the lighted lamp.

D. D. W.

PORCELAIN OF THE NORTH

SHEPHERDESS of porcelain, facing a snowy flock,
your clever hands wove a wicker basket,
a wicker basket filled with light and wind
and wool from your flock, little Shepherdess of Winter.
Virgin of the clear night, bride of my dream,
the orange-blossoms of your breasts unfold in innocence.
Lilies have flowered from all your steps
and your words are homing pigeons;
yet your eyes are always sad; but their moist bells,
the soul of the almond trees and flax of your hair,
caress the meadows where your lambs are grazing.
The Kings of the Dusk have come for the birth of
   your eyes;

El Cordero Pascual bala en tu pecho y la Estrella Polar brilla
     en tu frente.
Tus manos se hicieron cunas para que la luna duerma.
Se ha bañado de pureza tu cabeza descubierta:
¡qué pronto has envejecido bajo esta lluvia de nieve!
Tú, que viniste pastora, te has convertido en oveja.
Melancólica zagala, pastorcilla del invierno:
cuando resucite el sol, se morirán tus corderos ...

LOS GATOS BLANCOS DE LA DUQUESA

Los GATOS blancos de la duquesa
ensimismados de luna ausente
hacen ovillos con las tanagras de porcelana.
Por las ventanas, abiertas siempre,
que, manoteando, cierra la noche muerta de fiestas,
como espirales de humo cansado
se van filtrando, perseguidores de su silencio,
largos y en fila, en vía láctea
para los sueños de la duquesa.
Los roedores de la mañana, como taladros fosforescentes,
se esconden bajo los suaves párpados de la duquesa
y, sigilosos, van horadando
el noble pecho de la durmiente.
Los gatos blancos arañan, locos, la sombra densa
y rasgan todos los estertores de la tiniebla
y, poco a poco, se van abriendo
los suaves párpados de la duquesa.
Y luego, lentos, como camellos
en caravana de mercaderes, hacia el Oriente,
siempre en hilera, meditabundos,
como una huella larga de nieve
se van pausados los gatos blancos de la duquesa ...

the Paschal Lamb bleats in your breast and the North Star
    shines on your brow.
Your hands are cradles to rock the moon to sleep.
Your bare head has been bathed in purity:
how quickly you have aged beneath this rain of snow!
You, who came as a shepherdess, have hair as white as wool.
Melancholy lass, little shepherdess of winter,
when the sun revives, your lambs will die . . .

                          D. D. W.

THE DUCHESS'S WHITE CATS

THE white cats of the duchess,
tranced by the absent moon,
lie curled about the Tanagra figurines.
Through the ever open windows
that night, dead with revelry, is closing with a wave of its
        hands,
like spirals of weary smoke
they filter, intent on their silence,
in a long line, a Milky Way
for the duchess's dreams.
The gnawers of the morning, like phosphorescent drills,
hide beneath the duchess's smooth eyelids
and stealthily bore
into the sleeper's aristocratic breast.
The white cats claw crazily at the thick shadow
and tear out all the dying gasps of darkness,
and little by little,
the duchess's smooth eyelids gently open.
And then, slowly, like camels
in a caravan of merchants, toward the Orient,
always in line, contemplative,
like a long snowy footprint,
the duchess's white cats go their stately way . . .

                          D. D. W.

ALEGORÍA DEL TORMENTO

Entre la vida y la imagen de la vida, combatiendo,
mi corazón,
como un animal rojo, bramando, escarbando lo sagrado,
      gritando tierra y cosas,
su drama eterno de guerrero,
contra el error y el terror, desplazándose ...

Ahora, con ancho látigo, azota el mito mi certeza,
mientras la sociedad me inunda y mi zapato contra el océano
      batalla, mientras dá águilas mi enigma,
y va a estallar el sol del yo, crujiendo,
mientras la materia relampaguea en todo lo alto de mi pecho,
mientras crece el presente su árbol,
mientras la ciudad boreal asoma su paloma de substancia.

Arrasar la personalidad abstracta, la idolatría mítica,
el drama tremendo, las chimeneas de la anarquía, cielos
      negros con cemento, reconstruyendo,
y al abismo entre el ser y su ímpetu, arrojar todas las murallas.

Parado sobre sepulcros, en central ciudad de desorden,
busco mi flor de pólvora,
mi caballo muerto entre hierros, sin escudos, sin palancas,
la eficiente cantidad de fusiles rojos,
el volumen del hecho del subsuelo del sueño, hinchando sus
      velámenes,
la fruta de la realidad abierta y espantosa
como montaña, como hueso, como paloma o lenguaje.

ALLEGORY OF TORMENT

BETWEEN life and life's image, battling,
my heart,
like a red animal, roaring, scratching at what is holy,
    screaming earth and objects,
its eternal warrior-drama,
against error and terror, displacing itself . . .

Now, with a broad whip, the myth lashes my assurance,
while society whelms me and my shoe battles against the
    ocean, while eagles spring from my enigma,
and that sun which I am goes on to explode, crackling,
while matter flashes on the heights of my chest,
while the present flourishes, its tree,
while the boreal city puts forth its dove of substance.

To raze abstract personality, mythical idolatry,
the tremendous drama, chimneys of anarchy, black cemented
    skies, reconstructing,
and to cast into the abyss all the walls between being and its
    impulse.

Standing upon sepulchres, in the central city of disorder,
I seek my flower of dust,
my horse dead among swords, without shields, without
    stockades,
the effective quantity of red rifles,
the volume of the event from the subsoil of sleep, swelling its
    sails,
the fruit of reality, open and horrible,
like mountain, like bone, like dove or language.

Ser, en vértice, agrandando lo cotidiano con relámpagos,
es decir, viviendo lo enigmático,
sembrar la verdad en la incógnita y los hermosos ríos del fluir,
    entre sus montañas.

No es existir en función—religión de la idea;
de llamas y frutas de piedra, sí,
acumulando la ansiedad vital entre tres paredes, cerrando
todo lo poroso y de penumbra;
mi alma y su servicio social, que es su verdad, y su culebra, y su
    pantera, y sus leones,
porque lo tremendo, pero lo cierto, es lo concreto;
tenaz, acerbo, fatal, lleno de saliva y ladrillos de iglesia,
el camino del hombre y su gramática,
cuando de mesas de palo está nutrido, estalla y comienza el
    génesis.

Síntesis de los caballos encadenados,
espuma de hierro de cielo o acento de la marea sublimatoria
    del individuo contra el universo,
no soy yo, sino lo heroico y sus chacales
mordiendo el número burgués, lo metafísico, el ámbito de
    hijos de la tiniebla,
enredando la personalidad, creando la celestial araña de
    palabras, creando
el enigma y sus ángeles de sangre.

Por eso, aquello, todo lo rojo del ímpetu, aquel extraordinario
    afán sintético,
deviene fuego sublime, mano y cuchilla de oro,
y arranca el espíritu del rodaje, como del rodaje el
    imponderable alarido de poderío;
ya la heroicidad comunista, su estrella de trabajo,
océano de heroísmo soviético, organismo materialista, en las
    águilas histórico-dialécticas resonando
y levantando los puñados de la existencia.

To be, at the vortex, enlarging the quotidian with lightnings,
that is to say, living by the enigmatical,
to sow truth in the unknown and the beautiful rivers of flux
    between its mountains.

This is not existence in operation—cult of the idea;
of flames and stone fruits, yes,
accumulating vital anxiety within three walls, locking up
all that is porous and shadowy;
my soul and its social usefulness, which is its truth, and its
    serpent, and its panther, and its lions,
since what is tremendous, but certain, is what is concrete;
tenacious, sharp, fatal, full of saliva and church-wall bricks,
man's road and grammar,
when nourished on wooden tables, explodes: and genesis
    begins.

Synthesis of enchained horses,
foam of iron from the sky or accent of the sublimatory tide of
    the individual against the universe,
it is not I, but the heroic and its jackals
gnawing the burgeois numeral, the metaphysical, the realm of
    the sons of darkness,
entangling the personality, creating the celestial spider of
    words, creating
the enigma and its angels of blood.

For that very reason, all the redness of impetus, that extraor-
    dinary synthetic yearning
becomes sublime fire, hand and knife of gold,
and wrests the spirit from the gears, as from gears it wrests the
    immeasurable shout of power:
Communist heroism now, its star of labour,
ocean of Soviet heroism, materialist organism resounding in
    the historico-dialectical eagles,
and raising fistfuls of existence.

Sí, nó el profeta, nó el iluminado,
nó el terrible megalómano de metáforas, salteando los potros
heroicos,
nó,
adentro de la historia, haciendo la historia, expresando lo que
fluye, sucede y gravita,
contra mis símbolos, azotándome, desgarrándome,
en virtud de la verdad marxista, colectivamente, la dinamita
de mi ser estalla.

Ah yes, not the prophet, not the enlightened one,
not the terrible megalomaniac of metaphors, stealing heroic
  colts,
no,
within history, making history, expressing what flows, happens, and gravitates,
against my symbols, lashing me, rending me,
by virtue of Marxist truth, collectively, the dynamite of my
  being explodes.

                H. R. H.

'LAS PERSONAS MAYORES'

Las personas mayores
¿a qué hora volverán?
Da las seis el ciego Santiago,
y ya está muy oscuro.

Madre dijo que no demoraría.

Aguedita, Nativa, Miguel,
cuidado con ir por ahí, por donde
acaban de pasar gangueando sus memorias
dobladoras penas,
hacia el silencioso corral, y por donde
las gallinas que se están acostando todavía,
se han espantado tanto.

Mejor estemos aquí no más.
Madre dijo que no demoraría.

Ya no tengamos pena. Vamos viendo
los barcos ¡el mío es más bonito de todos!
con los cuales jugamos todo el santo día,
sin pelearnos, como debe de ser:
han quedado en el pozo de agua, listos,
fletados de dulces para mañana.

Aguardemos así, obedientes y sin más
remedio, la vuelta, el desagravio
de los mayores siempre delanteros

CESAR VALLEJO

'THE GROWN-UPS'

THE grown-ups—
what time will they get back?
Blind Saint James is striking six,
and it's already very dark.

Mother said she wouldn't stay long.

Little Agatha, Nativa, Michael,
be careful of going where
the double toll of punishment has just passed
whining its memories,
toward the silent yard, toward where
the hens, who are still going to bed,
have had such a fright.

We're better off right here.
Mother said she wouldn't stay long.

And let's not be sad any more. Let's go
looking at the boats (mine's the prettiest of all!)
which we've been playing with the whole blessed day,
without squabbling, as it ought to be:
they're still there in the water-hole, ready,
freighted with treats for tomorrow.

And let's wait like this, obedient, with nothing
we can do about it, till the grown-ups come back
and make it up to us: the grown-ups who always come first,

dejándonos en casa a los pequeños,
como si también nosotros no pudiésemos partir.

Aguedita, Nativa, Miguel?
Llamo, busco al tanteo en la oscuridad.
No me vayan a ver dejado solo,
y el único recluso sea yo.

'DOBLA EL DOS DE NOVIEMBRE'

Dobla el dos de Noviembre.

Estas sillas son buenas acojidas.
La rama del presentimiento
va, viene, sube, ondea sudorosa,
fatigada en esta sala.
Dobla triste el dos de Noviembre.

Difuntos, qué bajo cortan vuestros dientes
abolidos, repasando ciegos nervios,
sin recordar la dura fibra
que cantores obreros redondos remiendan
con cáñamo inacabable, de innumerables nudos
latientes de encrucijada.

Vosotros, difuntos, de las nítidas rodillas
puras a fuerza de entregaros,
cómo aserráis el otro corazón
con vuestras blancas coronas, ralas
de cordialidad. Sí. Vosotros, difuntos.

Dobla triste el dos de Noviembre.
Y la rama del presentimiento
se la muerde un carro que simplemente
rueda por la calle.

leaving us little ones behind at home
as though we too couldn't go out.

Little Agatha, Nativa, Michael?
I'm calling you, I'm feeling around in the darkness.
Don't go away and leave me all alone
to be the only one shut in.

D. D. W.

'THE SECOND OF NOVEMBER TOLLS'

THE second of November tolls.

These chairs are a place of refuge.
The branch of foreboding
comes and goes, rises, and steaming sways
wearied in this room.
Sadly tolls the second of November.

You dead, how deep your abolished teeth
cut, passing over blind nerves,
forgetful of the tough fibre
that plump singing workers mend
with endless hemp and with innumerable
fluttering crisscross knots.

You, the dead, with bare knees
pure by dint of surrender:
how you hack at the other heart
with your white crowns, sparing
of your cordiality. Yes. You, the dead.

Sadly tolls the second of November.
And the branch of foreboding
is bitten by a simple cart
rolling through the street.

D. D. W.

'SI LLOVIERA ESTA NOCHE'

Si lloviera esta noche, retiraríame
de aquí a mil años.
Mejor a cien no más.
Como si nada hubiese ocurrido, haría
la cuenta de que vengo todavía.

O sin madre, sin amada, sin porfía
de agacharme a aguaitar al fondo, a puro
pulso,
esta noche así, estaría escarmenando
la fibra védica,
la lana védica de mi fin final, hilo
del diantre, traza de haber tenido
por las narices
a dos badajos inacordes de tiempo
en una misma campana.

Haga la cuenta de mi vida
o haga la cuenta de no haber aún nacido,
no alcanzaré a librarme.

No será lo que aún no haya venido, sino
lo que ha llegado y ya se ha ido,
sino lo que ha llegado y ya se ha ido.

LA ARAÑA

Es una araña enorme que ya no anda;
una araña incolora, cuyo cuerpo,
una cabeza y un abdomen, sangra.

Hoy la he visto de cerca. Y con qué esfuerzo
hacia todos los flancos

'IF IT RAINED TONIGHT'

If it rained tonight, I should retreat
a thousand years away.
Or better, just a hundred.
As if nothing had happened, I should dream
that I am still to come.

Or without mother, without mistress, with no urge
to crouch down here on watch,
clinging to
a night like this, I should be untangling
the Vedic fibre,
the Vedic skein of my final end, devil's
thread, with a look of having held
by the nose
two jangling clappers of time
           in one single bell.

Whether I dream my life
or dream that I am not yet born,
freedom is beyond my reach.

It will not be what is still to come, but
what has come and is now gone,
but what has come and is now gone.

                        D. D. W.

THE SPIDER

It is a huge spider that can not crawl farther;
a spider drained of colour, whose body,
all head and abdomen, bleeds.

Today I watched it close. With what effort
toward every side

435

sus pies innumerables alargaba.
Y he pensado en sus ojos invisibles,
los pilotos fatales de la araña.

Es una araña que temblaba fija
en un filo de piedra;
el abdomen a un lado,
y al otro la cabeza.

Con tantos pies la pobre, y aún no puede
resolverse. Y, al verla
atónita en tal trance,
hoy me ha dado qué pena esa viajera.

Es una araña enorme, a quien impide
el abdomen seguir a la cabeza.
Y he pensado en sus ojos
y en sus pies numerosos...
¡Y me ha dado qué pena esa viajera!

HECES

Esta tarde llueve, como nunca; y no
tengo ganas de vivir, corazón.

Esta tarde es dulce. Porqué no ha de ser?
Viste gracia y pena; viste de mujer.

Esta tarde en Lima llueve. Y yo recuerdo
las cavernas crueles de mi ingratitud;
mi bloque de hielo sobre su amapola,
más fuerte que su 'No seas así!'

Mis violentas flores negras; y la bárbara
y enorme pedrada; y el trecho glacial.
Y pondrá el silencio de su dignidad
con óleos quemantes el punto final.

436

it put out its innumerable feet.
And I have been thinking of its invisible eyes,
the fatal pilots of the spider.

It is a spider which trembling was fixed
upon the sharp edge of a stone;
its abdomen on one side,
and on the other its head.

With all the feet the poor thing has, it still can not
make up its mind. And, on seeing it
dazed at so tense a time,
what a pang that traveler has given me today.

It is a huge spider, whose abdomen
prevents it from following its head.
And I have been thinking of its eyes
and of its numerous feet. . . .
And what a pang that traveler has given me!

D. D. W.

DREGS

THIS afternoon it is raining as never before, and I,
my heart, have no desire to live.

This afternoon is sweet. Why shouldn't it be?
It is dressed in grace and sorrow; dressed like a woman.

It is raining this afternoon in Lima. And I remember
the cruel caverns of my ingratitude;
my block of ice crushing her poppy,
stronger than her 'Don't be like this!'

My violent black flowers; and the barbarous
and enormous stoning; and the glacial interval.
And the silence of her dignity will mark
in burning oils the final period.

Por eso esta tarde, como nunca, voy
con este buho, con este corazón.

Y otras pasan; y viéndome tan triste,
toman un poquito de tí
en la abrupta arruga de mi hondo dolor.

Esta tarde llueve, llueve mucho. ¡Y no
tengo ganas de vivir, corazón!

ESPAÑA, APARTA DE MÍ ESTE CÁLIZ

Niños del mundo,
si cae España—digo, es un decir—
si cae
del cielo abajo su antebrazo que asen,
en cabestro, dos láminas terrestres;
niños, ¡qué edad la de las sienes cóncavas!
¡qué temprano en el sol lo que os decía!
¡qué pronto en vuestro pecho el ruido anciano!
¡qué viejo vuestro 2 en el cuaderno!

Niños del mundo, está
la madre España con su vientre a cuestas;
está nuestra maestra con sus férulas,
está madre y maestra,
cruz y madera, porque os dió la altura,
vértigo y división y suma, niños;
está con ella, padres procesales!

Si cae—digo, es un decir—si cae
España, de la tierra para abajo,

And so this afternoon, as never before, I go
with this owl, with this heart.

And other women pass; and seeing me so mournful,
they take a little of you
from the grim convolution of my pain.

This afternoon it is raining, pouring. And I,
my heart, have no desire to live!

M. L.

SPAIN, TAKE FROM ME THIS CUP

CHILDREN of the world,
if Spain falls—I say, if it should happen—
if they tear
down from the sky her forearm, held
in a halter by two terrestrial rings:
children, what an age of hollowed temples!
How soon the sun will bring what I foretold!
How quick in your breast the ancient shouting!
How lost the B+ in your notebook!

Children of the world,
Mother Spain sweats with weariness;
our teacher with her ferules,
our mother and mistress,
our cross and our wood, for she gave you height,
dizziness and division and addition, children;
she is hard pressed, fathers of tomorrow!

If she falls,—I say, if it should happen—if
Spain falls, from earth downward,

niños, ¡cómo vais a cesar de crecer!
¡cómo va a castigar el año al mes!
¡cómo van a quedarse en diez los dientes,
en palote el diptongo, la medalla en llanto!
¡Cómo va el corderillo a continuar
atado por la pata al gran tintero!
¡Cómo vais a bajar las gradas del alfabeto
hasta la letra en que nació la pena!

Niños,
hijos de los guerreros, entretanto,
bajad la voz, que España está ahora mismo repartiendo
la energía entre el reino animal,
las florecillas, los cometas y los hombres.
¡Bajad la voz, que está
con su rigor, que es grande, sin saber
qué hacer, y está en su mano
la calavera hablando y habla y habla,
la calavera, aquélla de la trenza,
la calavera, aquélla de la vida!

¡Bajad la voz, os digo;
bajad la voz, el canto de las sílabas, el llanto
de la materia y el rumor menor de las pirámides, y aun
el de las sienes que andan con dos piedras!
¡Bajad el aliento, y si
el antebrazo baja,
si las férulas suenan, si es la noche,
si el cielo cabe en dos limbos terrestres,
si hay ruido en el sonido de las puertas,
si tardo,
si no veis a nadie, si os asustan
los lápices sin punta, si la madre
España cae—digo, es un decir—
salid, niños del mundo; id a buscarla! . . .

children, then you will grow no more!
Then the year will punish the month!
Then the teeth in your mouth will stop with ten,
the diphthong will end on a downstroke, the medal in tears!
The little primer lamb will be left
in the big inkwell, unread, unwritten!
You will go down the steps of the alphabet
as far as the letter at which pain was born!

Children,
sons of warriors, meanwhile
hush your voices, for Spain even now is parting
her strength among the animal kingdom,
the little flowers, the comets, and man.
Hush your voices, for she is
in agony, great agony, not knowing
what to do, and in her hand
is the talking skull that talks and talks,
the skull with braided hair,
the skull of life!

Hush your voices, I tell you;
hush your voices, the chanting of syllables, the wailing
of lessons and the minor murmur of the Pyramids, and even
that of your temples which throb with two stones!
Hush your breath, and if
her forearm falls,
if the ferules rap, if night comes,
if the sky is contained in two terrestrial limbs,
if there is a creaking in the sound of doors,
if I am late,
if you see no one, if you are frightened
by pencils without points, if Mother
Spain falls—I say, if it should happen—
go forth, children of the world; go and seek her!

D. D. W.

OLIVERIO GIRONDO

CALLE DE LAS SIERPES

Una corriente de brazos y espaldas
nos encauza
y nos hace desembocar
bajo los abanicos,
las pipas,
los anteojos enormes
colgados en medio de la calle:
únicos testimonios de una raza
desaparecida de gigantes.

Sentados al borde de las sillas,
cual si fueran a dar un brinco
y ponerse a bailar,
los parroquianos de los cafés
aplauden la actividad del camarero,
mientras los limpiabotas les lustran los zapatos
hasta que pueda leerse
el anuncio de la corrida del domingo.

Con sus caras de mascarón de proa,
el habano hace las veces de bauprés,
los hacendados penetran
en los despachos de bebidas,
a muletear los argumentos
como si entraran a matar;
y acodados en los mostradores,
que simulan barreras,
brindan a la concurrencia
el miura disecado
que asoma la cabeza en la pared.

OLIVERIO GIRONDO

LAS SIERPES STREET

A STREAM of arms and backs
is our channel
that spews us forth
beneath the fans,
the pipes,
the huge eyeglasses
hanging over the middle of the street:
sole witnesses to a race
of giants now no more.

Seated on the edge of their chairs
as if they were about to give a bound
and break into dancing,
the café customers
speed on the waiter with hand-clapping,
while bootblacks shine their shoes
until one can read in them
the announcement of Sunday's bull-fight.

With their ship's-figurehead faces—
cigars serving as bowsprits—
the rich farmers barge into
the drinking-places
to brandish arguments
as though they were going in for the kill;
and leaning with their elbows on the counters
that ape the ring-side barricades
they drink their challenging toasts
to the stuffed Miura bull
who pokes his head out from the wall.

Ceñidos en sus capas, como toreros,
los curas entran en las peluquerías
a afeitarse en cuatrocientos espejos a la vez,
y cuando salen a la calle
ya tienen una barba de tres días.

En los invernáculos
edificados por los círculos,
la pereza se da
como en ninguna parte
y los socios la ingieren
con churros o con horchata,
para encallar en los sillones
sus abulias y sus laxitudes de fantoches.

Cada doscientos cuaranta y seis hombres,
trescientos doce curas
y doscientos noventa y tres soldados,
pasa una mujer.

OLIVERIO GIRONDO

Girdled in their capes, like bullfighters,
the priests come into the barber shops
to be shaved in four hundred mirrors at once,
and when they go out into the street again
they are already wearing a three-days' beard.

In the conservatories
built by the clubs
you can find laziness
as nowhere else:
the members swallow it down
with fritters and cold drinks,
leaving stranded in deep armchairs
their puppetlike stupor and spinelessness.

Every two hundred forty six men,
three hundred twelve priests
and two hundred ninety three soldiers,
a woman passes by.

M. B. D.

CANCIONCILLA EN EL AIRE

(Málaga)

SALE esta mañana el aire
con su caracol rosado.
Cuatro ángeles mofletudos
los vientos están soplando.
Sale esta mañana el aire
enhiesto y empavesado.

Aire que vuela, que vuela,
aire del cielo.

Vuela y sopla el aire fresco
que va empujando, empujando
las largas velas, las largas
jarcias del velero barco.
Geográfico vientecillo
por mar y cielo azulados.

Aire que pasa, que pasa,
aire del mar.

Vamos de la mano
por el agro llano,
entre el aire vasto
del campo aromado,
a la negra sombra
que nos brinda el árbol.

Aire que rasa, que rasa,
aire del campo.

Aire, sólo aire,
sin tiempo ni espacio,
sin mar y sin cielo,

LITTLE SONG IN THE AIR

(Málaga)

THE air comes forth this morning
with its rosy conch.
Four chubby angels
are puffing the winds.
The air comes forth this morning
sailing high with all flags flying.

Flying, flying air,
air of the sky.

The cool air flies and puffs,
it goes pushing, pushing
the long sails, the long
rigging of the swift boat.
Geographic little wind
through the azure sea and sky.

Passing, passing air,
air of the sea.

We go hand in hand
through the level field,
amid the vast air
of the fragrant countryside,
to the black shade
proffered by the tree.

Skimming, skimming air,
air of the open fields.

Air, only air,
without time or space,
without sea, without sky,

447

sin monte ni campo;
aire que atraviesa
para ningún lado;
aire puro, sólo,
por la tierra y alto,
tan fuera del mundo,
tan sencillo y llano,
que es el aire único
fino, lento, largo.

Aire, sólo aire.

QUEJA DEL PERDIDO AMOR

En el pozo se cayó una tarde.
¡Ay de mí, quién la sacará!

La sortija de dos cifras
perdido se me ha;
con ella se me fueron
un lloro y un cantar.
Se me perdió la suerte,
no la he vuelto a encontrar,
aquí estoy noche y día
al borde del brocal.

En el pozo se cayó una tarde.
¡Ay de mí, quién la sacará!

Mi sortija, la mía,
era mi compañera,
a volver a encontrarla
las cosas que yo diera,
de volver a tenerla
un momento siquiera,
de llevarla en mi mano
lo que yo la dijera;

without mountain or field;
air traversing
to neither side;
pure air, only,
on the ground and on high,
so outside the world,
so simple, so plain,
that it is the only air,
fine, slow, prolonged.

Air, only air.

D. D. W.

LAMENT FOR LOST LOVE

IT dropped into the well one evening.
Oh dear! Who'll get it out?

My double-lettered ring,
I've lost it now;
and with it went
tears and a song.
I've lost my luck,
I've not found it again,
and I'm here night and day
at the curb of the well.

It dropped into the well one evening.
Oh dear! Who'll get it out?

My ring, mine,
it was my playmate;
what wouldn't I give
to find it again!
If I could have it
for just one moment
to wear on my hand,
the things that I'd tell it!

era toda de plata
mi sortija primera,
pero tánto valía
como puede cualquiera.

En el pozo se cayó una tarde.
¡Ay de mí, quién la sacará!

Sin duda quiso verse
en el espejo negro
que en el fondo del pozo
lanzaba sus destellos;
quiso mirar acaso
su profundo misterio
presentido en el agua
por fugaces reflejos;
o pudo emocionarse
al oír un lamento
que subió como el hilo
de la queja de un eco.

¡Qué diera por alcanzarla
para volverla a llevar!
¡Tortuga que estás adentro,
subelá!

En el pozo se cayó una tarde.
¡Ay de mí, quién la sacará!

PARÁFRASIS DE HORACIO

Od. ad Tyndaridem

PREFIEREN a su monte Liceo
los faunos que sólo sestean en Mallarmé,
un ameno agro del Lucretilo
en donde los chivos de barbas israelitas

It was all of silver,
my very first ring,
but as precious to me
as any can be.

It dropped into the well one evening.
Oh dear! Who'll get it out?

I'm sure it tried to look
in the black mirror
that from the well-bottom
was lancing its light;
or perhaps to watch
its deep mystery
foretold in the water
by fleeting reflections;
or it may have been touched
upon hearing a sigh
that came up like the thread
of an echo's lament.

What I'd give to find it,
to wear it again!
You turtle down there,
bring it up!

It dropped into the well one evening.
Oh dear! Who'll get it out?

D. D. W.

PARAPHRASE OF HORACE

Ode ad Tyndaridem (Lib. I, Carm. 17)

RATHER than their Mount Lycæus
the fauns who only nap in Mallarmé
prefer a pleasant field near Lucretilis
where Hebraically bearded goats

encuentran ventilador para el verano
y paraguas para los chubascos.

Las hembras infieles
al brincador marido
vienen libremente a mi bungalow,
al almuerzo de ensalada de tomillo,
siempre desconfiando de hallarse invitados
a la culebra de robe verde Patou
y al lobo de militares instintos.

Después del café el concierto ¡oh Tíndaris!
El ¡lagarto-lagarto! dice en su flauta
un andante spianato del Nótico.

¡Cuán dulce sentirse cuidado por los dioses!
¡Piedad y poesía me atraen su beneficio!

Ya se vé la protección que te brinda
ia buena suerte de la lotería,
cuyas fanegas de maíz te permiten
la decadencia veraniega en Ostende
y aun te dejan tus ratos libres
para pulsar la cuerda Teia
y cantar dos cosas a Penélope
y a la calumniada hechicera Circe,
además de catar un Lesbos
de 160 años antes de Jesucristo,
sin que el perturbador hijo de Sémele
te infunda irritadas empresas,
ni el áspero Cyro el chismorreo,
engreído por haberte levantado la mano,
para ratearte la vegetal corona
y tu gabardina muy sport.

find summer ventilation
and umbrellas for the showers.

The wives unfaithful
to their bucking husband
come freely to my bungalow,
to my thyme salad luncheon,
always apprehensive lest they find among the guests
the snake with the Patou green frock
and the wolf with a military urge.

After coffee comes the concert, O Tyndaris!
The 'Ware-the snake! sings on his flute
an *Andante Spianato* from the 'Notic'.

How sweet to be looked after by the Gods!
My piety and poetry procure me their favour!

See now the protection thrust upon you
by your good luck in that lottery
whose bushels of grain permit you
a summery decadence in Ostend
and even leave you your free moments
in which to pluck the Anacreontic strings
and sing a selection or two for Penelopê
and that calumniated witch of a Circê,
besides sampling a wine from Lesbos
bottled in 160 B.C.—
without having Semelê's rambunctious son
inflaming you with ticklish projects,
or brutish Cyrus promoting gossip,
puffed up with having raised his hand
to filch from you your vegetable crown
and your sporty gabardine.

D. D. W.

SILVINA OCAMPO

PALINURA INSOMNE

'*nudus in ignotâ, Palinure, jacebis harenâ*'

Las olas y las algas y las alas,
los caracoles rotos y sonoros,
la sal y el yodo, las tormentas malas,
los delfines inciertos y los coros

de sirenas cansadas de cantar,
no te reemplazarán las tierras suaves
donde vagabas con el quieto andar
que aleja siempre a las profundas naves.

Palinuro: tu rostro clausurado
y marítimo ofrece a la serena
noche insomnios. Desnudo y acostado

perpetuarás tus muertes en la arena,
y crecerán con distracción de piedra
tus uñas y tu pelo entre la hiedra.

SILVINA OCAMPO

SLEEPLESS PALINURUS

'*nudus in ignotâ, Palinure, jacebis harenâ*'

THE wings the seaweed and the waves,
the broken and sonorous shells,
the salt foam when the whirlwind raves,
the flickering dolphins, the chorals

of sirens weary of their song—
these will not take the place of lands
where once you wandered, peaceful, strong
to keep the deep ships from those strands.

Your maritime and cloistered face,
O Palinurus, teases night
awake. But you in naked sleep

die ever in a sandy place:
your living nails and hair will creep,
senseless as stone, through ivy bright.
                    D. F.

RAFAEL MAYA

ALLÁ LEJOS

Hiéreme, ¡oh muerte!
Cóge la flor abierta
de mis años. No dejes
que envejezca. Vén pronto.
Rómpe la hélice roja
de mi ambicioso corazón en pleno
volar sobre los curvos horizontes.
Paralíza mis brazos
que hunden el remo en las doradas aguas
del tiempo. Ata mis plantas
manchadas con la sangre del racimo
carnal. Apága el ritmo
de mis arterias cuyo golpe hiere,
en la noche de insomnio, mis oídos
con un rumor de agua subterránea.
Fájame con tu venda
como a un niño, y entrégame a los brazos
de la oscura nodriza que alimenta
las ávidas raíces de los árboles.
No ver la luz, no ver la luz creadora
que saca de su abismo inagotable
las infinitas formas de la vida.
No atisbar el espacio
que se puede beber con la mirada
como una copa azul llena de espumas.
No ver un rostro humano
ni oír una palabra.
Hiéreme, ¡oh muerte!

FAR OVER YONDER

WOUND me, O Death!
Gather the open flower
of my years. Let it not
age. Come soon.
Break the crimson coil
of my ambitious heart in full
flight over the curved horizons.
Paralyze my arms
that dip the oar in the golden waters
of time. And bind my feet
stained with the blood of the carnal
grape-cluster. Quench the rhythm
of my arteries whose beat wounds,
in the sleepless night, my ears
with a rumour of underground water.
Bandage me
like a child, and deliver me to the arms
of the dark wet-nurse who suckles
the hungry roots of the trees.
Not to see the light, the creative light
that draws from its inexhaustible depths
the infinite forms of life.
Not to stare into space
potable to the gaze
like a blue cup full of foam.
Never to see a human face,
never to hear a word.
Wound me, O Death.

Ni el dulce mar en que naufragan tántas
riquezas, y que guarda entre sus aguas
fabulosas ciudades,
hundidas como fúnebres navíos
con sus copas de oro
y sus lechos cargados de mujeres.
Ni el mismo cielo eterno que sustenta
la arquitectura móvil de las nubes,
y traza la remota geometría
de las constelaciones misteriosas.
Ni el cuerpo adolescente
de una doncella, apenas sombreado
en sus pliegues recónditos por una
vegetación de suave terciopelo.
Nada podrá ligarme a la ribera
terrestre.

Vén! oh muerte!

Quiero bajar los húmedos peldaños,
afelpados de musgo, de la estrecha
galería que lleva hasta tu cripta
donde espera la esfinge somnolienta
coronada de rosas inmortales.
Allí, al fulgor de las marchitas lámparas
que filtran una aurora penumbrosa
a través de los grises alabastros,
repasaré la escena multiforme
de mi vida, los rostros conocidos,
y la imagen dorada de unos campos
que florecen aún, bajo otros cielos,
perdidos en el tiempo y la memoria.

Neither the gentle sea, wrecker of many
riches, keeping beneath its waters
fabulous cities
drowned, like funeral vessels
with their cups of gold
and their couches laden with women.
Nor the same sky forever that sustains
clouds' mobile architecture,
tracing the distant measure
of mysterious constellations.
Nor the adolescent body
of a young girl, just shaded
along its hidden creases
by a soft velvet down.
Nothing can bind me to this shore
of earth.

Come, O Death!

I would descend the dank stairs,
carpeted with moss, of the narrow
gallery that leads to your crypt
where the drowsy sphynx is waiting
crowned with immortal roses.
There, in the glimmer of the fading lamps
that filter a shadowy dawn
through the grey alabaster,
I will review the multiple scene
of my life, the faces known,
the golden image of certain fields
still blooming, under other skies,
lost in time and memory.

R. H.

LES MANGOS

NE pourrais-je, pour t'enivrer du vin des choses,
T'offrir un bouquet pâle où défaillent des roses?
Un poème qui plaît par ses rythmes égaux?
Or, je t'envoie une corbeille de mangos.

Le désir pend à leur chair blonde, ardemment blonde,
La saveur du terroir s'y révèle profonde.
Leur ténébreux parfum de camphre ou de muscat
S'infiltre jusqu'en l'âme à travers l'odorat.

Et ces mangos de miel qui pavoissaient la haie,
Ils sentent l'ombre noire, ils sentent le soleil,
Ils sentent une haleine énamourante et vraie.

Dans le verger qui saigne en son manteau vermeil
La mangue couleur d'or passe en douceur première
Nos fruits royaux gorgés de sève et de lumière!

THE MANGOES

To intoxicate you with the wine of things,
Might I not offer you a pale bouquet where roses fail?
A poem pleasing in its even rhythms?
I send you then a basket full of mangoes.

Desire clings to their yellow tawny flesh.
The savour of the soil lies deep within them.
Their dusky tang of camphor or of muscatel
Filters scent-borne into the very soul.

And these mangoes, honey-sweet, that decked the hedge,
They are fragrant with black shadow, with the sun,
Fragrant with a true and love-provoking breath.

In the orchard that bleeds in its vermilion cloak
The golden mango surpasses in prime sweetness
Our royal fruits swollen with juice and light!

                                              D. D. W.

EL INSTANTE

SENTÍ que algo hacia el silencio
de la muerte, descendía.
Algo profundo, y tan mío,
como lo es mi sangre misma.
Tuve pavor de estar vivo,
y de hallarme en agonía;
y en aquel instante inmenso
de negación infinita,
al pecho llevé las manos,
por saber lo que perdía.
Pero hallé mi fuerza intacta
y mi voluntad activa;
y ardiendo en sus soledades
como entre llamas divinas,
mi corazón traspasado
por siete espadas de vida.

LA LEJANÍA

NADA de ti. Tu sér es semejante
a un jardín clausurado que visita
por las tardes el ánima infinita,
inmersa en los silencios del instante.

Trémulas hojas, viento delirante
huyen por el jardín en que gravita
como una pena abscóndita y maldita,
clavada en la sombra sollozante.

THE MOMENT

I KNEW that an essence, close
to the silence of death, came down:
something profound, and mine
as much as my very blood.
I was afraid to live,
to find myself in anguish;
and in that monstrous moment
of infinite denial
I raised my hands to my breast
to realize my loss.
But I found my strength unbroken,
my will I found alive;
and burning in solitude,
as among heavenly flames,
I found my heart transfixed
with seven swords of life.

R. H.

REMOTENESS

NOTHING from you at all. Your being seems
a cloistered garden where, in the afternoon,
an infinite presence is a haunting guest,
deep in the moment's utter silences.

The leaves tremble. They and the crazy wind
flee through the garden where the spirit rests
like an affliction, hidden and accursed,
fastened for ever in the sobbing shade.

GERMAN PARDO GARCIA

Occiduo sol aterciopela a veces
la majestad azul de los cipreses,
en cuya cima un vuelo está suspenso.

Se ahonda en la tiniebla el alarido,
y la amargura fluye hacia el olvido
sobre la paz del corazón inmenso.

GERMAN PARDO GARCIA

And now and then the slanting western sun
velvets the blue majestic cypresses
over whose crest a wing hangs motionless,

all outcry null and muffled in the mist:
and bitterness flows toward oblivion
upon the peace of the tremendous heart.

R. H.

LA NIÑA DE LA LÁMPARA AZUL

En el pasadizo nebuloso
cual mágico sueño de Estambul,
su perfil presenta destelloso
la niña de la lámpara azul.

Agil y risueña se insinúa,
y su llama seductora brilla,
tiembla en su cabello la garúa
de la playa de la maravilla.

Con voz infantil y melodiosa
en fresco aroma de abedul,
habla de una vida milagrosa
la niña de la lámpara azul.

Con cálidos ojos de dulzura
y besos de amor matutino,
me ofrece la bella criatura
un mágico y celeste camino.

De encantación en un derroche,
hiende leda, vaporoso tul;
y me guía a través de la noche
la niña de la lámpara azul.

MARGINAL

En la orilla contemplo
suaves, ligeras,
con sus penachos finos,
las cañaveras.

JOSE MARIA EGUREN

THE GIRL WITH THE BLUE LAMP

In the shadowy passageway,
like a magical dream of Stambul,
she turns her sparkling profile,
the girl with the blue lamp.

Lithe and smiling she glides,
her enticing flame burns bright;
on her hair trembles the spray
from the shores of wonder.

With a childlike melodious voice
in a fresh scent of birch
she speaks of a miraculous life,
the girl with the blue lamp.

With eyes warm with sweetness
and kisses of morning love
the fair creature shows me
a magical, heavenly road.

Lavish with incantation,
she splits gaily the cloudy veil;
and she lights me through the night,
the girl with the blue lamp.

D. D. W.

MARGINAL

On the shore I watch,
light in the wind,
with their delicate tufts,
the reeds.

Las totoras caídas,
de ocre pintadas,
el verde musgo adornan
iluminadas.

Campanillas presentan
su dulce poma
que licores destila
de fino aroma.

En parejas discurren
verdes alciones,
que descienden y buscan
los camarones.

Allí, gratos se aduermen
los guarangales,
y por la sombra juegan
los recentales.

Ora ves largas alas,
cabezas brunas
de las garzas que vienen
de las lagunas.

Y las almas campestres,
con grande anhelo,
en la espuma rosada
miran su cielo.

Mientras oyen que cur le
tras los cañares,
la canción fugitiva
de esos lugares.

The fallen cat-tails,
painted with ochre,
adorn the green moss
glowing.

Bellflowers offer
their sweet pods
distilling liquors
of fine bouquet.

In pairs fly
green kingfishers
that come down, hunting
for shrimp.

There, slumber the pleasant
acacia fields,
and in the shade
young animals play.

Now you see long wings,
dark brown heads,
of the herons that come
from the lagoons.

And the country folk,
with great eagerness,
in the rosy foam
watch their sky.

While they hear swelling
beyond the cane stalks
the fleeting song
of those places.

                              D. D. W.

LIED V

La canción del adormido cielo
dejó dulces pesares;
yo quisiera dar vida a esa canción
que tiene tanto de ti.
Ha caído la tarde sobre el musgo
del cerco inglés,
con aire de otro tiempo musical.
El murmurio de la última fiesta
ha dejado colores tristes y suaves
cual de primaveras obscuras
y listones perlinos.
Y las dolidas notas
han traído melancolía
de las sombras galantes
al dar sus adioses sobre la playa.
La celestía de tus ojos dulces
tiene un pesar de canto
que el alma nunca olvidará.
El ángel de los sueños te ha besado
para dejarte amor sentido y musical
y cuyos sones de tristeza
llegan al alma mía,
como celestes miradas
en esta niebla de profunda soledad.
¡Es la canción simbólica
como un jazmín de sueño,
que tuviera tus ojos y tu corazón!
¡Yo quisiera dar vida a esta canción!

LIED V

THE song of the drowsy sky
left gentle regrets;
I would give life to that song
which has in it so much of you.
Night has fallen over the moss
of the English wall
as though an air in music had changed its tempo.
The murmur of the last festival
has left sad, soft colours
as of dark springtimes
and pearl-grey ribbons.
And the mournful notes
have grown melancholy
from the shadows of lovers
saying goodbye on the beach.
The blue of your soft eyes
has a songlike grief
that the heart will never forget.
The angel of dream has kissed you
to leave with you a love felt like music
whose strains of sadness
reach my heart,
like heavenly glances
in this mist of deep solitude.
The song is symbolic
as a jasmine in dreams,
with your eyes and your heart!
I would give life to this song!

D. D. W.

CANCIÓN PARA DESPUÉS

Tú que cada domingo vas al Jardín Botánico
y te pasas las horas, callada, contemplando
los matices suntuosos de las flores que nunca
tendrás en tu pequeño huerto. Tú que preguntas
cosas alucinantes con palabras sencillas
y el ambiente fantástico de tus sueños me explicas.
Tú que amas como un niño las hojas de la menta
por los recuerdos limpios que su aroma despierta.
Tú que hablas del esmalte reluciente que tienen
los insectos exóticos que en el aire florecen.
Tú que narras la vida de Juan Jacobo y sabes
que bajo un cielo claro cortó hierbas, de tarde.
Tú que vistes de blanco para el Mes de María
y pueblas el silencio de imágenes pacíficas,
porque fuiste mi novia pondrás en mi sepulcro,
cuando me muera, lilas de un resplandor oscuro.

MIS PRIMAS, LOS DOMINGOS ...

Mis primas, los domingos, vienen a cortar rosas
y a pedirme algún libro de versos en francés.
Caminan sobre el césped del jardín, cortan flores,
y se van de la mano de Musset o Samain.

Aman las frases bellas y las mañanas claras.
Una estatua impasible las puede conmover.
Esperan la llegada de las tardes de otoño
porque, tras los cristales, todo de oro se ve ...

FRANCISCO LOPEZ MERINO

SONG FOR AFTERWARDS

You who go every Sunday to the Botanical Garden
and while away hours in silence, contemplating
the sumptuous colourings of flowers
that you will never have in your own little garden;
you who ask fascinating things so ingenuously
and explain to me the fantastic ambient of your dreams;
you who love like a child the leaves of the mint
for the clean memories that its scent awakens;
you who talk about the glittering enamels
of exotic insects that blossom in the air;
you who tell the life of Jean-Jacques, and know
that under a clear sky he cuts herbs at close of day;
you who dress in white for the Month of Mary
and people the silence with images of peace:
because you were my beloved you will lay on my tomb,
when I am dead, lilacs of dark splendour.

R. O'C.

MY COUSINS, ON SUNDAYS . . .

My cousins, on Sundays, come to cut roses
and to ask me for some book of verses in French.
They move about the garden lawn, cutting flowers,
straight from the pages of Musset or Samain.

They love pretty phrases and clear bright mornings.
An imperturbable statue can thrill them through and through.
They are waiting for the coming of the autumn evenings
because through the window-panes everything looks gold . . .

FRANCISCO LOPEZ MERINO

Y vienen, los domingos, cortar rosas . . . Saben
que el eco de sus voces para mí grato es.
Entre las hojas quedan sus risas armoniosas;
ellas seguramente se ríen sin saber.

Mis primas, cuando llueve, no vienen. Dulcemente
aparto los capullos que el viento hará caer;
hago un ramo con ellos y pongo bajo el ramo
un volumen de versos de Musset o Samain.

And they come to cut roses on Sundays ... They know
that the echo of their voices is pleasing to me.
Among the petals they leave their harmonious laughter;
surely they are laughing unaware.

My cousins, when it rains, do not come. Sweetly
I bring away whatever buds the wind has blown down;
I make a bouquet with them, and place beneath the bouquet
a volume of poems by Musset or Samain.

R. O'C.

NOCHE DE ENERO ...

Noche de enero, quieta y luminosa,
junto al río, entre piedras, y a tu lado,

mi corazón maduro
para la maravilla y el milagro.

Si una estrella cayese
tendería mi mano ...

RAFAEL ALBERTO ARRIETA

JANUARY NIGHT . . .

January night, quiet and luminous,
near the river, among the rocks, at your side,

my heart ripe
for marvel and miracle.

If a star fell,
I should hold out my hand . . .

M. L.

IMILLA

Este es el poema del amor rural
desde la naciente del agua
aquella perdida tarde
me alumbraron de locura tus ojos

En tambor de gritos
se ha trocado mi pecho veterano

Justina
       estoy pasteando
              centinela
sankayus kantutas para tu alma

Voy a engendrar una nueva warawara
con flores de agua
para el día rosado de nuestros besos

      Entonces en tus labios
      danzarán todas las alboradas

Asidos pasaremos saltando el río
al pastaje de nuestros sueños.

EMILIO VASQUEZ

INDIAN GIRL

THIS is the poem of rustic love
from the source of the waters
on that lost afternoon
your eyes inflamed me with madness

My old campaigner's breast has become
a pounding drum

Justina
    I am shepherding
              zealously
wild berries and red flowers for your soul

I will bring to life a new star
made of water lilies
for the day blushing with our kisses

    Then upon your lips
    all the dawns shall dance

Hand in hand we shall leap across the river
to the pastures of our dreams.
                       B. L. C.

EL PUQUIAL

TE seguiré hasta el puquial,
cholita, aunque no lo quieras.

Me dejarás que abandone
tu tinaja en una piedra.

Que cante para tí sola
un huaynito de mi tierra.

Que el agua moje tu pie.

Que se escapen tus borregas.

Y sobre todo cholita
me dejarás que te explique
cómo se quiere en la hierba.

LUIS FABIO XAMMAR

THE SPRING

I'LL follow you down to the spring,
cholita, although you don't want me to.

You will let me abandon
your water-jar on a stone.

May a thrush from my country
sing for you alone.

May the water wet your foot.

May your lambkins run away.

And above all, *cholita*,
you will let me teach you
how much fun we can have in the grass.
M. L.

ILDEFONSO PEREDA VALDES

CANCIÓN DE CUNA PARA DORMIR A UN NEGRITO

Ninghe, ninghe, ninghe,
tan chiquito,
el negrito
que no quiere dormir.
Cabeza de coco,
grano de café,
con lindas motitas
con ojos grandotes
como dos ventanas
que miran al mar.
Cierra esos ojitos
negrito asustado
el mandinga blanco
te puede comer.
Ya no eres esclavo!
y si duermes mucho,
el señó de casa
promete complar
traje con botones
para ser un groom.
Ninghe, ninghe, ninghe,
duérmete negrito
cabeza de coco,
grano de café.

CRADLE SONG TO PUT A NEGRO
BABY TO SLEEP

PICKANINNY, ninny, ninny,
so tiny
the little black baby
that won't go to sleep.
Coconut head,
coffee berry,
with pretty little specks,
and great big eyes
like two windows
that look at the sea.
Close those eyes,
scared black baby,
the white bogey-man
might eat you up.
You are no slave now!
and if you sleep sound,
the boss of the house
promises to buy you
a suit with buttons
to be a groom.
Pickaninny, ninny, ninny,
sleep, black baby,
coconut head,
coffee berry.

M. L.

EL GRANADERO MUERTO

ANGELINA, tú coses, y tú que bordas, Juana,
y tú Gabriel, que sabes hacer de carpintero,
unas el atavío y el otro la peana,
haced que resucite este buen caballero.

Con su corcel, murióse en batalla campal
y ¿quién le despintara las botas y el jubón
sino el Gran Capitán,
el capitán de barbas azules y dorado galón?

El tenía la cara toda rosa, y tenía
una novia: María.
Y también tenía una casa y un huerto
el granadero muerto.

Durante los descansos
cuidaba las gallinas, los patos y los gansos,
y curaba el jamón y el tocino.
Le decía a su madre: 'Esto anda bien, mamá...'
Y tomaba su copa de vino.

Pero he aquí que ahora el caballito overo
y el buen granadero
en un rincón, en un rincón están,
todos empolvados, con telarañas ya...

THE DEAD GRENADIER

ANGELINA, you who know how to sew, and you who em-
    broider, Jane,
and you, Gabriel, who have the builder's skill:
let his finery be the girls' task; his broken pedestal, the boy's—
bring back to life this brave horseman.

With his charger he died on the field of battle!
And who could have taken the colour from his boots and his
    doublet
but the Great Captain,
the bluebearded goldbraided Captain?

His whole face was ruddy, and he had
a betrothed: Mary.
And he had a house, too, and an orchard,
the dead grenadier.

Whenever he was on leave,
he would tend to his hens, his ducks, and his geese,
and cure his ham and bacon.
He would say to his mother, 'Things are going fine,
    mamma...'
And drink his glass of wine.

But see: the little brindled horse
and the brave grenadier
are in a corner, lying in a corner,
all dusty and covered with cobwebs now...

De noche, los ratones pasan por sobre ellos
con sus pasos menudos y sus cuerpos de estaño.
¿Quién no ha oído en la noche suspirar al granadero?
¿Quién no ha oído el bufido ronco de su caballo?

Cuando la luna entra e ilumina el altillo
el buen granadero se siente remozar . . .
Ve su madre, la huerta, el peral y el membrillo,
oye para el almuerzo afilar el cuchillo
y con María se quisiera casar.

Angelina, tú coses, y tú que bordas, Juana,
y tú Gabriel, que sabes hacer de carpintero,
unas el atavío y el otro la peana,
haced que resuciten caballo y caballero.

At night the mice run over them
with their tiny feet and their tin-coloured bodies.
Who hasn't heard the grenadier sighing in the night?
Who hasn't heard the harsh snorting of his horse?

When the moon shines in and lights up the attic,
the brave grenadier feels like a boy again . . .
He sees his mother, the garden, the pear tree, and the quince,
he hears the knife being sharpened for lunch,
and would like to be married to Mary.

Angelina, you who know how to sew, and you who em-
    broider, Jane,
and you, Gabriel, who have the builder's skill:
let his finery be the girls' task; his broken pedestal, the boy's—
bring back to life the horse and horseman.

D. D. W.

MARTIN ADAN

NAVIDAD

Tus ojos
unen las manos
como las Madonnas
de Leonardo.

Los bosques de ocaso,
las frondas moradas
de un renacimiento sombrío.

El rebaño del mar
bala a la gruta
del cielo lleno de ángeles.

Dios se encarna
en un niño que busca los juguetes
de tus manos.

Tus labios
dan el calor que niegan
la vaca y el asno.

Y en la penumbra,
tu cabellera mulle sus pajas
para el Dios niño.

MARTIN ADAN

NATIVITY

Your eyes
join hands
like the Madonnas
of Leonardo.

The groves of sunset,
purple foliage
of a shadowy Renaissance.

The flock of the sea
bleats at the cavern
of a sky full of angels.

God is made flesh
in a child that gropes for the toys
of your hands.

Your lips
give the warmth denied
by cow and ass.

And in the half light
your hair spreads its straw
for the Infant God.

M. L.

NOCHE DE LLUVIA

LLUEVE . . . , espera, no te duermas,
Quédate atento a lo que dice el viento
Y a lo que dice el agua que golpea
Con sus dedos menudos en los vidrios.

Todo mi corazón se vuelve oídos
Para escuchar a la hechizada hermana,
Que ha dormido en el cielo,
Que ha visto el sol de cerca,
Y baja ahora, elástica y alegre,
De la mano del viento,
Igual que una viajera
Que torna de un país de maravilla.

¡Cómo estará de alegre el trigo ondeante!
¡Con qué avidez se esponjará la hierba!
¡Cuántos diamantes colgarán ahora
Del ramaje profundo de los pinos!

Espera, no te duermas. Escuchemos
El ritmo de la lluvia.
Apoya entre mis senos
Tu frente taciturna.
Yo sentiré el latir de tus dos sienes,
Palpitantes y tibias,
Tal cual si fueran dos martillos vivos
Que golpearan mi carne.

RAINY NIGHT

It is raining ... Wait, do not sleep.
Listen to what the wind is saying
And to what the water says tapping
With little fingers upon the window-panes.

All my heart is listening
To hear the enchanted sister
Who has slept in the sky,
Who has seen the sun close by,
And now comes down, buoyant and gay,
Holding the wind's hand
Like a traveler returning
From a marvelous land.

How gay the waving wheat will be!
How eagerly the grass will thrive!
What diamonds will cluster now
In the deep branches of the pines!

Wait, do not sleep; but let us listen
To the rhythm of the rain.
Cradle between my breasts
Your silent forehead.
I will feel the beating of your temples
Palpitant and warm
Just as if they were two living hammers
Striking upon my flesh.

Espera, no te duermas. Esta noche
Somos los dos un mundo,
Aislado por el viento y por la lluvia
Entre las cuencas tibias de una alcoba.

Espera, no te duermas. Esta noche
Somos acaso la raíz suprema
De donde debe germinar mañana
El tronco bello de una raza nueva.

Wait, do not sleep. Tonight
The two of us are a world,
Isolated by wind and rain
In the warmth of a bedroom.

Wait, do not sleep; tonight we are,
Perhaps, that root that goes deep down,
From which tomorrow there will spring
The lovely stock, the race to come.

R. H.

EL ÁNFORA SEDIENTA

Para Ricardo Arenales

CREO en la idea todopoderosa
que da el laurel a la melena endrina
y que en la Tierra Santa de la Espina
eleva su Jerusalén la Rosa.

Y en la diadema crisoelefantina
que en la cabeza lúgubre reposa,
y en el viento, que es de la golondrina,
y en el jardín, que es de la mariposa.

Creo que la neblina en la tormenta
arde en el ritmo puro y lo ilumina.
La noche es como un ánfora sedienta

en que fulguran gemas silenciosas ...
Creo en la noche y creo en la neblina.
¿Mi corazón? Lo que yo tengo es rosas.

RAFAEL HELIODORO VALLE

THIRSTING AMPHORA

For Ricardo Arenales

I BELIEVE in the omnipotent idea which bestows
the laurel on sloe-black locks, and
which in the thorn's Holy Land
lifts up its Jerusalem the Rose.

In the chryselephantine crown which lies
upon the brow that sadness hollows;
and in the wind which is the swallows',
and the garden that is the butterflies'.

I believe that mist amid storm is a bright
flame in the pure rhythm which it discloses.
Night is an amphora athirst

where silent gems into radiance burst . . .
I believe in the mist, I believe in the night.
My heart? What I bear in my breast is roses.

M. L.

ROPA LIMPIA

Le besé la mano y olía a jabón:
yo llevé la mía contra el corazón.

Le besé la mano breve y delicada
y la boca mía quedó perfumada.

Muchachita limpia, quien a ti se atreva,
que como tus manos huela a ropa nueva.

Besé sus cabellos de crencha ondulada:
¡si también olían a ropa lavada!

¿A qué linfa llevas tu cuerpo y tu ropa?
¿En qué fuente pura te lavas la cara?

Muchachita limpia, si eres una copa
llena de agua clara.

RAFAEL AREVALO MARTINEZ

CLEAN CLOTHES

I KISSED her hand and it smelt of soap:
I laid my own against my heart.

I kissed her short and delicate hand
and my mouth was left fragrant.

Clean little girl, whoever dares approach you
should, like your hands, smell of fresh clothes.

I kissed her hair where the waves parted:
and they too smelt of laundered clothes!

To what waters do you take your body and your clothing?
In what pure spring do you bathe your face?

Clean little girl, you are just like a goblet
full of clear water.

M. L.

497

YOLANDA BEDREGAL DE CÓNITZER

FRENTE A MI RETRATO

ENMARCADA en rectángulo de sombras
—como de una ventana en el vacío—
mi cara adolescente me contempla.

Viene de lejos la mirada limpia
bajo el ala extendida de las cejas
en clara catedral de la esperanza
y se arrodilla, rítmica, en los labios.

Limpia mirada en la que cae el mundo,
redonda como gota de rocío...

Yo me miro distante en esa imagen
de flor que va cuajando primavera:
mejillas de pelusa de durazno,
un hoyuelo infantil como si un ángel
hubiera hundido un dedo pequeñito.
En el tallo del cuello la promesa
dormida de las venas que se inician,
del diminuto pie a las manos finas;
palidez matinal bajo la noche
partida en dos de relucientes trenzas.

Cinco años está inmóvil esa imagen
mirando en la ventana del vacío.

Mientras tanto llovieron muchas lágrimas,
cinceles en la pulpa de la vida.
Es todavía flor mi cara joven,
pero de norte a sur, de este a oeste
tormenta en primavera hirió mi frente.

YOLANDA BEDREGAL DE CÓNITZER

FACING MY PORTRAIT

Framed in its shadow-rectangle—
a window open upon empty space—
my adolescent face confronts me.

From far off comes that limpid gaze
beneath the brows' extended wing
in a cathedral of cloudless hope,
and kneels down, lilting, upon the lips.

Clear gaze in which the world descends,
round as a drop of dew...

I contemplate myself afar within
that flower-image embellishing the spring:
cheeks of peach down,
a baby dimple as though an angel
had thrust in a tiny finger.
In the stem of the neck a dormant
promise of budding veins,
from little foot to dainty hands;
a morning pallor beneath a night
falling in two shining braids.

For five years that unmoving image
has watched there in the window of emptiness.

Meanwhile how many tears have fallen,
scoring the living flesh!
My youthful face is still a flower;
but from north to south, from east to west,
an April storm has beaten upon my brow.

En la mística boca arrodillada
desangró el beso la evidencia humana.

Mis pies danzaron, y mis manos saben
las formas de la arcilla atormentada.
En mi cuello bailaron las palabras
de latigazo y de caricia.

Una ausencia, una muerte y una vida
desdibujaron el retrato antiguo.

Estoy ahora como he sido siempre
y como nunca más habré de ser.
Estaba escrito todo en hoja blanca.
Recién aprendo a leer mi adolescencia,
y he de aprender a leer toda mi vida
cuando, como hoy me miro en el retrato,
pueda un día mirarme desde el marco
sereno, inmarcesible de la muerte.

YOLANDA BEDREGAL DE CÓNITZER

The kiss upon the mystic kneeling mouth
has been bled white by mortal evidence.

My feet have danced, and my hands have known
the contours of tormented clay.
Words that lash, words that caress,
have danced within my throat.

An absence, a death, and a life
have blurred the ancient portrait.

Now I am as I have always been
and as I shall never be again.
It was all written on the empty page.
I have just learned to read my youth,
and I shall learn to read my whole life when,
just as today I stare back at my portrait,
I shall one day look out upon myself
from the calm and fadeless picture-frame of death.

D. D. W.

DÉCLARATION PAYSANNE

MARABOUT de mon cœur, aux seins de mandarine,
tu m'es plus savoureux que crabe en aubergine,
tu es mon afiba dedans mon calalou,
le doumbreuil de mon pois, mon thé de zerbe à clou.
Tu es le bœuf salé dont mon cœur est la douane,
l'accasan au sirop qui coule en ma gargoine.
Tu es un plat fumant, diondion avec du riz,
des acras croustillants et des thazars bien frits ...
Ma fringale d'amour te suit où que tu ailles.
Ta fesse est un boumba chargé de victuailles.

EMILE ROUMER

THE PEASANT DECLARES HIS LOVE

HIGH-YELLOW of my heart, with breasts like tangerines,
you taste better to me than eggplant stuffed with crab,
you are the tripe in my pepper-pot,
the dumpling in my peas, my tea of aromatic herbs.
You are the corned beef whose customhouse is my heart,
my mush with syrup that trickles down the throat.
You are a steaming dish, mushroom cooked with rice,
crisp potato fries, and little fish fried brown ...
My hankering for love follows you wherever you go .
Your bum is a gorgeous basket brimming with fruits and
      meat.

J. P. B.

ORACIÓN DE CADA DESPERTAR

DEBO cuidar este día
en salud, en amor
y en alegría,
como de un hermano menor
cuya suerte se me confía.

Mi pensamiento
deberá ser puro,
noble mi sentimiento,
mis ideas serenas,
mis palabras cordiales y buenas
y mi brazo acogedor y seguro.

Como dentro de cada brote está contenida
la Primavera,
cada hombre tiene en su espíritu la manera
de embellecer la vida.

Malgastar una hora
en un mal pensamiento, en una mala acción,
es dilapidar la riqueza que atesora
el corazón.

Debo cuidar este día
para que mi vida sea bella
como la alegría
de una doncella.

PRAYER FOR EACH AWAKENING

I MUST watch over this day,
in health, in love
and in joy,
as though it were a younger brother
whose fate is in my hands.

My thinking
must be pure,
my perceptions exalted,
my ideas composed,
my words sound and from the heart,
and my arm welcoming and sure.

Just as each bud encloses
Spring,
so in his soul each man holds the secret
of beautifying life.

To waste an hour
in a bad thought, a base action,
is to destroy the riches stored up
by the heart.

I must watch over this day
so that my life will be as fair
as the merriment
of a young girl.

D. F.

NOCTURNO

EL bosque se duerme y sueña,
el río no duerme, canta.
Por entre las sombras verdes
el agua sonora pasa
dejando en la orilla oscura
manojos de espuma blanca.
Llenos los ojos de estrellas,
en el fondo de una barca,
yo voy como una emoción
por la música del agua,
y llevo el río en los labios,
y llevo el bosque en el alma.

PARTIDA

LA partida de mi vida
juego con tanta pereza
que perderé la partida
por no mover una pieza.

¿Que me levante? ¿Que salga
en busca del vellocino?
No hay vellocino que valga
las fatigas del camino.

CONRADO NALE ROXLO

NOCTURNE

THE forest falls asleep and dreams,
the river does not sleep, but sings.
Among the green shadows
the ringing water flows
leaving on the dark bank
flecks of white foam.
My eyes filled with stars,
on the bottom of a boat,
I pass like an emotion
over the music of the water,
and I bear the river on my lips,
and I bear the forest in my soul.

M. B. D.

THE GAME

AT the game which is my life
I play with such sloth
that I shall lose the game
for not moving a pawn.

I should get up? I should go
to seek the Golden Fleece?
There is no Fleece that is worth
the weariness of the road.

M. B. D.

CONRADO NALE ROXLO

LO IMPREVISTO

SEÑOR nunca me des lo que te pida.
Me encanta lo imprevisto, lo que baja
de tus rubias estrellas; que la vida
me presente de golpe la baraja

contra que he de jugar. Quiero el asombro
de ir silencioso por mi calle oscura,
sentir que me golpean en el hombro,
volverme, y ver la faz de la aventura.

Quiero ignorar en dónde y de qué modo
encontraré la muerte. Sorprendida,
sepa el alma a la vuelta de un recodo,
que un paso atrás se le quedó la vida.

THE UNFORESEEN

LORD never grant me what I ask for.
The unforeseen delights me, what comes down
from your fair stars; let life
deal out before me all at once the cards

against which I must play. I want the shock
of going silently along my dark street,
feeling that I am tapped upon the shoulder,
turning about, and seeing the face of adventure.

I do not want to know where and how
I shall meet death. Caught unaware,
may my soul learn at the turn of a corner
that one step back it still lived.

M. B. D.

CARMEN ALICIA CADILLA

RESPONSOS

Responsos por el alma
del reloj muerto.
—Santa María...

Media cruz solamente
pudieron
hacer sus dedos.

Paralíticas quedaron
en su pobre cara lívida,
las tres de la madrugada.

Padre Nuestro que estás
—con el alma de mi reloj—
en los cielos...

AIRE TRISTE

El aire es triste a veces.
Tan triste
que imagino
que Dios duerme
y olvida.

CARMEN ALICIA CADILLA

RESPONSORIES

RESPONSORIES for the soul
of the dead clock.
—*Holy Mary* ...

Only half a cross
could
its fingers make.

Paralytic they stopped
on its poor livid face,
three o'clock in the morning.

Our Father, who art—
with the soul of my clock—
in Heaven ...

D. F.

SAD AIR

AT times the air is sad.
So sad
that I fancy
God is sleeping,
unaware.

D. F.

ÁNGELUS

Ojo de piedra.
Lágrima de bronce.
Lágrima sonora
que se diluye
como miel de sonido
en la campiña.

Angelus.
Gracia de Dios.
Hisopo musical
que bendice
todo lo que acaricia.

Anciano campanario.
—Relicario de siglos devotos
colgado al pecho de la tarde
ungida de inocencia.—

Tarde.
Primera comulgante
arrebolada en goce
de iniciación suprema.

CARMEN ALICIA CADILLA

ANGELUS

Eye of stone.
Tear of bronze.
Resonant tear
melting
like honey of sound
in the fields.

Angelus.
Grace of God.
Musical aspergillum
that blesses
all it caresses.

Ancient belfry.
—Shrine of devout ages
adorning the breast of the evening
anointed with innocence.—

Evening.
First communicant
rosy with the joy
of supreme initiation.

D. F.

MUNDO DE SIETE POZOS

Se balancea,
arriba, sobre el cuello,
el mundo de las siete puertas:
la humana cabeza...

Redonda, como las planetas:
arde en su centro
el núcleo primero.
O sea, la corteza;
sobre ella el limo dérmico
sembrado
del bosque espeso de la cabellera.
Desde el núcleo,
en mareas
absolutas y azules,
asciende el agua de la mirada
y abre las suaves puertas
de los ojos
como mares en la tierra.
....tan quietas
esas mansas aguas de Dios
que sobre ellas
mariposas, insectos de oro
se balancean.

Y las otras dos puertas:
las antenas acurrucadas
en las catacumbas que inician las orejas;
pozos de sonidos,
caracoles de nácar donde resuena

WORLD OF THE SEVEN WELLS

THERE sways,
up there, upon the neck,
the world of the seven doors:
the human head ...

Round, like the planets:
at its centre burns
the primal nucleus,
which is the shell;
over it the dermic slime
sown
with the deep forest of the hair.
From the nucleus,
in tides,
limitless and blue,
the rising waters of sight
open the soft doors
of the eyes,
like seas upon the land.
     ... so still,
       those calm waters of God,
         that over them
       butterflies and golden insects
         hover.

And the other two doors:
the antennae huddled
in the catacombs that lead in from the ears;
wells of sound,
pearly shells where echo

la palabra expresada
y la no expresa;
tubos colocados a derecha e izquierda
para que el mar no calle nunca,
y el ala mecánica de los mundos
rumorosa sea.

Y la montaña alzada
sobre la línea ecuatorial de la cabeza:
la nariz de batientes de cera
por donde comienza
a calarse el color de la vida;
las dos puertas
por donde adelanta
—flores, ramas y frutas—
la serpentina olorosa de la primavera.

Y el cráter de la boca
de bordes ardidos
y paredes calcinadas y resecas;
el cráter que arroja
el azufre de las palabras violentas,
el humo denso que viene
del corazón y su tormenta;
la puerta
en corales labrada suntuosos
por donde engulle, la bestia,
y el ángel canta y sonríe
y el volcán humano desconcierta.

Se balancea,
arriba,
sobre el cuello,
el mundo de los siete pozos:
la humana cabeza.

the word expressed
and the unexpressed;
tubes placed to right and left
that the sea may never be hushed,
and that the mechanical pavilion of the worlds
may be filled with murmurs.

And the mountain rising
on the head's equatorial line:
the nose with waxen portals
through which begins
to penetrate life's colour;
the two doors
through which advances
—flowers, boughs and fruits—
the fragrant coil of Spring.

And the crater of the mouth
with burning edges
and calcined desiccated walls;
the crater casting forth
sulphur of wrangling words,
dense smoke proceeding
from the heart and its agony;
that door,
coral-carved most sumptuous,
through which the beast gobbles,
the angel sings and smiles,
and the human volcano pours out confusion.

There sways,
up there,
upon the neck,
the world of the seven wells:
the human head.

Y se abren praderas rosadas
en sus valles de seda:
las mejillas musgosas.

Y riela
sobre la comba de la frente,
desierto blanco,
la luz lejana de una luna muerta ...

PESO ANCESTRAL

Tú me dijiste: no lloró mi padre;
Tú me dijiste: no lloró mi abuelo;
No han llorado los hombres de mi raza;
Eran de acero.

Así diciendo, te brotó una lágrima
Y me cayó en la boca ... Más veneno
Yo no he bebido nunca en otro vaso
Así pequeño.

Débil mujer, pobre mujer que entiende,
Dolor de siglos conocí al beberlo:
¡Oh, el alma mía soportar no puede
Todo su peso!

EPITAFIO PARA MI TUMBA

Aquí descanso yo: dice Alfonsina,
En epitafio claro, al que se inclina.

Aquí descanso yo, y en este pozo,
Pues que no siento, me solazo y gozo.

Los turbios ojos muertos ya no giran;
Los labios, desgranados, no suspiran.

And rosy meadows unfold
in its silken valleys:
the mossy cheeks.

And on the buttressed brow
glimmers
a white desert,
the distant light of a lifeless moon ...

D. D. W.

ANCESTRAL BURDEN

You told me: My father did not weep;
You told me: My grandfather did not weep;
They have never wept, the men of my race;
They were of steel.

Speaking thus, a tear welled from you
And fell upon my mouth ... More venom
Have I never drunk from any other glass
As small as that.

Weak woman, poor woman who understands,
Sorrow of centuries I knew in the drinking of it:
Ah, this soul of mine can not support
All of its weight!

R. O'C.

EPITAPH FOR MY TOMB

HERE I rest, says Alfonsina, here I lie:
The epitaph is plain to the passer-by.

Here I rest, deriving joy and cheer
In this ground, for I feel nothing here.

No more the frenzy of the troubled eye;
Lips, worn down to the bone, no longer sigh.

Duermo mi sueño eterno a pierna suelta,
Me llaman y no quiero darme vuelta.

Tengo la tierra encima y no la siento;
Llega el invierno y no me enfría el viento.

El verano mis sueños no madura;
La primavera el pulso no me apura.

El corazón no tiembla, salta o late;
Fuera estoy de la línea de combate.

¿Qué dice el ave aquélla, caminante?
Tradúceme su canto perturbante:

'Nace la luna nueva; el mar perfuma;
Los cuerpos bellos báñanse de espuma.

'Va junto al mar un hombre que en la boca
Lleva una abeja libadora y loca.

'Bajo la blanca tela el torso quiere
El otro torso que palpita y muere.

'Los marineros sueñan en las proas;
Cantan muchachas desde las canoas.

'Zarpan los buques y en sus claras cuevas
Los hombres parten hacia tierras nuevas.

'La mujer que en el suelo está dormida
Y en su epitafio ríe de la vida,

'Como es mujer, grabó en su sepultura
Una mentira aun: la de su hartura.'

ALFONSINA STORNI

Relaxed, I sleep my everlasting sleep.
They call: I have no rendez-vous to keep.

Laid under earth, I neither mourn nor mind.
The winter comes, and I can not feel the wind.

Summer does not mature my drowsy sleeping,
Spring does not hurry the rate of my pulse's beating.

My heart is steady, it does not leap or bound:
The combat zone lies far beyond this ground.

What does that bird say, traveller, what does it say?
Translate for me its disconcerting lay.

'The new moon shines. There's a smell of sea in the air.
The bodies of bathers gleam in the white foam there.

'A man on the shore receives upon his lips
A crazy thirsty bee that sucks and sips.

'Under the white cloth the searching body tries
To find its counterpart that throbs and dies.

'Sailors are dreaming in the bows of boats;
From small canoes a girlish singing floats.

'Ships weigh anchor: deep in the shining hold
Voyagers sail for new lands beyond the old.

'The woman who slumbers here below the ground
And mocks in her epitaph at the life around,

'Being a woman who in stone denies
The satisfaction of living—*Here she lies.*'

R. H.

JOSE RAMON HEREDIA

MI POEMA A LOS NIÑOS MUERTOS EN
LA GUERRA DE ESPAÑA

a Vicente Gerbasi

Como si cayesen podridas todas las estrellas,
como si asquerosos insectos deshojasen todas las flores,
como si peludas manos retorcieran las gargantas de todos
      los pájaros,
como si fuesen machacadas todas las hormigas,
y arrancados los ojos de todos los muñecos.

Como si quedaran sin alas todas las abejas,
como si fuesen devorados todos los peces,
como si fuesen triturados todos los caracoles,
como si rabiosos hacheros derribasen todos los árboles,
y se apagasen todas las canciones
y se quedara mudo el mundo.

Como si en absurdos almanaques fuesen borradas todas
      las Navidades,
como si se incendiaran todos los arbolitos,
y se perdiera el Tío Nicolás,
y se quedaran solos, tristemente solos,
debajo de las cunas vacías, todos los zapatitos.

Ah! entre terrones y cenizas y hediondos humos, están éllos!
sin bombones, sin mieles, sin teteros,
ni estampas, ni barajas, ni pelotas, ni azules bombas,
ni inconexas palabras—tan conexas!—
sin violines de llantos y de risas,

JOSE RAMON HEREDIA

MY POEM TO THE CHILDREN KILLED IN THE

WAR IN SPAIN

To Vicente Gerbasi

As though all the stars should fall down, putrified,
as though filthy insects should strip every flower of its petals,
as though shaggy hands should wring the necks of all
       the birds,
as though every ant should be pulverized,
and the eyes ripped out of every doll.

As though all the bees were to be left wingless,
all the fish gobbled up,
as though all the snails were to be crushed to bits,
as though raging woodsmen were to slash down every tree,
and every song were stilled,
the world left mute.

As if in absurd almanacs every Christmas should be blotted
       out,
as if all the little festive trees should be burnt,
and Santa Claus were to get lost,
and all the little shoes should be left alone,
pitifully alone, beneath empty cradles.

Ah, among rubble and ashes and stinking smoke—there they
       are!
with no bonbons, no honey, no nursing-bottles,
no picturebooks, no games, no rubber balls, no blue balloons,
no incoherent prattle—yet so coherent!—,
with no violins that weep and laugh:

523

junto a caballitos despanzurrados,
muñecos mutilados y desesperadas madres
que desflecan en el viento angustiado su doloroso grito.

Que un pedazo de noche se nos cuaje en los ojos,
que pesadas cortinas nos tumben la mirada,
que anchas puertas de plomo se cierren tras nosotros,
que algodones de muerte nos tapen los oídos,
para no ver ni oír ese romperse de alas inaudito,
ese abatirse de ángeles
bajo cielos atónitos y estupefactas lunas doloridas.

Que no les veamos nunca las caras. ¡No, Dios mío!
signadas de alacranes y murciélagos,
a esos trituradores de huesos,
que con furiosas uñas retorcidas
arañan a la tierra reseca, que les salta a los ojos inyectados,
que chirrían sus desesperadas mandíbulas,
y con anchos carrillos soplan frío sobre el mundo.

Oh! no, Dios mío! déjanos lejos, lejos!
con este viento helado sobre el pecho,
y esta piedra metida en la garganta,
llorar por los idiomas de azúcar ya perdidos,
llorar por las violetas arrancadas,
llorar por tantas cuerdas destrozadas,
llorar por todo aquello, roto, irremediablemente roto.
Déjanos, Dios mío, entre bosques de pinos,
diciendo para éllos
bajo estrellas humildes nuestros himnos.

but among rocking-horses with shattered bellies,
mutilated dolls, and desperate mothers
who shake out on the anguished wind their stricken crying.

Let a piece of night curdle in our eyes,
let heavy curtains cast down our sight,
let wide leaden doors shut to behind us,
let death's cotton stop up our ears,
so that we shall not see or hear that noiseless breaking of
    wings,
that fall of angels
under amazed skies and stupefied grieving moons.

O my God, let us never see the faces,
blessed by scorpion and bat,
of those crushers of bones
who with furious twisted talons
scratch at the parched earth which flies up into their bloodshot
    eyes,
who creak their desperate jaws
and with bloated cheeks puff cold across the world.

O my God, no! Let us—far away from them! away!,
with this frozen wind upon our breasts,
this rock tight in our throats,—
weep for the honeyed language lost now,
weep for uprooted violets,
weep for so many snapped cords,
weep for all that—broken, hopelessly broken.
Leave us, O my God, in the pine groves,
saying for them
our canticles beneath the humble stars.

                                 D. F.

RESPONSO A GARCÍA LORCA

Llevaba el día en el cinto
como un alfanje de plata,
y en el arzón de la silla,
una guitarra gitana.
Romances de luces nuevas
se abrían en su garganta.
Los ayes del cante jondo
la lamían como llamas.

Cuando soltaba su copla
cantaba toda la España.

No murió como un gitano:
no murió de puñalada.
Cinco fusiles buscaron,
por cinco caminos, su alma.
Le abrieron el corazón
lo mismo que una granada.
¡Y el surtidor de su sangre
manchó las estrellas altas!

¡Cómo lloraban los ríos
de España!

En ese instante indeciso
de las hembras despeinadas,
en ese instante en que el grillo
cava la mina del alba,
García Lorca, en el suelo,
con una flor colorada
condecorándole el pecho,
quedó sin canto y sin habla.

RESPONSORY FOR GARCÍA LORCA

HE wore the day in his belt,
like a cutlass all of silver,
he carried a gypsy guitar
slung across his saddle.
Ballads of new lustre
unfolded in his throat,
and the wail of the *cante jondo*
licked at it like flames.

When he burst into song
the whole of Spain sang with him.

He did not die like a gypsy:
he was not stabbed to death.
Five rifles went searching,
by five roads, for his soul:
and they split wide his heart
the same as a pomegranate,
and the fountain of his blood
shot up to stain the stars!

And then how they wept,
the rivers of Spain!

At that nondescript moment
of females with hair uncombed,
that moment when the cricket
is drilling the mine of dawn,
García Lorca, on the ground,
with the star of a red flower
glittering upon his breast,
lay without song or speech.

¡Cómo temblaban los montes
de España!

Cuando enmudeció su lengua
no doblaron las campanas.
Nadie le trajo una rosa,
ni un verso, ni una guitarra.
Apenas el chisperío
de una estrella deshojada.
Apenas, la visión última
de la cal de las murallas ...

¡Cómo crujían los huesos
de España!

¡García Lorca! ¡García
Lorca!—mil voces clamaban.
Preciosa, la del pandero,
danzando se desmayaba.
Brincaban, enloquecidos,
los pechos de Santa Olalla.
La casada del romance
desgarraba sus entrañas.

¡Cómo se rompía el alma
de España!

Muerto se quedó en la tierra,
tronchado por cinco balas.
Este año no darán frutos
los naranjos de Granada.
Este año no habrá claveles
en las rejas sevillanas.
El río Guadalquivir
llevará sangre en sus aguas.

¡Cómo llorará su espíritu
en las guitarras de España!

And then how they trembled,
the mountains of Spain!

When his tongue fell silent
there was no tolling of bells.
No one brought him a rose,
no one a verse or guitar.
There was just the faint twinkling
of a single stripped star.
For him, just the final
glimpse of whitewashed walls . . .

And then how they creaked,
the bones of Spain!

García Lorca! Lorca!
a thousand voices were crying.
Preciosa with her tambourine
was fainting as she danced.
The crazed breasts of Saint
Eulalia leapt trembling.
The married woman of the ballad
clawed her belly open.

And then how it broke,
the soul of Spain!

He lay dead on the ground,
pierced through by five bullets.
This year there'll be no fruit
from the orange trees of Granada.
This year there'll be no pinks
at Seville's grated windows.
The River Guadalquivir
will bear blood on its waters.

And then how his ghost will weep
in the guitars of Spain!

D. F.

LUIS CARDOZA Y ARAGON

ROMANCE DE FEDERICO GARCÍA LORCA

Se fué el gitano de farra
con una linda mulata
y una buena guitarra
alegre y averiguando
por qué 'La mujer de Antonio
camina así ...'

Mujeres en los balcones,
y náyades y tritones
cantaban versos de nácar
al poeta de Granada:
—'Ven por aquí, Federico,
a sahumar las naranjas,
las piñas y las guanábanas.
Te exprimiré en un refresco
tardes en flor y canciones,
la música de los sones
y un cante-jondo: el color.
La guitarra está ya encinta
(no se sabe si de aurora,
de algún mulato o de alondra)
cantando como una niña,
más esbeltas las caderas
y más redonda la forma,
con una tan dulce voz
¡que engañara las abejas!
Ven por aquí, Federico,
nos pintaremos de negro
toda la cara y el cuerpo,

BALLAD OF FEDERICO GARCÍA LORCA

THE roistering gypsy went away
with a pretty mulatto
and a good guitar,
gay and eager to know
why 'Antonio's wife
walks like that . . .'

Women on the balconics,
and naiads and tritons
sang songs of mother-of-pearl
to the poet of Granada:
'Come this way, Federico:
make the oranges fragrant,
and the pineapples and the custard-apples.
I shall squeeze out for you a drink
of flowering evenings and songs,
the music of dances
and the deep song of colour.
The guitar is pregnant now
(perhaps with the dawn,
with some mulatto, or a lark)
singing like a girl,
with hips more slender
and shape more rounded,
with a voice so sweet
as to fool the bees!
Come this way, Federico,
we shall paint all black
our faces and bodies,

nos rizaremos el pelo
¡para teñir hasta el sueño!
Hay unos cantos de negros
como las uvas muy viejas:
¡ya la semilla de azúcar
más dulce que los luceros!'

Se fué el gitano de farra
con una linda mulata
alegre y averiguando . . .
Y a orillas del mar se amaron,
y al despertar se encontraron
con el sol en la guitarra.

we shall curl our hair
to stain even our sleep!
There are negro songs
like over-ripe grapes.
They are the sugar seed,
sweeter than the morning stars!'

The roistering gypsy went away
with a pretty mulatto
gay and eager to know . . .
And they made love on the beach,
and when they woke up they found
the sun in their guitar.

D. D. W.

ELEGÍA

I

Mi compañero ha muerto.
La confusión en el asalto
nos separó un momento,
¡un momento, y ahora es para siempre!
Quiero estar solo,
escondido de todas las miradas
para decir mi queja.

II

¿Cómo pude seguir en la pelea
si me había vestido de valor
sólo porque jamás en su presencia
me atreví a desnudar
la natural flaqueza de mi espíritu?

III

¡Hermano y más que hermano!
Ahora que me faltas
doblemente me pesan los arreos.
El viento sopla dos veces más helado.
¡Si serás tú el que vive, yo el que ha muerto!
Todo está tan cambiado.

ELEGY

I

My comrade is dead.
In the assault confusion
parted us for a moment—
a moment, and now it is for ever!
I want to be alone,
hidden away from all eyes,
to make my lament.

II

How could I go on fighting
if I had clothed myself in valour
only because never in his presence
did I dare uncover
the natural weakness of my spirit?

III

Brother, and more than brother!
Now that you are gone from me,
my trappings weigh doubly upon me.
The icy wind is doubly cold.
If you could be the one to live, I the one who died!
Everything is so changed.

IV

Así como en las copas de los buenos festines
rebosa el vino obscuro
y deja roja mancha en los manteles,
tus ojos rebosaban cariño
y tu rostro
se inundaba de rubores.

V

Tu mirada
era más dulce que el sueño y más consoladora,
y era mejor que el baile con mujeres
luchar contigo cuando helaba,
sentir tu aliento puro en las mejillas
y tu púgil vibrar en todo el cuerpo.

VI

¿Dónde estará la doncella—
predestinada a una viudez de virgen—
a quien tu beso, tu beso y no el de otro,
debiera haber fecundizado?
Yo le diría: 'Hermana,
toma mi cuerpo que supo ser tan suyo
que aunque no sangra, siente
la herida que a su cuerpo dió descanso!'

IV

Just as in the goblets at good feasts
the dark wine overflows
and leaves a red stain on the cloth,
your eyes overflowed with affection
and your face
was flooded with blushes.

V

Your glance
was sweeter than sleep and more soothing,
and better than dancing with women
was wrestling with you in the frost,
feeling your pure breath on my cheeks,
my whole body vibrating with your strength.

VI

Where can the maiden be—
predestined to a virgin widowhood—
whom your kiss, your kiss and no other man's,
should have made fruitful?
I would say to her: 'Sister,
take my body that was so much his
that though it does not bleed, it feels
the wound that gave his body rest!'

                                    D. D. W.

ENRIQUE PEÑA BARRENECHEA

ELEGÍA A BÉCQUER

GUSTAVO ADOLFO BÉCQUER, que en el jardín del sueño
arrancas a la cítara de tu melancolía
sones que se convierten en claveles de espuma
y en el cielo se pierden como tus golondrinas.

Eres el rey romántico, eres la sombra pura,
el de corazón tierno, fino como un rosal,
así te lo hizo el cielo con albores de luna,
y en él, tímida, un ave su canto triste da.

Apoyada la frente en el cristal, la lluvia
fina de hace cien años veo lenta caer;
todavía en mi noche tengo tu libro abierto
al lado de la lámpara. Vida, ¡qué voy a hacer!

¡Qué voy a hacer!... Florecen como ayer en mi sueño
campanillas azules, y siempre una canción
en el alba, en la tarde y en la noche me acecha
y echa su red de música sobre mi corazón.

Los tréboles suspiran en tu silencio diáfano:
el nácar de los cielos cubre tu soledad:
Gustavo Adolfo Bécquer, que en tu región de ensueño
vibren por ti los ángeles sus arpas de cristal.

CAMINO DEL HOMBRE

Yo no podía saber
si era tu cielo o el mío,
si era mi sueño o tu sueño,
mi delirio o tu delirio.

ENRIQUE PEÑA BARRENECHEA

ELEGY FOR BÉCQUER

GUSTAVO ADOLFO BÉCQUER, who in the garden of slumber
pluck from the cittern of your melancholy
sounds that turn into carnations of foam
and are lost like your swallows in the sky:

You are the romantic king, the pure spirit,
and your heart is warm and subtle as a rose-bush
which the sky made for you out of the moon-white,
and in which, timidly, a bird pipes its sad song.

My brow pressed to the window-pane, I watch
the slow fine century-old rain come down;
still in my night I keep your volume open
beside the lamp. Life, what I am going to do!

What I am going to do! As yesterday, blue harebells
flower in my sleep, and always a song—
at dawn, in the afternoon, at evening—stalks me
to cast its net of music over my heart.

The clover sighs in your limpid silence:
the skies' mother-of-pearl masks your loneliness:
Gustavo Adolfo Bécquer, in your region of dream
may the angels pluck for you their crystal harps!

                                        M. B. D.

MAN'S ROAD

I COULD not know
if it was your heaven or mine,
if it was my dream or your dream,
my delirium or yours.

539

ENRIQUE PEÑA BARRENECHEA

Sobre el agua una luz ancha
era a modo de un camino,
y sobre la luz un barco,
y sobre el barco un destino.

Jardín del aire, jardín
iluminado y sombrío;
lluvia azul que del paisaje
era así como su espíritu.

Yo no podía saber
si el mar era el mar, si digo
que era el mar, el mar no era,
y si no era, era el mar mismo.

¿Cuánto tiempo estuvo el sueño
de otro sueño suspendido?
Azucenita del aire,
lámpara sobre el abismo.

Yo no podía saber
si era tu sueño o el mío.
Hombre que elige su ruta
tiene que andar su camino.

POETAS MUERTOS

Amigos: que un buen día me presentó la vida
y que tenéis los ojos cerrados para siempre,
¿qué sombra os teje ahora sus arabescos lúgubres?
¿o qué luz los inunda más alba que la nieve?

ENRIQUE PEÑA BARRENECHEA

A broad light on the water
was like a road,
and on the light a ship,
and on the ship a fate.

Garden of the air, garden
sunlit and shadowy;
the blue rain was like
the spirit of the landscape.

I could not know
if the sea was the sea: if I say
that it was the sea, the sea it was not;
if I say it was not, it was very sea.

How long was the dream
from another dream suspended?
Little lily-flower of air,
lamp over the abyss.

I could not know
if it was your dream or mine.
Man who chooses his way
has to keep to his road.

                              M. L.

DEAD POETS

FRIENDS whom one fine day life gave me
and whose eyes are now for ever closed,
what shadow now weaves for you its mournful arabesques?
or what light, purer even than snow, now floods them?

ENRIQUE PEÑA BARRENECHEA

Me acuerdo de tu risa, Guillén, de tu palabra,
donde saltaba un ágil surtidor de luceros,
del cóndor que volaba desde tu poesía
ebrio de sol, alegre, a no sé qué universo.

¡Oquendo, Oquendo, Oquendo, tan pálido, tan triste,
tan débil que hasta el peso de una flor te rendía!
Tu ternura nos pinta sobre el marfil del cielo,
con pinceles de chino, palomas, golondrinas!

¡Y Harry Riggs, atónito entre el mundo y su angustia!
¡Y Harry Riggs, sonámbulo bajo la luz lunar!
¡Ah, pobre niño muerto, que en esta noche un ángel
te lleve de la mano por el jardín astral!

Son cítaras sus nombres que en mi silencio suenan;
mi corazón los sigue por sus mundos arcanos.
¿A la luz de qué lámpara, como ayer, leeremos
otra vez nuestros versos, en las noches, hermanos?

ENRIQUE PEÑA BARRENECHEA

I remember your laughter, Guillén, your speech,
whence sprang a quick jet of flashing stars,
the condor, drunk with the sun, and gay,
that soared from your poetry, I know not where.

Oquendo, Oquendo, Oquendo, so pale, so sad,
so frail that even a flower's weight bore you down!
On an ivory sky, with Chinese brushes,
your tenderness paints for us swallows and doves.

And Harry Riggs, amazed amid the world and its anguish!
And Harry Riggs, sleepwalker beneath the light of the moon!
Ah poor dead boy, on this night may an angel
lead you by the hand through the garden of the stars!

Their names are citharas that sound in my silence;
my heart follows them through their secret worlds.
By the light of what lamp shall we read, as of old,
our verses once again in the evenings, my brothers?

M. B. D.

CORTEJO

VESTIDA y adornada como para sus bodas
        la Muerta va: dos niños
        la conducen, llorando.
Y·es en el mismo carro de llevar las espigas
        maduras en diciembre.

El cuerpo va tendido sobre lanas brillantes,
        ejes y ruedas cantan
        su antigua servidumbre,
clavado en la pradera como una lanza de oro
        fulgura el mediodía.

(Mi hermano va en un potro del color de la noche,
        yo en una yegua blanca
        sin herrar todavía.)

La Muerta va en el carro de los trigos maduros:
        su cara vuelta al sol
        tiene un brillo de níquel.
Se adivina la forma del silencio en sus labios,
        una forma de llave.

Ha cerrado los ojos a la calma visible
        del día y a su juego
        de números cantores;
y se aferran sus manos a la Cruz en un gesto
        de invisible naufragio.

LEOPOLDO MARECHAL

CORTÈGE

DRESSED and adorned as though for her wedding
      the dead woman goes: two children
      ride ahead, weeping.
And this is the same wagon that hauls the ripe
      sheaves in December.

Her body goes stretched out on brilliant wools;
      axles and wheels chant
      their ancient servitude;
thrust into the prairie like a golden lance
      the noontide quivers.

(My brother is riding a colt the colour of night,
      and I a white mare
      that has not yet been shod.)

The dead woman goes in the wagon for carting ripe wheat:
      her face, turned to the sun,
      has a shimmer of nickel.
The shape of silence is foretold upon her lips,
      the shape of a key.

She has closed her eyes to the visible calm
      of the day, and to its play
      of singing measures;
and her hands clasp the Cross with a gesture
      of invisible shipwreck.

Y mientras el cortejo se adelanta entre flores
     y linos que cecean
     el idioma del viento,
la cabeza yacente, sacudida en el viaje,
     responde al mundo con un vasto signo
     de negación.

Dos niños la conducen: en sus frentes nubladas
     el enigma despunta.
¿Por qué la Muerta va con su traje de boda?
     ¿Por qué en el mismo carro
     de llevar las espigas?

(Mi hermano va en un potro del color de la noche,
     yo en una yegua blanca
     sin herrar todavía.)

And as the cortège moves forward through the flowers
    and flax that lisp
    the wind's language,
the prostrate head, shaken by the journey,
    answers the world with a huge sign
    of denial.

Two children ride beside her: upon their cloudy foreheads
    an enigma looms.
Why does the dead woman go in her wedding dress?
    Why in the same wagon
    that hauls the sheaves?

(My brother is riding a colt the colour of the night,
    I a white mare
    that has not yet been shod.)

                    D. F.

ROBERTO IBAÑEZ

ELEGÍA POR LOS AHOGADOS QUE RETORNAN

Los ahogados descienden con los ojos lejanos,
bloqueada de silencios sensitivos la voz.
Emigran a una fría primavera de peces.
Zodíacos de luna coagulan su candor.

Sus sombras desprendidas sobre las olas velan,
embridadas de sol:
temblorosos tatuajes, archipiélagos niños,
sigilan en la espuma su desdeñado adiós.

Prófugos de riberas, en el agua infinita,
los ahogados descienden con la boca sin sed.
Bajo el mentón aprietan estallados violines.
Lunas de gelatina lamen su desnudez.

¡Ah, si abrieran los labios que les soldó la muerte
con su estéril pezón!
Una sonrisa blanca en su espanto izaría
la cuajada paloma que les veda la voz.

En sus axilas yertas un pez azul desova
y una estrella marina les indaga la piel.
¡Ah, si abrieran los párpados, tercas valvas, podrían
las perlas disidentes de sus ojos nacer!

Turbias llamas finísimas sus cabellos se yerguen
con una empecinada tristeza vegetal.

ROBERTO IBAÑEZ

ELEGY FOR THE DROWNED MEN WHO RETURN

THE drowned descend with distance in their eyes,
their voices stoppered with fine silences.
They migrate to the cold springtime of the fishes.
Zodiacs of the moon coagulate their whiteness.

Their loosened shadows watch above the waves,
bridled by the sun:
shuddering tattoos, young archipelagoes,
conceal within the foam their scorned farewell.

Fugitives from shores, in endless water,
the drowned descend with unthirsting mouths.
Beneath their chins they press shattered violins.
And moons of gelatine lap their nakedness.

Ah, if they opened the lips that death has sealed
with its sterile nipple!
The bewildered dove that blocks their voice
would hoist a smile white in its fear.

A blue fish spawns within their rigid armpits
and a sea star probes their skin.
Ah, if they would open their eyelids, stubborn shells,
the dissident pearls of their eyes might be born!

Their hair stands up in slender troubled flames
with an obstinate vegetal sadness.

549

Un fondeado relámpago de silencio verdece.
Los llama a sus violentas vendimias el coral.
Albos paracaídas las medusas les sueltan.
Espejos entreabiertos minan su soledad.

¡Y los ahogados giran, nadadores sonámbulos,
pescadores extáticos de una perla fatal!

Despiertan los ahogados. Despiertan y sonríen.
Posteridad de lirios, su sonrisa lunar.
Decapitados cisnes tripulan los más pálidos.
Dóciles peces llevan sobre el hombro glacial.

La infancia submarina de sus ojos empieza,
de pie bajo las aguas, con máscaras de sal.

Ahogados ruiseñores escuchan los ahogados,
felices en su adulta, perfecta navidad.
Criaturas libertadas, sin sangre y sin memoria,
cursan las descendidas intemperies del mar.

Astrónomos de quillas, un día o una noche,
cruel y definitivo les pesa el corazón.
Y hacia la luz inútil los despide, imperiosa
dinamita de sol.

¡Ay, los ahogados lloran un llanto sumergido,
invisible y tenaz!
Y suben, con las manos sin destino, crispadas
en la vertiginosa cabellera del mar.

El ángel de las aguas ordena su retorno.
Las algas estrangulan un serpentino adiós.
¡Y buscan los ahogados las tierras desistidas
para morder a solas su trágico terrón!

ROBERTO IBAÑEZ

A sunken lightning flash of silence goes green.
The coral summons them to its violent vintages.
For them the jelly-fish release their milky parachutes.
Half-open mirrors mine their solitude.

And the drowned twist, somnambulant swimmers,
ecstatic fishers of a fatal pearl!

The drowned awake. They awake and smile.
Their moonlike smile, posterity of lilies.
Decapitated swans propel the palest ones.
They carry docile fish upon their icy shoulders.

The submarine childhood of their eyes begins,
upright beneath the waters, masked with salt.

Drowned nightingales they hear, the men who drown,
happy in their birth, complete and fully grown.
Liberated creatures, no memory, no blood,
haunting the sunken inclemency of the sea.

Day or night, astronomers of keels,
cruel and final their dead hearts weigh them down
and send them upward to the useless light,
the imperious dynamite of the sun.

Unyielding and unseen,
the drowned men weep floods of submerged tears!
And rise, their futureless hands clutching
at the whirlpool tresses of the sea.

The angel of the waters bids their return.
The seaweed strangles a serpentine farewell.
And the drowned men seek the lands they once left
to bite in solitude their tragic clod!

L.M., D.D.W.

EDUARDO ANGUITA

OFICIO

El té de los difuntos
El párpado que nos cierra a la vida
Y nos abre a la muerte como una mano
El viento naciendo de su piedra

El té de los vivos para teñirnos de cadáver
Tanto lamento cuando todo está perdido
Ese hombre viene y se va
Los pies de los muertos son hojas de té

Y por fin mi cuerpo
¿En qué desierto hondo de sombra
Sembramos arena y cosechamos silencio?
Así suceden los meses aquí abajo
Llenos de horas lavando nuestros ojos del último instante
Y una voz que dice ¿Llevo alimento?

Pero no creíamos en esto

Abra la boca y respire
No trate de evitarlo

De ahora en adelante no estaré en casa
Ocupado ocupado bebiendo un té especial
Dejándome crecer la lengua
Oyendo el ruido del sol a voluntad del viento

La voluntad del viento mi estructura
Las carnes y los millones de pasos
Evaporados al cabo del día

EDUARDO ANGUITA

SERVICE

TEA of the dead
Eyelid that shuts life away from us
And opens death to us like a hand
Wind springing from its stone

Tea of the living to tint us corpse-colour
So much lamentation when all is lost
That man comes and goes
The feet of the dead are tea-leaves

And finally my own body
In what profound desert of shadow
Do we sow sand and reap silence?
Here below the months follow thus in order
Full of hours washing our eyes of the final moment
And a voice asking 'Shall I bring food?'

But we believed not in this

Open your mouth and breathe
Do not try to escape it

From now on I shall not be at home
Busy busy drinking a particular tea
Letting my tongue grow long
Listening to the clamour of sun at the wind's will

The wind's will my form
My flesh and my millions of steps
Vapourized at day's end

EDUARDO ANGUITA

El té de los difuntos se bebe lejos
Los arrozales vacíos con su candor rígido
Y mi cabeza sola

TRÁNSITO AL FIN

La puerta puede abrirse,
puede entrar el ladrido del perro,
sin que necesitemos saber nada.

Mientras no entre el viento en nosotros,
cuando tenemos los ojos viajando entre los muebles
de la diversidad de los miedos de cada muerto,
podemos reír en la espuma de lo obscuro.

La seguridad del que abre su vestido privado,
dejando mostrar las huellas blancas de los delirios,
con un poco de fuerza se logra concentrar la ceniza invisible,
la sombra, mi muerte particular.

Piedras en los cabellos, ya sólido su silencio,
pasos de las manos solas en el cuerpo.
Es así como amamos el aire de la estatua,
el aire que nos empuja a la vejez.

El hombre camina a una habitación semejante,
y se coloca el traje que le conduce para siempre.

EDUARDO ANGUITA

The tea of the dead is drunk far away
The empty rice-fields with their stiff simplicity
And my lonely head

L. M.

PASSAGE TO THE END

THE door can open,
the dog's howl can come in,
without our needing to know anything.

As long as the wind does not enter us,
when we keep our eyes traveling among the furniture
of the diverse fears of each dead man,
we can scoff in the scum of gloom.

The certainty of the man who reveals himself
to show the white footprints of delirium,
with a little force can concentrate the invisible ash,
the shadow, my special death.

Stones in the hair, solid now in silence,
the lonely passing of hands over the body.
This is the feeling we like in a statue,
the feeling that pushes us on to old age.

Man travels to a similar room,
and arranges his clothing that is his conduct for ever.

L. M.

SE IBA LA NOCHE . . .

HE roto los cristales de la noche
golpeando con las alas de algún sueño.
Mis arterias abiertas en rosales
desangran el perfume de la aurora.

Rocío del Rosario,
pastorcilla de estrellas y luceros,
quebró en el arroyuelo del silencio
la cántara de plata de la luna.

Se licúa el espejo
sonoro del espacio.
Tiembla el bosque en un vuelo de campanas
sacudidas a prisa por el viento.

Un pájaro de.oro
se sumerje en el río de esmeralda
y después en el árbol de la aurora
pone a secar la luz de su plumaje .

ROMANZA DEL GUITARRERO

¡AY guitarrero de raíces
atormentadas de armonía.
Verde es la caja de la tierra
para encordarla de arcoiris.

THE NIGHT WAS GOING . . .

I HAVE broken the panes of the night
beating with the wings of a dream.
My arteries like roses when they open,
bleed the perfume of the dawn.

Rosary dew,
little shepherdess of the stars and morning light,
broke in the rill of silence
the silver pitcher of the moon.

The ringing mirror
of space is molten.
The wood trembles in a flight of bells
rapidly shaken by the wind.

A golden bird
dips into the emerald river
and then on the tree of dawn begins
to dry the light of his plumage.

R. H.

ROMANZA OF THE GUITARRIST

Ay, guitarrist of the roots
by harmony tormented!
Green is the frame of the earth
to be strung with the rainbow.

¡Ay, guitarrero luminoso
de las auroras subterráneas,
tus coplas fluyen de los árboles
y se hacen ojos de mujeres.

Yo te he escuchado en la madera
maravillosa de la luna.
Jamás los ritmos encendieron
tantas estrellas en la mar.

Yo te he escuchado de rodillas
junto al cadáver de una rosa.
Sólo un espejo de esmeralda
puede fluir en tanta selva.

Sólo la miel de los luceros
se infiltra tanto en el rubí.
Ay, guitarrero de luciérnagas
en esas noches de puñales
ensangrentados de silencio.

Todos los vidrios de la música
se me incrustaron en el pecho.
Y cada herida era una nota,
y era una espina de cristal.

Se hicieron grandes los claveles
en la desnuda vibración.
Danzaron piernas de agua dulce,
y las caderas de perfume
se iban hinchando en el danza.

¡Ay guitarrero de raíces
atormentadas de armonía.
La mejor copla es la del agua
que se hace espejo de la voz.

Ay, luminous guitarrist
of subterranean dawns!
Your verses float from the trees
and become the eyes of women.

I have heard you in the marvelous
woodwork of the moon.
Never did rhythm kindle
such starlight on the sea.

I have heard you on my knees
beside the corpse of a rose.
Only an emerald mirror
can flow in such a forest.

Only the morning stars
mingle such honey and ruby.
Ay, guitarrist of the fireflies
in those nights of daggers
bloodstained with silence.

All the crystals of music
were graven in my heart,
and every wound was a note,
a glassy thorn.

The carnations grew great
in the naked twanging.
There danced limbs of fresh water,
and thighs of perfume
swelling in the dance.

Ay, guitarrist of the roots
by harmony tormented!
The water's verse is the best,
the mirror of the voice.

                    R. H.

AMÉRICA

Cuando se hundió la Atlántida
—como ha de hundirse América si hay guerras entre
        hermanos—
cuando se hundió la Atlántida
los mares emergieron en una sola tromba
formando una columna más densa que la noche,
más alta que los cielos;
y era una enorme boa de púas erizadas de estrellas y cristales,
la inmensa tromba en marcha
que atravesó la tierra de los Tahuantinsuyos,
destronando ídolos y obscureciendo el sol.
Los hombres se quedaron inmóviles de espanto
con grandes cicatrices de garras caprichosas
zurcidas en la piel.
A golpes el oleaje les cercenó los brazos,
les aplastó los rostros para una eternidad.
La enorme ola de agua corría sin obstáculos
por el gran continente que no era la Lemuria
sino el de Whitney, Muller, Buelma y Oswald Spengler
y cuyos habitantes hablaban el lenguaje de los cuatro
        elementos
que floreció en Tartesos, en Yucatán, en la India, en Egipto y
        Caldea.

La gran columna en marcha de la tormenta líquida
corría sin obstáculos por la extensión intérmina
de las planicies roncas de vientos ancestrales
que aullaban en las grutas azules de los lagos
y se vestían de algas, de líquenes y perlas
para trenzar los negros cabellos de las ñustas.
Porque la tierra entonces era todavía plana
sin sabios Galileos ni intrépidos Colones,
y el mar se entró en la tierra

AMERICA

WHEN Atlantis sank into the sea—
as America must sink if there are wars between brothers—
when Atlantis sank,
the seas rose in one great spout,
forming a column denser than the night,
loftier than the skies;
an enormous boa-constrictor, its scales bristling with stars
     and crystals,
the immense, moving waterspout
which crossed the land of the Tahua-ntin-suyu,
dethroning idols and darkening the sun.
Men were left motionless with fright,
with great scars from capricious claws
stitched into their flesh.
The surging, pounding waves lopped off their arms,
crushed their faces for an eternity.
The enormous wave of water flowed unhindered
across the great continent which was not Lemuria,
but the continent of Whitney, Muller, Buelma, and Oswald
     Spengler,
and whose inhabitants spoke the language of the four elements,
which flourished in Tartessus, in Yucatán, in India, in Egypt
     and Chaldea.

The great moving column of the liquid storm
flowed unhindered across the limitless extent
of the plains hoarse with ancestral winds
that howled in the blue caverns of the lakes
and dressed themselves in seaweed, in lichens and in pearls
to braid the black hair of the Daughters of the Sun.
For the earth then was still flat,
with no learned Galileo or intrepid Columbus,
and the sea entered the land,

rompiéndose en estrépitos de huayños y kaluyos
y orlando con espumas las cuestas multiformes del áspero
   oleaje.

Pero el furor celeste
del padre de los Antis
y de la diosa blanca de los eternos hielos
detuvo para siempre la fuga de los mares
lanzando desde lo alto relámpagos de cobre, de oro, de
   estaño y plata,
de zinc y de antimonio, de wolfrán y de hierro...
que desde entonces buscan los hombres en el seno
profundo de la mar petrificada.

Surgieron nuevas razas en sierras y en llanuras y en valles
   y ensenadas
con Manco y Mama Ojllo, que desde Pakarina, de Tampu o
   Tamputocco,
de la región sagrada del lago Titicaca,
traían en sus venas la sangre de un linaje de artistas y poetas,
de heroicos guerrilleros e ingenuos sembradores
que en balsas de totora surcaron los cristales azules de los
   tiempos
llegando a las orillas profundas de la noche
que guarda el gran misterio de la ciudad eterna.

*   *   *   *   *

¡Divina Pacha Mama,
revélanos tu espíritu y acerca a nuestros labios
la copa de agua pura que fecundó en tus manos
la vara del tridente que da la flor de amor;
envuélvanos en rojos fulgores la cabeza
del águila, y el fuego terrestre del puñal,
y el arco de los vientos que forma una serpiente
de música, remate los símbolos del Sol!

*   *   *   *   *

breaking into the crashing rhythms of *huayños* and *kaluyos*
and garnishing with foam the manyshaped crests of the
      rugged waves.

But the celestial fury
of the father of the Antis
and of the white goddess of the eternal ice
stopped for ever the flight of the seas,
launching from on high lightningbolts of copper, of gold, of
      tin and silver,
of zinc and antimony, wolfram and iron ...
which since then men have sought for in the deep
bosom of the petrified sea.

New races arose in sierras and on plains and in valleys and
      bays,
with Manco and Mama Ocllo, that since the time of Pakarina,
      of Tampu or Tampu-tocco,
from the sacred region of Lake Titicaca,
bore in their veins the blood of a line of artists and poets,
of heroic guerilla fighters and artless sowers
who in rafts of bulrushes furrowed the blue waters
      of time,
reaching the deep shores of night
that guards the great mystery of the eternal city.

      *   *   *   *   *

Divine Pacha Mama,
reveal to us thy spirit, and bring close to our lips
the cup of pure water that made fruitful in thy hands
the plant with three branches that bears the flower of love;
let the eagle's head and the dagger's earthly fire
wrap us in red effulgence,
and let the bow of the winds, that forms a serpent
of music, be a crown for the symbols of the Sun!

      *   *   *   *   *

Surgieron nuevas razas, imperios y culturas
del mar petrificado,
del continente andino
que entre las aguas turbias del trémulo Hauiquira,
al pie del Quinsachata,
sobre los pétreos llanos,
eleva las columnas, los pórticos, las jambas
y las maravillosas estatuas de traquita
que velan todavía la luz de Tiahuanacu.

   *   *   *   *   *

¡Divina Pacha Mama!,
¿que fué de la sublime grandeza de Xibalba,
que fué del helenismo del gran Chichén Itzá?
No existe ya Palenque frondosa y perfumada,
no existen ya las frías comarcas de Elenín.
Las pétreas fortalezas de Mallka, ¿qué se hicieron?
¿Qué se hizo, Pacha Mama, Tenochtitlán?
¿Quién graba en Tiahuanacu la historia de los siglos
y quién erige estatuas al dios Quetzalcoatl?
Ya no retumba el eco de guerra del pututu
que estrepitosamente rodó por las llanuras
y los desfiladeros sin fin de Colla-pata;
tan sólo los pinquillos, los sicus y las quenas
retuercen en la estepa sus raíces musicales
para que brote el pardo dolor de la yareta,
la angustia de la thola
y el bello sacrificio lunar de las vestales
que floreció en kantutas.

¿Quién sino KON un día
pudo lanzar la tierra en la honda de los vientos
y desatar las balsas y destrozar las flechas
para que así sucumba la estirpe de los mayas
cuando se hundió la Atlántida
y el mar salió cantando los versos de Platón?

   *   *   *   *   *

New races, empires, cultures arose
from the petrified sea,
from the Andean continent
that on the troubled waters of trembling Lake Hauiquira,
at the foot of Mount Quinsachata,
upon the stony planes,
erects the columns, the porticos, the posts,
and the marvelous statues of trachite
that still keep watch over the light of Tiahuanaco.

     *   *   *   *   *

Divine Pacha Mama,
where now is the sublime grandeur of Xibalba,
where is the hellenism of great Chichén Itzá?
Gone now is Palenque, leafy and fragrant,
gone the cold provinces of Elenín.
The stone fortresses of Mallka, what has become of them?
What has happened, Pacha Mama, to Tenochtitlán?
Who engraves in Tiahuanaco the story of the centuries,
and who erects statues to the god Quetzalcoatl?
No longer resounds the warlike echo of the bamboo horn
that rolled clamorously across the plains
and through the endless gorges of Colla-pata;
only the *pinquillos*, the *sicus* and the *quenas*
twine on the great plains their flute-like roots of music
in order that the drab grief of the *yareta* may blossom,
the anguish of the *thola* shrub,
and the beautiful lunar sacrifice of the vestals
that flowered in *kantutas*.

What other god than Kon
could one day cast the earth in the slingshot of the winds
and loosen the rafts and destroy the arrows
and so cause the race of the Mayas to succumb,
when Atlantis sank
and the sea came forth singing the verses of Plato?

     *   *   *   *   *

Cuando se hundió la Atlántida surgieron de los fondos
      más bellos del océano
las tierras del Levante,
los llanos infinitos, los grandes bosques de almas,
las pampas que se mecen de norte a sur
y nacen y mueren con el sol,
intérminas planicies
que corren de los Andes hasta Río Janeiro
y desde las Guayanas hasta Montevideo.
Nadie ha sabido cómo las frágiles piraguas
de Tupi y de Guaraní
llegaron a las costas serenas del Atlántico
burlando con piruetas de pájaros marinos
tormentas y tifones.
Nadie ha sabido cómo nacieron estas selvas
del verde cataclismo de todos los cristales,
de todos los silencios, de todos los perfumes,
del agua y de la brisa,
del cielo y de la tierra.
Nadie ha sabido cómo las márgenes floridas del río Paraguay,
los campos que rugiendo fecunda el Amazonas,
las hierbas, las gramíneas, las plantas y los árboles,
los valles, los pantanos, las altas zonas frígidas,
pobláronse de vambas, zambaquíes, charrúas,
tobas y charcas, tehuelches y fueguinos,
calcaquíes, araucos, puelches y guaraníes.

Bambúes, motacúes,
cilíndricas pirámides del bosque esplendoroso
que fluye en los espejos celestes del río Blanco
y el gárrulo Itonama.
¡Cómo se engarza el ritmo lloroso del Mapucho
que nutre la belleza del río Guaporé!
Los formidables troncos del bosque milenario

When Atlantis sank there rose from the fairest depths of
     ocean
the lands of the East,
the infinite plains, the great forests of souls,
the pampas that billow from north to south
and are born and die with the sun,
endless prairies
that flow from the Andes to Rio de Janeiro
and from the Guianas to Montevideo.
No one has known how the fragile piraguas
of the tribes of Tupi and Guaraní
reached the serene coasts of the Atlantic,
outwitting with seabird pirouettes
the tempests and typhoons.
No one has known how these jungles were born
from the green cataclysm of all the crystals,
of all the silences, of all the perfumes,
of the water and the breeze,
of the sky and the earth.
No one has known how the flowering banks of the River
     Paraguay,
the fields made fertile by the roaring Amazon,
the herbs, the grasses, the plants and the trees,
the valleys, the swamps, the high frigid zones,
became peopled with Vambas, Zambaquíes, Charrúas,
Tobas and Charcas, Tehuelches and Fueguinos,
Calcaquíes, Araucos, Puelches, and Guaraníes.

Bamboos, towering palms,
cylindrical pyramids from the radiant forest
that flows on the heavenly mirrors of the River Blanco
and the garrulous Itonama.
What enchantment in the plaintive rhythm of the falls of
     Mapucho
that nourish the beauty of the River Guaporé!
The formidable trunks from the millennial forest

flotaron en las aguas azules del Madera,
del Ortón, del Iténez, y del Madre de Dios;
cayeron en un salto mortal en las gargantas
de espuma, y abrieron en El Plata
la cola luminosa del pavorreal del mar.

Las flechas encendieron de puntos cardinales
la Rosa de los Vientos,
fijando en los caminos intérminos el rumbo
de todas las conquistas,
y en un supremo gesto de audacias inmortales,
el jefe de la tribu
cimbró con sus rodillas en arco de la tierra
para lanzar el río de luz del Porvenir.

*   *   *   *   *

Oh, América estupenda
que un día saludaste las velas españolas
con el pañuelo blanco de una nevada andina
y el pabellón de fuego que en Momotombo ardía
como si fuese el ala gigante de un quetzal;
que desnudaste el seno marmóreo de las cumbres
para calmar la fiebre de glorias y riquezas
de Almagros y Pizarros;
la sed inagotable de aquellos soñadores
de imperios de oro y plata.

Oh, América fraterna
que abriste hospitalaria las puertas de la aurora,
las puertas que cerraron detrás de sí los Antis
dejando caer al fondo del lago misterioso
las llaves del planeta.
El hombre del Levante
que vió las nemorosas comarcas brasileñas
ardientes, raras, ricas, hermosas y fecundas,
regadas de lagunas,

floáted on the blue waters of the Madeira,
of the Ortón, the Iténez, the Madre de Dios;
they fell with a mortal leap into the throats
of foam, and in the River Plate they spread
the luminous tail of the peacock of the sea.

The needles lighted with cardinal points
the Rose of the Winds,
fixing in endless paths the course
of all conquests,
and in a supreme gesture of immortal boldness
the chief of the tribe
with his knees bent the earth into a bow
to shoot the river of light that is the Future.

      *   *   *   *   *

O stupendous America
that one day greeted the Spanish sails
with the white scarf of an Andean snowfall
and the banner of fire flaring up from Momotombo's depths
as if it were the giant wing of a *quetzal*;
that laid bare the marbled bosom of the peaks
to calm the fever for glories and riches
of Almagros and Pizarros;
the inexhaustible thirst of those dreamers
of golden and silver empires.

O fraternal America
that opened hospitably the doors of the dawn,
the doors that the Antis closed behind them
dropping into the depths of the mysterious lake
the keys of the planet.
The man from the East
who saw the woody Brazilian reaches,
ardent, rare, rich, beautiful, fertile,
watered by lagoons,

cruzadas de torrentes de aromas, encendidas
de estrellas y luciérnagas,
se irguió en los pedestales de oro de
       Chiquitos
ciñéndose en el pecho cadenas de horizontes.

El hijo de la tierra
que fué cacique heroico, litúrgico poeta,
flechero cazador;
que revistió su cuerpo tatuado de luceros
con viva fantasía de exóticos plumajes ;
el vástago del agua del fuego y de los vientos;
calzó velludos caites de cuero de jaguares
ciñendo en sus tobillos los crótalos vibrantes
de todas las serpientes que ondulan a la mar,
y desgranó las perlas de todos los torrentes
y se hizo un abanico de palmas musicales
y aró las soledades sin fin de Patagonia
y México y en Chile
dispuso las jornadas olímpicas del Toqui
y el trágico holocausto de Challicuchimac.
Las razas legendarias que ofrecen cuatro veces,
para las cuatro lunas,
la sangre perfumada de las cuatro estaciones;
las razas que talaron el bosque de esmeralda
fundiendo en las retortas de arcilla, los relámpagos
que arden en las entrañas de hierro y de diamante
de la sierra oriental.
El hombre de la América
conoce los caminos de Palca y de Tacora,
los vértices azules de insólitos picachos;
las crestas proteiformes,
la frígida altipampa
que con diez mil columnas de mármoles icásticos
sostiene dulcemente la bóveda del cielo.
El hombre de la América

crossed by torrents of aromas, lighted
by stars and glowworms,—
that man drew himself up on the golden pedestals of
    Chiquitos,
encircling his breast with chains of horizons.

The son of the earth
who was heroic chieftain, liturgical poet,
archer huntsman, ·
who dressed his body, tattooed with the morning stars,
in a vivid fantasy of exotic plumages,—
the offspring of the water, the fire and the winds—
he put on shaggy moccasins of jaguar hide,
binding to his ankles the vibrant rattles
of all the serpents that ripple to the sea,
and shelled the pearls from all the torrents,
and made himself a fan of melodious palmleaves,
and ploughed the endless solitudes of Patagonia
and Mexico, and in Chile
planned the Olympic marches of the war-chiefs
and the tragic holocaust of Challicuchimac.
The legendary races that dedicate four times,
for the four moons,
the perfumed blood of the four seasons;
the races that felled the emerald forest,
fusing in retorts of clay the lightningbolts
that burn in the bowels of iron and diamonds
of the eastern sierra.
The man of America
knows the paths that lead to Palca and Tacora,
the blue vertices of unaccustomed peaks,
the protean crests,
the frigid tableland
that with ten thousand columns of natural marble
gently supports the vault of the sky.
The man of America

no envidia ni los Alpes, ni extraña el Pirineo,
más vida, más belleza, más luz hay en el aire del nuevo
      continente;
más vida en las entrañas frutales de sus indias,
más luz en las pupilas,
más fuego en la belleza silvestre de sus formas
talladas en el bronce magnífico del trópico.

Desde Cullancayani,
la sierra levantada sobre los altos hombros
de los más altos montes,
descubre la mirada los pálidos fragmentos
del Lago de los Incas
que aun guarda en sus remansos
la imagen moribunda de la ciudad de piedra.
Súbitamente el Ande detiene su carrera
y el norte se corona de Illampu y de Illimani.

Grandiosa maravilla de Mojos y Chiquitos
que ocultan en las verdes arcadas de sus templos
los bárbaros altares del río San Miguel.
Allí como en Colombia,
las vírgenes morenas
tejiendo están las fibras sensibles del saé.
Allí como en el Cuzco
danzando están las ruecas kaluyo y takirari.
Allí es donde El Dorado despierta la codicia
de espadas y armaduras,
y allí donde el ensueño perfuma la leyenda famosa del Rey
      Blanco
que oyó Ñuflo de Chávez contar a Grigotá.

        *   *   *   *   *

El hombre de las pampas
sirviéndose del puente triunfal del arcoiris,
franquea las vertientes del raudo Pilcomayo

neither envies the Alps nor marvels at the Pyrénées:
there is more life, more beauty, more light in the air of the
     new continent;
more life in the fertile wombs of its Indian women,
more light in the pupils of their eyes,
more fire in the sylvan beauty of their bodies
shaped in magnificent tropic bronze.

From Cullancayani,—
the sierra thrust high upon the tall shoulders
of the tallest mountains,—
the eye discovers the pale fragments
of the Lake of the Incas
that still keeps in its unruffled waters
the dying image of the city of stone.
Suddenly the Andes halt their course,
and the north is crowned with Illampu and Illimani.

The wondrous riches of Mojos and Chiquitos
that conceal in the green arcades of their temples
the barbaric altars of the River San Miguel.
There, as in Colombia,
the dark virgins
are weaving the sensitive fibres of the *saé* plant.
There, as in Cuzco,
the distaffs are dancing the *kaluyo* and the *takirari*.
It is there that El Dorado awakes the greed
of swords and armour,
and there that fantasy embroiders the famous legend of
     the White King
that Ñuflo de Chávez heard Grigotá relate.

       *   *   *   *   *

The man of the pampas,
using the rainbow's triumphal bridge,
crosses the cascades of the swift Pilcomayo

que arrulla el silencioso dolor de la montaña,
de aquella maravilla sonora de los Andes
que Diego de Centeno
selló entre dos leones y dos castillos albos
la noche que del cerro fluyó un albor de luna.

El hombre de la América
será como las piedras del Cuzco, misterioso;
será como las aguas de Xochimilco, puro;
será como las selvas ubérrimas, fecundo;
como los ríos inquieto, como los vientos ágil;
como el jaguar bravío;
como la mar, profundo.
El hombre de la América,
el hombre que envenenan las negras bocaminas
y guardan en sus claros abismos las cachuelas
y ocultan en sus blancos sepulcros las neveras,
que sube como el cóndor
buscando entre las nubes la estrella del milagro;
el hombre que nacido del parto de las aguas
cuando se hundió la Atlántida,
tendrá los ojos negros,
hipnóticos, brillantes,
para encantar las verdes serpientes amazónicas;
tendrá las carnes duras como el broquel de rocas
que arrastran los caimanes;
sabrá partear montañas
y partear la tierra;
será minero, artista, poeta y sembrador,
y en Moxos el jinete que doma los baguales
de espuma de los ríos.
El hombre de la América
sabrá templar el ronco charango de sus nervios
al són de los pamperos;
sabrá escalar las cumbres para mirar más lejos,

that lulls the mountain's silent grief:
that sonorous marvel of the Andes
that Diego de Centeno
blazoned on his shield between two lions and two white
     castles
on the night that a moon's whiteness flowed from the hill.

The man of America
will be like the stones of Cuzco, mysterious;
will be like the waters of Xochimilco, pure;
will be like the luxuriant jungles, fecund;
like the rivers, turbulent; like the wind, agile;
like the jaguar, untamed;
like the sea, profound.
The man of America,
the man poisoned by the mine's black mouths,
guarded by the rapids in their clear abysses,
hidden by the snowbanks in their white tombs;
who mounts like the condor,
seeking among the clouds the miraculous star;
the man who, born from the womb of the waters
when Atlantis sank,
will have black eyes,
hypnotic, brilliant eyes,
to charm the green serpents of the Amazon;
will have flesh hard as the rocky shield
that alligators drag:
that man will know how to deliver pregnant mountains
and deliver the earth;
he will be a miner, an artist, a poet, and a sower,
and in Moxos he will be the horseman who tames the foamy
charges of the rivers.
The man of America
will know how to tune the harsh guitar of his nerves
to the sound of the winds from the pampas;
he will know how to scale the peaks to look beyond them,

sabrá tornarse en árbol para crecer sin límite,
porque ya fué Bolívar
y ha sido Wáshington,
porque ya fué vidente si se llamó Martí,
porque ya fué poeta si se llamó Darío.

El hombre que aún esperan
las nieves y las lluvias,
las selvas, las estepas, los valles y cachimbas,
los montes, las cachuelas, las playas y los ríos,
el hombre de la América,
será como es América del Sud:

¡Un Corazón!

and how to turn into a tree to grow limitlessly:
for he was once Bolívar,
and he has been Washington;
he was once a seer whose name was Martí,
once a poet whose name was Darío.

The man for whom are still waiting
the snows and rains,
the jungles, plains, valleys and springs,
mountains, rapids, beaches and rivers,
the man of America,
will be like America SOUTH:

A HEART!

D. D. W.

CANTO A LA GLORIA DEL CIELO DE AMÉRICA

al poeta Archibald MacLeish

Hoy le canto,
En la gloria del cielo, a la Atlántida un canto;
A través del salvaje cordaje nocturno,
Hacia lo húmeda antorcha del trópico lo levanto,
O hacia el monte, donde el cóndor remonta
En crepuscular revolar taciturno.

Un cántico desprendiéndose de los páramos grises,
Donde el Polo Norte hipnotiza a la estrella polar,
Y como el arco iris, sobre el cristal de veinte países
Cruce, y se hunda
En los témpanos del Sur otra vez en el mar.

Mas sé que la gloria del canto
Es como la flor del torrente
Que sólo en corriente que huye halla cimiento firme,
O el lujoso mirar momentáneo de tigre o serpiente.
Cual un cardo de pampas al viento,
Con me canto he de irme.

La Atlántida se yergue con su doble mundo,
De Norte a Sur, como un reloj de arena gigante y errabundo.
En el istmo se inclina y estrecha en larga línea sinuosa,
Como un reloj de arenas vivas, la Atlántida está hecha.

Un continente en cada base reposa,
Y un gran frontal cerúleo sin cesar la circunda,
Clepsidra que de Tiempo y sangre se inunda,
Los hombres son su arena silenciosa.

EMILIO ORIBE

SONG TO THE GLORY OF THE SKY OF AMERICA

To the Poet Archibald MacLeish

TODAY I sing
A song to Atlantis in the glory of the sky;
Across the savage cordage of the night
Toward the tropic's humid torch I lift it high
Or toward the peak whence the condor's wing
Soars at dusk in silent flight.

A poem from grey barrens tearing free
Where the North Pole hypnotizes the Pole Star,
Rainbow-like above the crystal of twenty countries arches far,
Then again plunges strong
Amid icebergs of the South into the sea.

But I know the glory of the song
Is like the torrent's flower
That will strike root only in the stream's swift flow
Or like tiger's or serpent's fleet glance of glittering power.
Like a pampas thistle the wind along,
With my song I go.

Atlantis arises with her dual world
Of North and South, a titanic hourglass with running sands.
At the Isthmus curving inward, a long line swirled,
Like an hourglass of living grains Atlantis stands.

Upon either base there rests a continent
And about it winds continuously a vast encircling band.
An hourglass that in tides of time and blood is pent,
Men are its silent sand.

Jamás los orbes vieran más ilustres racimos de estados,
Jamás pueblos más libres lucieran venablos más potentes.
La Belleza asume su miel de exágonos dorados
Y la eternidad está ascendiendo del rudo cuarzo a las frentes.

Sobre estas colinas con vientres de infinitas promesas
Donde aún agrúpase un enigma de tribus al pie de volcanes,
La noche sabe bien por qué aviva litúrgicas pavesas
Y por qué los vientos lloran, mordidos por lamentos de titanes.

Lejos, ponen sierpe en escudo las razas con odio funesto,
Y se degradan en purpúreo holocausto las frentes más nobles.
Levantad, oh labios, la plegaria del amor manifiesto.
Vestíos, oh santuarios, con florecidos robles.

Noche a noche enciéndense
                             más aulas para que el Espíritu batalle
Y cuaja el trigo su joya entre la gleba y la bruma.
La tierra se coloca su máscara de montaña y de valle,
Y el océano danza
                   a sus pies la danza del abismo y la espuma.

Canta la noche un himno que imanta a los estuarios,
Trabaja en el zodíaco la colgante sinfonía,
Contemplad miles de obreros con diamantinos sudarios;
Decoran día a día la torre de la invencible Utopía.

Invencible, por real.
Emerge desnuda del caos, que al engendrarla huye.
La Atlántida actual, la que no se destruye,
Brilla entre dos océanos como custodia entre dos manos.
La Babel en la cual
los hermanos piensan y no se odian: aquí se construye.
Ya hacen signos a nuestras torres
Las torres de los mundos lejanos.

A more splendid cluster of States earth never looked upon,
Mightier lances freer peoples never raised since time began.
Beauty builds up her honey in golden hexagon,
And from rough quartz eternity ascends to brow of Man.

Over these hills wombed with promise infinite,
Where an enigma of tribes at the volcanoes' feet crowds still,
Night is well aware why liturgic sparks are lit
And why, gashed by lament of Titans, winds wail shrill.

Afar races schooled in hatred set a serpent on their shield,
Noblest brows are in empurpled holocaust abased,
Oh, lips, plegaries of love manifest be your yield!
Oh, sanctuaries, with blossoming oak be your altars dressed!

Nightly vaster naves
                    are lighted for the Spirit's battle,
And the wheat shapes its jewel betwixt cloud and loam;
Earth dons her mask of mountain and of valley
And the Ocean's waves
                    dance at her feet their dance of gulf and foam.

Night chants a hymn, Sea's estuaries magnetizing,
The Zodiac's swinging symphony throbs hour by hour.
Look on myriad workers in adamantine shrouds arising:
Daily they exalt invincible Utopia's tower.

Invincible, because real.
Stripped and straight it emerges from chaos vanquished by its
        birth.
The new Atlantis never to be toppled down to earth
Shines between two oceans like the monstrance twixt two
        hands.
Babel's tower ideal
Wherein brothers take thought and hate not, and build that
        which stands.
Now unto our towers signalling are
Towers of worlds afar.

Aquí mismo,
Junto a la bruma del mar,
Yo oí hablar al abismo
En estrofas de espuma o pluma de paloma.
Dijo: La Atlántida es la copa
De bordes desmesuradamente abiertos,
Donde vida eterna asoma
Y donde comulgan juntos los vivos y los muertos.

Si alguien nos ha de mandar, que un Dios nos mande.
Y ante El, cadena de nudos de arena sea el Ande.
Tres Américas desgarran imperios de nieblas.
Tres Américas se arrojan más allá de los mares dudosos.
Ven pueblos mártires
                    en lucha con el bélico ángel de las tinieblas.
Y espadón les ofrecen, o la lámpara de los lares dichosos.

El hombre, en tanto, avanza
                    en la nave cuyos remos son siglos cambiantes.
Si del abismo triunfa
                    es porque busca el fulgor de los fijos luceros.
Atlántida lo alienta en su mástil de milagros constantes,
Y allí irrumpe su hacha de llama en diáfanos regueros,
Cuando pisen los hombres la roca de los astros distantes,
Jure estar uno de nosotros entre los primeros
Y últimos marineros
Tripulantes.

Vigilad, si sois libres,
                    con las claves en los brazos robustos,
De pie, en inminencia de trágicos dramas,
O apoyados en pórticos nevados de los Andes augustos.

In this place, here,
Amid the ocean mist
I heard the abyss
Speak strophes soft as dove's plumage or foam of the sea.
"Atlantis is a cup
Inexhaustible," it said;
"Whither eternal life draws near
And wherefrom take communion the quick and the dead."

If any must command us, let a God command.
And in His sight may the Andes be but as grains of sand.
Three Americas rake empiries of cloud-encompassed might,
Three Americas fling themselves beyond the doubting ocean.
They see martyred peoples
      wrestling with the martial Angel of the Night
And they offer a sword for fighting or a home for heart's
   devotion.

Meanwhile, Man
     moves forward in the coracle of which
      changing centuries are the oars;
If he triumphs over the abyss,
       it is because he steers by light of
        the fixed stars.
Atlantis gives him courage with her miracle-working mast,
And there in scattered fog her flaming axe flares forth anew.
When men on rock of distant planets shall set foot
Swear that one of us shall be among the first and last
Pioneering voyagers
Of that crew.

Be vigilant, if you are free,
      strong arms your safeguard.
Standing ever ready for tragic dramas that may transpire,
Or on Andes snowy portals keep watch and ward;

Porque donde Bolívar y Wáshington

                pusieron su pie de vívidas llamas,

Jamás permitamos que se humille a la más leve avecilla.

Afirme nuestra sangre en actos las duras proclamas
Y el mando prometeico nos impida doblar la rodilla.

En la mirada serena
De un Dios, para siempre se fijó la figura de la Atlántida,
Como joya del Tiempo, preciosa.
Bien estrecha en el istmo, es un gran reloj de arena.
La sangre silenciosa
que de nuestro pecho fluye, como un fuego, la inunda.
El frontal cerúleo

              que desde lo eterno la engendra, y circunda,

Y construye, díceme:
¡Oh clepsidra! ¡Oh arena! ¡Oh sangre! ¡Oh nebulosa!
América es la imagen del Tiempo, que no se destruye
ni reposa.

Si alguien nos ha de mandar, que un Dios nos mande.
Un canto, en la gloria del cielo de Atlántida se levanta,
O hacia el Ande,
Donde el cóndor retorna en crepuscular revolar taciturno.

Es noche. A todos anuncio un pensamiento que canta.
—¿Sois héroes?

Descifradlo en el cordaje del oleaje nocturno.
Porque en pensamientos, únicos y creadores, el universo,
En disputas de dioses, aquí se va a expresar.
Cada cumbre andina es la letra de un gran alfabeto disperso.
Oh hermanos del Norte: Sólo unidos lo vamos a descifrar.

For where Bolívar and Washington
                              have left their prints of fire
We will not permit that even a sparrow humbled be.

In deeds our blood signs the stern proclamation
And the Promethean mandate forbids that we bend knee.

In the glance sublime
Of a God, the figure of Atlantis eternally was stayed
As the precious jewel of Time.
Very narrow in the Isthmus is the hourglass made.
Our muted heartsblood flowing
Inundates it like a flame.
The cerulean band
                    that out of eternity begot
And surrounds and binds it, says to me,
"Oh hourglass, oh blood, oh mist, oh sand,
America is Time's image that is not destroyed
Nor rests not."

If any must command us, let a God command.
A song lifts toward the glory of the sky of Atlantis,
Or toward the Andes
Whither the condor returns in dusky circling flight.

It is night. A thought that sings I tell.
Are you heroes?

Unriddle it in cordage of the tides of night.
Because the Universe in thoughts creative and unique
In godlike discussions here will speak.
A letter in a vast scattered alphabet is each Andean peak.
Oh brothers of the North, only united can we make out what
        they spell.

                                                    M. L.

Appendix

Notas Biográficos y Bibliográficas

POR H. R. HAYS

ABRIL, Xavier [Perú]   Lima, 1903-
  Hollywood (1922)
  Difícil trabajo (1935)
  Descubrimiento del alba (1937)
  La rosa escrita (*inédito*)
Abril, que ha viajado por Europa, se asoció con los surrealistas de
París y fué en cierto momento un protegido de Cocteau. El estilo
de su obra inicial es surrealista, mientras que su poesía reciente se
avecina al romanticismo neo-simbólico.

ADAN, Martín (Rafael de la Fuente Benavides) [Perú]
  La casa de cartón (1928)   Lima, 1908-
Adán, como Westphalen, estudió en la Escuela Alemana de Lima.
Logró acreditarse por la primera vez con un trabajo publicado en
las columnas de *Amauta*. Fué el creador de lo que Mariátegui llamó
el *anti-soneto,* esto es, el soneto de estructura clásica pero con las
características de los versos modernos sometidos a la técnica actual.
La casa de cartón, novela en verso, ha tenido repercusiones profundas en la literatura peruana. *Aloysius Acker,* larguísimo poema que
el propio autor destruyera después, es altamente apreciado por los
críticos que han leído partes de él.

ANGUITA, Eduardo [Chile]   Santiago, 1914-
  Antología de la poesía chilena nueva (1935)
Eduardo Anguita es uno de los poetas más jóvenes de vanguardia
de Chile. En su *Antología de la poesía chilena nueva* (en colabora-
ción con Volodia Teitelboim, y su única obra ya publicada) aparece

Biographical and Bibliographical Notes

By H. R. HAYS

ABRIL, Xavier [Peru]   Lima, 1903-
  Hollywood (1922)
  Difícil trabajo (1935)
  Descubrimiento del alba (1937)
  La rosa escrita (*unpublished*)
Abril traveled in Europe, was associated with the surrealists in
Paris, and was at one time a protégé of Cocteau. His early work is
in the surrealist style, while his more recent poetry approaches
romantic neo-symbolism.

ADAN, Martín (Rafael de la Fuente Benavides) [Peru]
  La casa de cartón (1928)   Lima, 1908-
Adán, like Westphalen, studied in the Deutsche Schule in Lima.
He first received recognition for work published in the pages of
Amauta. He was the creator of what Mariátegui called the *anti-
sonnet*—the sonnet classical in form but characterized by a con-
temporary treatment of modern material. *La casa de cartón,* a novel
in verse, has had considerable influence on Peruvian literature.
Aloysius Acker, a long poem which the author himself destroyed,
is highly rated by critics who have read fragments of it.

ANGUITA, Eduardo [Chile]   Santiago, 1914-
  Antología de la poesía chilena nueva (1935)
Eduardo Anguita is one of the younger advance-guard poets of
Chile. In his *Antología de la poesía chilena nueva* (in collaboration
with Volodia Teitelboim, and his only published book to date)

su primera colección de poemas, *Tránsito al fin*. Admirador de André Bretón, Anguita resume su credo poético así: 'El poeta ya no debe ser un instrumento de la naturaleza, pero debe hacer de ésta su instrumento.'

AREVALO MARTINEZ, Rafael [Guatemala]

Maya (1911)　　　　　　　　　　Guatemala, 1884-
Los atormentados (1914)
La signatura de la esfinge (1933)
Llama (1934)

Arévalo Martínez es director de la Biblioteca Nacional de Guatemala y presidente honorario de la Asociación Bibliográfica y Bibliotecaria Inter-Americana. Su verso tiene vigor y flexibilidad, y su estilo, recio y contundente, matiza con frecuencia hasta lo usual de visos salvajes y extraños.

ARRIETA, Rafael Alberto [Argentina]　　　Rauch, 1889-

Las noches de oro (1917)
Fugacidad (1921)
Estío serrano (1926)

Arrieta ha sido profesor de la cátedra de literatura europea en la Universidad Nacional de La Plata, donde se educó. De 1917 a 1918 fué redactor de la revista *Atenea*.

ASTURIAS, Miguel Angel [Guatemala]　　　Guatemala, 1899-

Rayito de estrella (1929)
Sonetos (1936)
Alclazán (1940)

Tras sus estudios de leyes, Asturias se dedicó a hacer investigaciones en la historia de la civilización centroamericana. Adquirió así erudición en las culturas autóctonas de este sector de América y ha publicado, en libros y artículos, muchas obras sobre la materia. Su poesía muestra la influencia de aquella erudición, pues constituye una interpretación entendida de esa vida india.

appears his first collection of poems, *Tránsito al fin*. An admirer of André Breton, Anguita states his poetic credo thus: 'A poet must no longer be an instrument of nature, but must make nature his instrument.'

AREVALO MARTINEZ, Rafael [Guatemala]

Maya (1911)   Guatemala, 1884-
Los atormentados (1914)
La signatura de la esfinge (1933)
Llama (1934)

Arévalo Martínez is Director of the National Library of Guatemala and Honorary President of the Inter-American Bibliographical and Library Association. His verse is vigorous and flexible, and his hard-bitten style frequently makes the matter-of-fact seem wild and strange.

ARRIETA, Rafael Alberto [Argentina]   Rauch, 1889-

Las noches de oro (1917)
Fugacidad (1921)
Estío serrano (1926)

Arrieta has been Professor of European Literature in the National University of La Plata, where he himself was educated. From 1917 to 1918 he edited the review *Atenea*.

ASTURIAS, Miguel Angel [Guatemala]   Guatemala, 1899-

Rayito de estrella (1929)
Sonetos (1936)
Alclazán (1940)

Asturias' early studies in law were followed by research in the history of Central American civilization. He became an expert on the native cultures of this region, and has published many books and articles on this subject. His poetry shows the influence of these studies, for it is a sensitive interpretation of Indian life.

591

BANDEIRA, Manuel [Brasil]   Recife, 1886-
Ritmo dissoluto (1924)
Libertinagem (1930)
Poesias escolhidas (1937)
Poesias completas (1944)
Bandeira foi educado no Rio de Janeiro, no Colégio Pedro Segundo. Tem-se dedicado ativamente ao jornalismo, e compilou uma antologia dos poetas românticos do Brasil. E' um dos mais sensíveis dos escritores brasileiros modernos.

BEDREGAL DE CONITZER, Yolanda [Bolivia]   La Paz,—
Ecos (1940)
Almadía (1942)
Yolanda Bedregal es hija del ilustre escritor y poeta boliviano Juan Federico Bedregal, fallecido en 1944. Estudió en el Instituto Americano y en la Universidad de Columbia, Nueva York. Ha presentado esculturas en Buenos Aires, La Paz, etc., y es miembro activo— única mujer—del PEN Club de Bolivia. Su marido es el conocido periodista Lic. Guert Cónitzer, de La Paz.

BORGES, Jorge Luis [Argentina]   Buenos Aires, 1900-
Fervor de Buenos Aires (1923)
Luna de enfrente (1925)
Cuaderno San Martín (1929)
Ficciones (1944)
Borges estudió en Génova, Suiza, cuando se desarrollaba la primera guerra mundial; vivió después en España, donde se asoció con los *ultraístas,* cuya cabeza fué Rafael Cansinos Assens. Esta escuela representó el movimiento español de avanzada, equivalente en líneas generales al surrealismo en París o al *creacionismo* de Huidobro en Chile. Cuando en 1921 Borges regresó a Buenos Aires, promovió cierta agitación en los círculos poéticos argentinos, aguijoneando a los jóvenes hacia nuevas formas de expresión. Fué uno de los fundadores de las revistas *Prisma* y *Proa.* Tradujo a escritores de talla como Virginia Woolf, André Gide, Kafka y Faulkner; asumió, en fin, un puesto de mando dentro de la nueva poesía.

BANDEIRA, Manuel [Brazil]   Recife, 1886-
    Ritmo dissoluto (1924)
    Libertinagem (1930)
    Poesias escolhidas (1937)
    Poesias completas (1944)
Bandeira was educated in Rio de Janeiro at the College of Pedro II.
He has been active as a journalist and has edited an anthology of
the Brazilian romantic poets. He is among the most sensitive of the
modern Brazilians.

BEDREGAL DE CONITZER, Yolanda [Bolivia]   La Paz,—
    Ecos (1940)
    Almadía (1942)
Yolando Bedregal's father was the illustrious Bolivian poet Juan
Federico Bedregal, who died in 1944. She studied at the Instituto
Americano, and in Columbia University, New York. She has given
shows of her sculpture in Buenos Aires, La Paz, etc., and is the only
active woman member of the PEN Club of Bolivia. Her husband
is the distinguished journalist Guert Cónitzer, of La Paz.

BORGES, Jorge Luis [Argentina]   Buenos Aires, 1900-
    Fervor de Buenos Aires (1923)
    Luna de enfrente (1925)
    Cuaderno San Martín (1929)
    Ficciones (1944)
Borges studied in Geneva, Switzerland, during the first World
War, and later lived in Spain, where he was associated with the
Ultraísta movement, of which Rafael Cansinos Assens was the
leader. This movement was the advance-guard activity of Spain,
roughly equivalent to surrealism in Paris or to Huidobro's Creationism in Chile. When Borges returned to Buenos Aires in 1921,
he created a ferment in Argentinian poetry and stimulated young
writers to seek for new forms of expression. He was one of the
founders of the reviews *Prisma* and *Proa*. He translated such
writers as Virginia Woolf, André Gide, Kafka, and Faulkner, and
generally assumed a leading position in the poetic movement.

BUSTAMANTE Y BALLIVIAN, Enrique [Perú]   1884-1937

Poemas autóctonos (1920)
Antipoemas (1926)
Junín (1930)

Bustamante y Ballivián llevó la representación del gobierno del Perú al Uruguay, Brasil y Bolivia. En sus postrimerías fué director de una casa editora que publicó obras de muchos poetas jóvenes del Perú. Su obra personal fué ecléctica, pues, respondiendo a las variaciones en el género poético de su tiempo, pasó por varias fases. Sus últimos poemas lo colocan entre los *indigenistas* de la escuela de Peralta.

CADILLA, Carmen Alicia [Puerto Rico]   Arecibo, 1908-

Canciones en flauta blanca (1934)
Raíces azules (1936)
Voz de las islas íntimas (1939)
Ala y ancla (1940)

Carmen Alicia Cadilla vive en San Juan y participa en la dirección de la revista *Alma Latina*. De inspiración católica y sensibilidad poética, sus versos tienen a veces algo del dejo de los de Gabriela Mistral.

CANE, Luis [Argentina]   Mercedes, 1897-

Mal estudiante (1925)
Tiempo de vivir (1927)
Romancero del Río de la Plata (1936)
Bailes y coplería (1941)

Como algunos de los poetas españoles contemporáneos, Cané ha vuelto a las formas del romance del siglo diecisiete y las utiliza en sus empeños modernistas. Contrariamente a García Lorca, que se interesó en el romance popular, Cané toma su estilo de las formas literarias sutiles y rebuscadas. Sus romances del Río de la Plata están saturados de la región y constituyen lozanas interpretaciones de episodios de la historia argentina.

CANTON, Wilbero L. [México]   Mérida, 1922-

Segunda estación (1943)

Wilberto L. Cantón es colaborador permanente del diario *Excelsior* de México. Fundó y dirige las ediciones literarias *Espiga*. Es redac-

BUSTAMANTE Y BALLIVIAN, Enrique [Peru]   1884-1937
   Poemas autóctonos (1920)
   Antipoemas (1926)
   Junín (1930)
Bustamante y Ballivián represented the government of Peru in Uruguay, Brazil and Bolivia. In his later years he was the director of a publishing house which brought out many of the younger Peruvian poets. His own work was eclectic, passing through various phases in response to the changing poetic interests of his time. In his last group of poems he identified himself with the *Indigenistas* of the school of Peralta.

CADILLA, Carmen Alicia [Puerto Rico]   Arecibo, 1908-
   Canciones en flauta blanca (1934)
   Raíces azules (1936)
   Voz de las islas íntimas (1939)
   Ala y ancla (1940)
Carmen Alicia Cadilla lives in San Juan and is an editor of the periodical *Alma Latina*. She is a sensitive poet of Catholic inspiration whose verses suggest the influence of Gabriela Mistral.

CANE, Luis [Argentina]   Mercedes, 1897-
   Mal estudiante (1925)
   Tiempo de vivir (1927)
   Romancero del Río de la Plata (1936)
   Bailes y coplería (1941)
Cané, like some of the contemporary Spanish poets, has returned to the ballad forms of the seventeenth century and employed them for modern purposes. Unlike García Lorca, who interested himself in the popular ballad, Cané derives his style from the sophisticated and literary forms. His ballads of the Río de la Plata are strongly regional—fresh interpretations of episodes in Argentinian history.

CANTON, Wilberto L. [Mexico]   Mérida, 1922-
   Segunda estación (1943)
Wilberto L. Cantón is a permanent contributor to the Mexico City daily, *Excelsior*. He founded and directs the *Espiga* literary series,

tor de *Letras de México,* la revista literaria más antigua de México. Ejerce la crítica literaria y ha tentado el relato, la biografía, y la literatura infantil.

CARDOZA Y ARAGON, Luis [Guatemala] 1904-
Luna Park (1923)
Maelstrom (1926)
Torre de Babel (1930)
El sonámbulo (1937)
Cardoza y Aragón es un poeta centroamericano de gusto cosmopolita. Se nota en él la influencia de los poetas franceses modernos, y, más recientemente, de la poderosa personalidad de García Lorca.

CARRANZA, Eduardo [Colombia] 1915-
Canciones para iniciar la fiesta (1936)
Carranza es miembro del grupo *Piedra y Cielo,* la tendencia poética más reciente de Colombia. Sus versos rompen con la tradición y se distinguen por su fantasía novel. Carranza es considerado como uno de los poetas de la nueva generación que más prometen en Colombia.

CARRERA ANDRADE, Jorge [Ecuador] Quito, 1903-
Registro del mundo: antología poética (1940)
A los quince años de edad Carrera Andrade era ya redactor jefe de la revista *La Idea.* Ha servido a su país activamente como periodista, y después como diplomático. Durante los 1920 vivió en Alemania, Francia y España. En 1933 fué Cónsul del Ecuador en Paita, Perú. Regresó más tarde a Francia y se hizo cargo de la editorial *Cuadernos del Hombre Nuevo.* Su libro *Biografía para uso de los pájaros* fué traducido al francés por Edmond Vandercammen. Estuvo en el Japón en 1938, donde se ensayó en el estilo hai-kai, publicando un pequeño tomo de poemas. Al siguiente año visitó la China.

De la poesía de Carrera Andrade, William Carlos Williams ha dicho: 'No sé cuándo he sentid un placer tan neto, tan ajeno a las torturas del pensamiento, que son nuestro pan cotidiano. Las imágenes son tan nítidas, y están tan ligadas a lo primitivo, que me supongo estar viendo por ojos de un aborigen y compartiendo

and edits *Letras de México,* the oldest of the Mexican literary reviews. He writes criticism, and has experimented with the short story, biography, and children's books.

CARDOZA Y ARAGON, Luis [Guatemala]   1904-
   Luna Park (1923)
   Maelstrom (1926)
   Torre de Babel (1930)
   El sonámbulo (1937)
Cardoza y Aragón is a Central American poet of cosmopolitan tastes who has been influenced by modern French poets and, more recently, by the powerful impact of García Lorca.

CARRANZA, EDUARDO [Colombia]   1915-
   Canciones para iniciar la fiesta (1936)
Carranza is a member of the *Piedra y Cielo* group, the youngest movement in Colombian poetry. His verse marks a break with tradition and is distinguished by a novel fantasy. He is considered one of the most promising poets of the new generation in Colombia.

CARRERA ANDRADE, JORGE [Ecuador]   Quito, 1903-
   Registro del mundo: antología poética (1940)
Carrera Andrade at fifteen was editor of the review *La Idea.* He has led an active life as a journalist and later as a diplomat. During the 1920's he lived in Germany, France and Spain. In 1933 he was consul for Ecuador in Paita, Peru. Later he returned to France and became director of the publishing house *Cuadernos del Hombre Nuevo.* His book *Biografía para uso de los pájaros* was translated into French by Edmond Vandercammen. In 1938 he was in Japan, where he experimented with the *hokku* form, publishing a small book of poems in this medium. The following year he visited China.

Of Carrera Andrade's poetry William Carlos Williams has said: 'I don't know when I have had so clear a pleasure, so unaffected by the torments of the mind which are our daily bread. The images are so extraordinarily clear, so related to the primitive, that I think

del panorama perdido del universo. Es un placer melancólico, pero soberbio.' La lozana proximidad de estos versos, así como la extraordinaria inventiva y el agudo ingenio que hay en ellos, hace que constituyan una contribución señalada en las letras americanas.

CARRION, Alejandro   Loja, 1915-
    Luz del nuevo paisaje (1935)
Carrión cursó leyes en la Universidad Central de Quito, mas no llegó a terminar sus estudios. Sus primeras producciones literarias aparecieron en las diferentes revistas publicadas por el grupo *Elan,* al que pertenecían José Alfredo Llerena, Jorge Fernández, Augusto Sacotto Arias, y otros. Fué igualmente uno de los Miembros Fundadores del Sindicato de Escritores Ecuatorianos.

CARVALHO, Ronald de [Brasil]   Rio de Janeiro, 1893-1935
    Luz gloriosa (1914)
    Poemas e sonetos (1919)
    Epigramas irônicos e sentimentais (1922)
    Tôda a América (1926)
    Jogos pueris (1926)
    Imagem do México (1930)
Depois de estudar direito no Brasil, Ronald de Carvalho foi, em 1913, para a Europa, afim-de continuar os seus estudos de filosofia e sociologia. Em 1914 entrou para o Ministério das Relações Exteriores do Brasil onde ocupou vários postos, inclusive o de Ministro Plenipotenciário e Enviado Especial. Fez parte das embaixadas brasileiras em París e na Haia. Em 1932 visitou o México a convite daquele país. Durante tôda a sua vida foi jornalista ativo, escrevendo para periódicos brasileiros, franceses e norteamericanos.

CASTRO Z., Oscar [Chile]   Rancagua, 1910-
    Camino en el alba (1938)
    Viaje del alba a la noche (1940)
Oscar Castro Z. fué reportero del diario izquierdista *La Tribuna.* Fundó la revista quincenal *Nada,* y fué su director, impresor y único redactor. Ha ganado premios en dos concursos literarios celebrados en Buenos Aires. *Responso a García Lorca* es su poema más conocido y popularizado en América.

I am seeing as an aborigine saw and sharing that lost view of the world. It is a sad pleasure, but a great one.' The fresh immediacy of this verse, together with its extraordinary invention and sharp wit, makes it a signal contribution to American literature.

CARRION, ALEJANDRO   Loja, 1915-
    Luz del nuevo paisaje (1935)
Carrión studied law in the Central University of Quito, but did not complete his course. His first writings appeared in the various reviews published by the *Elan* group, to which belonged José Alfredo Llerena, Jorge Fernández, Augusto Sacotto Arias, and others. He was also one of the Founding Members of the *Sindicato de Escritores Ecuatorianos*.

CARVALHO, RONALD DE [Brazil]   Rio de Janeiro, 1893-1935
    Luz gloriosa (1914)
    Poemas e sonetos (1919)
    Epigramas irônicos e sentimentais (1922)
    Tôda a América (1926)
    Jogos pueris (1926)
    Imagem do México (1930)
After studying law in Brazil, Carvalho in 1913 went to Europe to continue his education in philosophy and sociology. In 1914 he entered the State Department of Brazil and filled a number of positions, including that of Minister Plenipotentiary and Special Envoy. He was a member of the Brazilian Embassies in Paris and The Hague. In 1932 he visited Mexico as a guest of the nation. Throughout his life he was active as a journalist, writing for Brazilian, French and North American publications.

CASTRO Z., OSCAR [Chile]   Rancagua, 1910-
    Camino en el alba (1938)
    Viaje del alba a la noche (1940)
Oscar Castro Z. was a reporter on the Leftist daily *La Tribuna*. He founded the fortnightly *Nada,* of which he was editor, printer and sole contributor. He has won two literary contests in Buenos Aires. *Responso a García Lorca* is his best known poem, and has become a favourite throughout the Americas.

DEL PICCHIA, Menotti [Brasil]   São Paulo, 1892-
Poemas do vício e da virtude (1913)
Moysés (1917)
Chuva de pedra (1925)
Kummunká (1938)

Del Picchia estudou direito na sua cidade natal, e foi chefe provisório do Serviço Público do Estado de São Paulo. Durante algum tempo foi redator político do *Correio Paulistano,* assim como também redator da revista *A Cigarra.* As suas obras são repassadas das cenas e dos sons da sua terra natal, e demonstram recursos extraordinários no que diz respeito ao seu emprêgo de metáforas.

DRUMMOND DE ANDRADE, Carlos [Brasil] Itabira, 1902-
Alguma poesia (1932)
Brejo das Almas (1934)

Drummond de Andrade, um dos mais requintados escritores brasileiros modernos, emprega o colorido regional, contemplando o provincialismo do seu país com uma afeição algo motejadora. A sua poesia é irônica, sensível, e cheia de paixão tropical.

D'SOLA, Otto [Venezuela]   Valencia, 1912-
Acento (1935)
Presencia (1938)
De la soledad y las visiones (1941)
El viajero mortal (1943)
Editor: *Antología de la moderna poesía venezolana* (1940)

D'Sola, uno de los redactores de *Viernes,* y dirigente entre el grupo de avanzada de aquel nombre, es de los poetas que más prometen en Venezuela. No ha escapado a la influencia surrealista, pero sólo en la más amplia expresión lírica personal que le permite aquélla mediante imágenes sorprendentes y ambiguas, algo que no perturba el sobrio equilibrio de sus versos. Quizás su *Antología* en dos tomos, que abarca la poesía venezolana desde 1870 hasta 1935, constituya su aporte más importante a la literatura de su país. Esto no quiere decir, sin embargo, que su propia obra no sea también extremadamente importante.

DEL PICCHIA, Menotti [Brazil] São Paulo, 1892-
Poemas do vício e da virtude (1913)
Moysés (1917)
Chuva de pedra (1925)
Kummunká (1938)
Del Picchia studied law in his native city, and has been provisional
head of the Civil Service of the State of São Paulo. At one time
he was political editor of the *Correio Paulistano* as well as editor of
the review *A Cigarra*. His writing is saturated with the sights and
sounds of his native land, and he is remarkably resourceful in his
use of metaphor.

DRUMMOND DE ANDRADE, Carlos [Brazil] Itabira, 1902-
Alguma poesia (1932)
Brejo das Almas (1934)
Drummond de Andrade, one of the most sophisticated of the modern Brazilians, works with local colour, regarding the provinciali-
ties of his country with quizzical affection. His verse is ironic,
sensitive, full of tropical fire.

D'SOLA, Otto [Venezuela] Valencia, 1912-
Acento (1935)
Presencia (1938)
De la soledad y las visiones (1941)
El viajero mortal (1943)
Editor: *Antología de la moderna poesía venezolana* (1940)
D'Sola, one of the editors of *Viernes* and a leader of the advance-
guard group of that name, is one of Venezuela's most promising
poets. He has been touched by surrealist influence, but only to the
extent that it allows him fuller personal lyric expression by means
of ambiguous and startling images; he has never let it interfere
with the formal balance of his verse. Perhaps his most important
contribution to the literature of his country is his two-volume
Antología, covering Venezuelan poetry from 1870 to 1935. This is
not to say, however, that Otto D'Sola's own work is not extremely
important in itself.

EGUREN, José María [Perú] Lima, 1882-1942
   Simbólicas (1911)
   La canción de las figuras (1916)
   Poesías (1929)
José María Eguren, el primero de los simbolistas peruanos, inició su carrera literaria contribuyendo a la revista *Contemporáneos,* de Enrique Bustamante y Ballivián. Su obra tardó algo en hallar aceptación, mas el descubrimiento de él por el crítico Mariátegui lo dejó sólidamente establecido en las letras, y hoy, para los más jóvenes de los escritores, es el maestro. Su *Canción de las figuras* es ciertamente una de las obras que más poderosamente han influído dentro de la tradición simbolista de la América Latina.

ESCUDERO, Gonzalo [Ecuador] Quito, 1903-
   Poemas del arte (1919)
   Parábolas olímpicas (1922)
   Hélices de huracán y de sol (1934)
   Paralelograma (1935)
Escudero ha sido recientemente nombrado Ministro Plenipotenciario en el Uruguay. Corre parejas con Jorge Carrera Andrade como dirigente de la poesía en su país. Su lira es a veces épica, con trazas palpables de la influencia de Walt Whitman.

ESTRADA, Genaro [México] Mazatlán, 1887-1937
   Crucero (1928)
   Escalera (1929)
   Paso a nivel (1933)
   Senderillas al ras (1934)
Estrada fué en tiempos funcionario del Ministerio de Industria en México; fué también director de los archivos diplomáticos e históricos. En 1930 fué Ministro de Estado, luego, en 1932, Embajador en España.

ESTRADA, Rafael [Costa Rica] 1901-1934
   Huellas (1923)
   Viajes sentimentales (1924)
   Canciones y ensayos (1929)
Estrada estudió leyes y ejerció la profesión en varias ciudades de

EGUREN, José María [Peru]   Lima, 1882-1942
  Simbólicas (1911)
  La canción de las figuras (1916)
  Poesías (1929)
José María Eguren, the first of the Peruvian symbolists, began his
literary career as a contributor of poems to Enrique Bustamante y
Ballivián's review *Contemporáneos*. His work was slow to gain
recognition; but the critic Mariátegui's discovery of him established
him firmly, and today the younger writers hail him as a master.
Indeed, *La canción de las figuras* is one of the most powerful in-
fluences in the Latin American symbolist tradition.

ESCUDERO, Gonzalo [Ecuador]   Quito, 1903-
  Poemas del arte (1919)
  Parábolas olímpicas (1922)
  Hélices de huracán y de sol (1934)
  Paralelograma (1935)
Escudero has recently been appointed Minister Plenipotentiary to
Uruguay. He ranks with Jorge Carrera Andrade as a leader in
Ecuadoran poetry. At times his work is epic in tone, showing dis-
tinct traces of the influence of Walt Whitman.

ESTRADA, Genaro [Mexico]   Mazatlán, 1887-1937
  Crucero (1928)
  Escalera (1929)
  Paso a nivel (1933)
  Senderillas al ras (1934)
Estrada was at one time employed in the Ministry of Industry and
Commerce of Mexico, and was also Director of the Archives of
Diplomacy and History. In 1930 he was Minister of State, and
Ambassador to Spain in 1932.

ESTRADA, Rafael [Costa Rica]   1901-1934
  Huellas (1923)
  Viajes sentimentales (1924)
  Canciones y ensayos (1929)
Estrada studied law and practised in various cities of Costa Rica.

Costa Rica. Se interesó también, vivamente, en la música, y fundó y condujo la Orquesta Sinfónica de Costa Rica.

FERRER, José Miguel [Venezuela]   Caracas, 1903-
    Cuarta dimensión (1940)
    Huésped en la eternidad (1940)
Ferrer fué Adjunto de la Legación de Venezuela en el Ecuador en 1927 y 1928. Formó parte de otras misiones diplomáticas en Cuba, Haití y Panamá; luego, de 1937 a 1938, fué Cónsul General en China; y de 1939 a 1940 sirvió en la Embajada venezolana en el Brasil.

FLORIT, Eugenio [Cuba]   Madrid, 1903-
    32 *poemas breves* (1927)
    Trópico (1930)
    Doble acento (1937)
    Cuatro poemas (1940)
De madre cubana y padre español, Florit llegó a Cuba, de Madrid, a la edad de quince años; estudió en la Universidad de La Habana. Presta sus servicios en el Consulado de Cuba en Nueva York desde 1940. Se lo tiene por uno de los escritores contemporáneos de más valía de Cuba.

FOMBONA-PACHANO, Jacinto [Venezuela]   Caracas, 1901-
    Virajes (1932)
    Las torres desprevenidas (1940)
Fombona-Pachano estudió ciencias políticas en la Universidad Central de Venezuela. Siendo miembro de la Academia Venezolana, prestó sus servicios en el Estado de Monagas como Secretario General; desempeño también un cargo en la Embajada venezolana de Wáshington. Sus primeros versos son notables por su frescura y simplicidad. Su obra subsiguiente, escrita en los años que pasó en Wáshington, versa sobre la crisis de la hora. Fombona-Pachano militó con el grupo *Viernes,* y se le conceptúa como uno de los más notables poetas vivientes de Venezuela.

He was also much interested in music, and founded and conducted the Costa Rican Symphony Orchestra.

FERRER, José Miguel [Venezuela]   Caracas, 1903-
  Cuarta dimensión (1940)
  Huésped en la eternidad (1940)
In 1927 and 1928 Ferrer was an attaché in the Venezuelan Legation in Ecuador. He also served on diplomatic missions to Cuba, Haiti and Panama; was Consul General in China from 1937 to 1938; and in 1939 and 1940 was a member of the Venezuelan Embassy in Brazil.

FLORIT, Eugenio [Cuba]   Madrid, 1903-
  32 poemas breves (1927)
  Trópico (1930)
  Doble acento (1937)
  Cuatro poemas (1940)
Florit's mother was Cuban, his father Spanish. At the age of fifteen he came to Cuba from Madrid and studied in the University of Havana. Since 1940 he has served in the Cuban Consulate in New York. He is considered one of the most important of the contemporary Cuban writers.

FOMBONA-PACHANO, Jacinto [Venezuela]   Caracas, 1901-
  Virajes (1932)
  Las torres desprevenidas (1940)
Fombona-Pachano studied political science in the Central University of Venezuela. A member of the Venezuelan Academy, he has served as Secretary General of the State of Monagas, and also in the Venezuelan Embassy at Washington. His earlier verse is notable for its fresh, naive qualities. His second volume, written during the Washington years, deals with the contemporary crisis. Fombona-Pachano has been associated with the *Viernes* group, and is rated as one of the most distinguished of the living Venezuelan poets.

FRANCO, Luis L. [Argentina]   Belén, 1898-
   Libro del gay vivir (1923)
   Los trabajos y los días (1928)
   Suma (1938)
En 1924, Franco, por su *Libro del gay vivir,* recibió un premio otorgado por la ciudad de Buenos Aires. Su poesía regional, vivaz, alerta, está grandemente influenciada por los localismos folklóricos.

GIRONDO, Oliverio [Argentina]   Buenos Aires, 1891-
   Veinte poemas para ser leídos en el tranvía (1922)
   Calcomanías (1925)
   Espantapájaros (1932)
   Persuasión de los días (1942)
La obra inicial de Girondo ha sido comparada con las viñetas diestramente ejecutadas de Paul Morand. Asuntos que pudieron haber sido únicamente pictóricos, cobran encanto y variedad merced a la habilidad con que Girondo teje sus metáforas e ironía.

GONZALEZ Y CONTRERAS, Gilberto [El Salvador]
   Piedra india (1938)   Izalco, 1904-
   Trinchera (1940)
Fuera de ser un literato versátil, González y Contreras es un luchador infatigable que defiende a las masas. Es, además, un devoto de la causa unionista centroamericana, y ha padecido el exilio por sus opiniones políticas. En 1931 fué secretario de la Federación Obrera Salvadoreña. Su carrera literaria ha sido realzada con la dirección que ha asumido de varias revistas y periódicos, entre ellos *Prisma* y *Vida* de El Salvador, *y El Tiempo* de Guatemala.

GONZALEZ MARTINEZ, Enrique [México]
   Preludios (1903)   Guadalajara (Jal.), 1871-
   Silénter (1907)
   Los senderos ocultos (1911)
   La muerte del cisne (1915)
   Parábolas y otros poemas (1918)
   Ausencia y canto (1937)
   El diluvio de fuego (1938)

FRANCO, Luis L. [Argentina]   Belén, 1898-
   Libro del gay vivir (1923)
   Los trabajos y los días (1928)
   Suma (1938)
In 1924, Franco was awarded a prize for his *Libro del gay vivir* by
the city of Buenos Aires. His poetry is regionalist, crisp and alert
in tone, and considerably influenced by local folk-forms.

GIRONDO, Oliverio [Argentina]   Buenos Aires, 1891-
   Veinte poemas para ser leídos en el tranvía (1922)
   Calcomanías (1925)
   Espantapájaros (1932)
   Persuasión de los días (1942)
Girondo's early work has been compared to the skilfully drawn
vignettes of Paul Morand. Subjects which might have been merely
pictorial gain variety and charm through the cleverness of his
metaphors and the play of his irony.

GONZALEZ Y CONTRERAS, Gilberto [El Salvador]
   Piedra india (1938)   Izalco, 1904-
   Trinchera (1940)
González y Contreras, besides being a versatile man of letters, is a
tireless fighter on the side of the masses. He is devoted to the cause
of Central American unity, and has suffered exile for his political
views. In 1931 he was Secretary of the Salvadorean Labour Party.
His literary career has been marked by the editorship of several
reviews and journals, among them *Prisma* and *Vida* of El Salvador, and *El Tiempo* of Guatemala.

GONZALEZ MARTINEZ, Enrique [Mexico]
   Preludios (1903)   Guadalajara (Jal.), 1871-
   Silénter (1907)
   Los senderos ocultos (1911)
   La muerte del cisne (1915)
   Parábolas y otros poemas (1918)
   Ausencia y canto (1937)
   El diluvio de fuego (1938)

Poesía 1898-1938 (1940)
Poemas 1939-1940 (1940)

Enrique González Martínez es uno de los poetas más celebrados de México y una figura de insondable importancia en la literatura contemporánea de América. Más que ningún otro adalid, él es responsable de la revuelta contra la retórica decorativa de la escuela de Rubén Darío. De su obra—roqueña, lúcida, sin hojarasca—extraen los nuevos poetas mucha de su fuerza. No es exagerado decir que su soneto sobre el *Cisne,* empleado como epígrafe general de esta antología, es el manifiesto del post-Modernismo—uno de los hitos más significativos en la literatura universal.

GOROSTIZA, José [México] México, 1901-
 Canciones para cantar en las barcas (1925)
 Muerte sin fin (1939)

Como Alberti en España y Cané en Argentina, Gorostiza se ha visto fuertemente influenciado por los cultos romances españoles del siglo diecisiete. El vierte una sensibilidad moderna y temas contemporáneos en los moldes tradicionales. En otros momentos trabaja en un ámbito más suelto, pues combina el impresionismo con un cierto módulo de disciplina en la frase, que él ha adquirido en el curso de su instrucción clásica.

GUILLEN, Nicolás [Cuba] Camagüey, 1904-
 Motivos de son (1930)
 Sóngoro cosongo (1931)
 West Indies Ltd. (1937)
 Sones para turistas y cantos para soldados (1937)

Guillén, que se preparó en leyes en la Universidad de la Habana, ha desempeñado cargos en el Gobierno y redactado los Archivos del Folklore Cubano. Es activo conferenciante y periodista. En cierta ocasión presentó su candidatura a la alcaldía de su pueblo natal. De ascendencia afroespañola, es adalid de la escuela poética afrocubana. Fué él quien introdujo el canto folklórico regional en la literatura, y quien convirtió el folklore africano, todavía corriente en las Antillas, en material artístico de tanta popularidad. Su primera poesía muestra la influencia de Villón y Baudelaire, y todos sus escritos están saturados de protesta. Sus convicciones marxistas lo impelen a buscar formas de expresión populares con el fin de

Poesía 1898-1938 (1940)

Poemas 1939-1940 (1940)

Enrique González Martínez, one of the most celebrated of Mexican poets, is a figure of incalculable importance in contemporary American literature. He, more than any other single force, is responsible for the revolt against the decorative rhetoric of the school of Rubén Darío. From his work—stripped, hard, clear—the new poets derive much of their strength. It is no exaggeration to say that his sonnet on the Swan, used as a general epigraph for this anthology, is the manifesto of post-Modernism—one of the significant landmarks in world literature.

GOROSTIZA, José [Mexico]   Mexico, 1901-

Canciones para cantar en las barcas (1925)

Muerte sin fin (1939)

Like Alberti of Spain and Cané of Argentina, Gorostiza has been strongly influenced by the cultivated Spanish ballads of the seventeenth century. He brings a modern sensitivity and contemporary material to traditional forms. At other times he works in a freer manner, combining impressionism with a certain discipline of phrase which he has acquired from his classical training.

GUILLEN, Nicolás [Cuba]   Camagüey, 1904-

Motivos de son (1930)

Sóngoro cosongo (1931)

West Indies Ltd. (1937)

Sones para turistas y cantos para soldados (1937)

Guillén, who studied law in the University of Havana, has held government positions and has edited the Archives of Cuban Folklore. He is also active as a lecturer and journalist, and once ran for mayor of his native town. Of African and Spanish descent, he is a leader of the Afro-Cuban school of poetry. It was he who brought the *son*, the local Cuban folksong, into literature and made African folklore, which is still current in the Antilles, popular as artistic material. His earlier poetry shows the influence of Villon and Baudelaire, and all of his writing is steeped in social protest. His Marxist convictions have led him to look for popular forms in order to challenge a wide audience. In his ballads and his dance lyrics he

ganarse la atención de una vasta audiencia. En sus romances y en sus *sones* ataca a su pueblo carnal por sus pretensiones sociales y trata de imbuirle conciencia de lo que es la explotación y de las razones de su pobreza. En la poesía de la América Latina, él representa una de las evoluciones más nuevas y ha hecho ya más que ningún otro artista por cimentar la cultura negra contemporánea.

HEREDIA, José Ramón [Venezuela]   Trujillo, 1900-
    Paisajes y canciones (1928)
    Por caminos nuevos (1933)
    Los espejos de más allá (1938)
    Gong en el tiempo (1941)
Heredia forma parte del grupo *Viernes.* Su primera labor fué de ensayo, y siguió siéndolo hasta *Los espejos,* en que demuestra haber desarrollado por entero la madurez de su estilo, que lo coloca entre los surrealistas. Algunas imágenes suyas acusan la influencia de Pablo Neruda.

HERRERA S., Demetrio [Panamá]   1902-
    Mis primeros trinos (1924)
    Kodak (1937)
    La Fiesta de San Cristóbal (1937)
    Los poemas del pueblo (1939)
Mulato nacido en la mayor pobreza, Herrera se educó casi solo. Su primer libro fué de escaso valor, pero en *Kodak* hizo gala de maestría completa en su airoso y acrobático estilo, lleno de fantasías brillantes y observaciones ágiles. El crítico Rodrigo Miró lo describe como 'un irónico e inteligente espectador del teatro del mundo.'

HUERTA, Efraín [México]   México, 1914-
    Absoluto amor (1935)
    Línea del alba (1936)
Efraín Huerta ha sido redactor de *Nuevo Mundo* y de *El Popular.* Su obra—austera, seca, hondamente apasionada—lo señala como una de las figuras más importantes de la nueva generación literaria de México.

attacks his own people for their social pretensions and tries to sting them into a consciousness of exploitation and the reasons for their poverty. He represents one of the newest movements in Latin American poetry and has done more than any other single artist to lay the foundation for a contemporary Negro culture.

HEREDIA, José Ramón [Venezuela]   Trujillo, 1900-
   Paisajes y canciones (1928)
   Por caminos nuevos (1933)
   Los espejos de más allá (1938)
   Gong en el tiempo (1941)
Heredia is a member of the *Viernes* group. His early work was tentative, and it was not until *Los espejos* that he fully developed the mature style which places him among the surrealists. Some of his imagery suggests the influence of Pablo Neruda.

HERRERA S., Demetrio [Panama]   1902-
   Mis primeros trinos (1924)
   Kodak (1937)
   La Fiesta de San Cristóbal (1937)
   Los poemas del pueblo (1939)
A mulatto born in extreme poverty, Herrera is almost completely self-educated. His first book was of negligible value, but in *Kodak* he displayed complete mastery of a lithe, acrobatic style, full of brilliant conceits and agile perceptions. The critic Rodrigo Miró describes him as 'an ironical and intelligent spectator in the theatre of the world'.

HUERTA, Efraín [Mexico]   Mexico, 1914-
   Absoluto amor (1935)
   Línea del alba (1936)
Efraín Huerta has edited *Nuevo Mundo* and *El Popular*. His austere, dry, but deeply impassioned work marks him as one of the most important members of the new literary generation in Mexico.

HUIDOBRO, Vicente [Chile]   Santiago, 1893-
El espejo de agua (1916)
Saisons choisies (1921)
Manifestes (1925)
Tout à coup (1925)
Temblor de cielo (1931)
Altazor (1931)
El ciudadano del olvido (1941)
Ver y palpar (1941)

Huidobro, que pasó una buena parte de su vida en París y Madrid, introdujo el experimentalismo europeo en la literatura chilena. Su obra halló poco favor en su país, y él ganó la reputación de *enfant terrible* por la violencia de sus polémicas. En una conferencia que dictó en 1916, en Buenos Aires, lanzó su 'Creacionismo' que, asevera él, no es una tendencia, sino una teoría estética. Esta escuela puso énfasis en la hechura de nuevas variantes de imágenes, y como Huidobro juzga que la imagen es cosa independiente de idioma, escribió una gran parte de su obra en francés. Sus ideas influyeron considerablemente en España y la América Latina.

IBAÑEZ, Roberto [Uruguay]   Montevideo, 1907-
Olas (1925)
La danza de los horizontes (1927)
Mitología de la sangre (1939)

Ibáñez dicta clases de literatura en la Universidad de Montevideo. Dirige también la revista *Andén* y es un dirigente del movimiento llamado *Transcreacionismo*. Con su *Mitología de la sangre* ganó en 1939 el premio nacional de poesía. Ibáñez figura entre los más distinguidos poetas y críticos de la nueva generación uruguaya.

IBARBOUROU, Juana de [Uruguay]   Melo, 1895-
Antología poética (1940)

Juana de Ibarbourou—'Juana de América'—usa de muchísimas formas, pero únicamente de un tema: no tanto de una mujer enamorada como de la rendición de la mujer en el amor. Sus versos son de una popularidad enorme en toda la América Hispana.

HUIDOBRO, Vicente [Chile]   Santiago, 1893-
  El espejo de agua (1916)
  Saisons choisies (1921)
  Manifestes (1925)
  Tout à coup (1925)
  Temblor de cielo (1931)
  Altazor (1931)
  El ciudadano del olvido (1941)
  Ver y palpar (1941)
Huidobro, who has spent much of his time in Paris and Madrid, introduced European experimentalism into Chilean literature. His work found small favour in his native country, and he gained a reputation as an *enfant terrible* and a violent polemist. 'Creationism', which he says was not a movement but a theory of aesthetics, was launched in a Buenos Aires lecture in 1916. This school emphasized the fashioning of new kinds of imagery; and since Huidobro felt that the image was independent of any single language, he wrote much of his work in French. His ideas had considerable influence in Spain and Latin America.

IBAÑEZ, Roberto [Uruguay]   Montevideo, 1907-
  Olas (1925)
  La danza de los horizontes (1927)
  Mitología de la sangre (1939)
Ibáñez gives courses in Literature at the University of Montevideo. He also edits the review *Andén* and is a leader in the movement which he has named *Transcreationism*. With *Mitología de la sangre* he won, in 1939, the first national poetry prize. He is one of the most distinguished of the younger generation of Uruguayan poets and critics.

IBARBOUROU, Juana de [Uruguay]   Melo, 1895-
  Antología poética (1940)
Juana de Ibarbourou—'Juana de América'—has a wide range of forms, but only one theme: not so much a woman in love as a woman's surrender to love. Her verse is enormously popular throughout Hispanic America.

LARS, CLAUDIA (Carmen Brannon Beers) [El Salvador]   1903-
  Estrellas en el pozo (1934)
  Canción redonda (1937)
Claudia Lars es de ascendencia irlandesa y salvadoreña. Con su
colección de poemas, *Sonetos del arcángel,* ganó un premio en un
certamen literario de la América Central organizado en 1941 en
la ciudad de Guatemala.

LEZAMA LIMA, José [Cuba]   La Habana, 1912-
  La muerte de Narciso (1937)
  Enemigo rumor (1941)
José Lezama Lima estudió leyes en la Universidad de la Habana,
mas se ha dedicado a las letras. Fundó y editó las revistas *Verbum,
Espuela de Plata,* y *Nadie Parecía;* actualmente es uno de los
editores de *Orígenes.* Ha cultivado el cuento fantástico y el ensayo,
pero es esencialmente poeta.

LIMA, JORGE DE [Brasil]   União, 1893-
  Poemas (1928)
  Banguê e negra fuló (1928)
  Novos poemas (1929)
  Poemas escolhidos (1932)
  Tempo e eternidade [em colaboração com M. Mendes] (1935)
  Quatro poemas negros (1937)
  Tunica inconsutil (1941)
Jorge de Lima, médico, legislador e professor, recebeu, em 1935, os
prêmios literários da Fundação Graça Aranha e da *Revista Ameri-
cana.* Um dos iniciadores da renascença contemporânea da poesia
no Brasil, demonstra tendências que têm afetado de vários modos
o movimento. Jorge de Lima ousadamente combina a devoção com
uma espécie de 'vaudeville' poético, que faz lembrar a sua fase ex-
perimentalista. O seu trabalho é rico em simpatia humana, e demonstra um alcance e colorido interessantes.

LOPEZ, LUIS CARLOS [Colombia]   1880-
  Poesías (1940)
López prestó sus servicios de Cónsul de Colombia en Baltimore.

LARS, Claudia (Carmen Brannon Beers) [El Salvador]   1903-
Estrellas en el pozo (1934)
Canción redonda (1937)
Claudia Lars is of Irish and Salvadorean ancestry. With her group
of poems *Sonetos del arcángel* she won a prize in the Central
American Literary Contest held in Guatemala City in 1941.

LEZAMA LIMA, José [Cuba]   Havana, 1912-
La muerte de Narciso (1937)
Enemigo rumor (1941)
José Lezama Lima studied law at the University of Havana, but
he has devoted himself to writing. He founded and edited the
reviews *Verbum, Espuela de Plata,* and *Nadie Parecía,* and is at
present one of the editors of *Orígenes.* He has tried his hand at the
fantastic tale and the essay, but he is essentially a poet.

LIMA, Jorge de [Brazil]   União, 1893-
Poemas (1928)
Banguê e negra fulô (1928)
Novos poemas (1929)
Poemas escolhidos (1932)
Tempo e eternidade [in collaboration with M. Mendes] (1935)
Quatro poemas negros (1937)
Tunica inconsutil (1941)
Jorge de Lima, physician, legislator and teacher, in 1935 received
the literary awards of the Graça Aranha Foundation and the
Revista Americana. One of the initiators of the contemporary
renaissance of poetry in Brazil, he exhibits tendencies which have
variously affected the movement. Lima boldly combines piety with
a kind of poetic vaudeville reminiscent of his experimentalist phase.
His work is rich in humanitarian sympathies, and he displays an
interesting range and colour.

LOPEZ, Luis Carlos [Colombia]   1880-
Poesías (1940)
López has served as Colombian Consul in Baltimore. His work re-

Su obra se asemeja a la de Adán, del Perú, pues emplea la forma que Mariátegui ha llamado *anti-soneto*. López es ironista en rebeldía contra el tradicional soneto simbolista de arrullador efecto: preservando tan sólo un vestigio de la original exactitud de forma, él echa mano de temas rudamente reales y los vierte en los moldes de su sátira. Es un cronista inquisitorial de la esterilidad y el hastío de la vida pueblerina. Se destaca como uno de los dirigentes de la poesía contemporánea de Colombia.

LOPEZ MERINO, Francisco [Argentina]   La Plata, 1904-1928
    Obra completa (1931)
Los versos nostálgicos y delicados de Francisco López Merino evocan a sus venerados maestros, Samain y Jammes. Su muerte prematura cortó una carrera que prometía mucho, pues había ya impreso su huella significativa en la poesía argentina.

MARECHAL, Leopoldo [Argentina]   Buenos Aires, 1900-
    Los aguiluchos (1922)
    Días como flechas (1926)
    Odas para el hombre y la mujer (1929)
    Cinco poemas australes (1937)
Marechal fué, con Francisco Luis Bernárdez, redactor de la revista *Libra*. Publicó también, profusamente, en *Proa* y *Martín Fierro*, publicaciones ligadas al renacimiento contemporáneo de la poesía argentina. En 1930, sus *Odas para el hombre y la mujer* obtuvieron el primer premio de poesía de la ciudad de Buenos Aires. Su estilo tiene el dejo fuerte de la moderna escuela española.

MAYA, Rafael [Colombia]
    La vida en la sombra (1925)
    Coros del mediodía (1928)
    Poesía (1940)
Maya estudió en la Universidad Nacional de Colombia y hoy enseña en la Escuela Nacional de Bellas Artes. Su poesía inicial fué de sensibilidad simbolista. Después se fijó en Walt Whitman para su inspiración e imitó las extasiadoras estrofas libres del bardo norteamericano.

sembles that of Adán of Peru in the sense that he uses the form which Mariátegui called *anti-sonnet*. López is an ironist in rebellion against the lulling murmur of the traditional symbolist sonnet: preserving only the vestigia of the original form's strictness, he works with brutally realistic material, shaping it to satirical purposes. He is an unsparing recorder of the sterility and boredom of provincial life. He is a leading figure in contemporary Colombian poetry.

LOPEZ MERINO, Francisco [Argentina]   La Plata, 1904-1928
  Obra completa (1931)
The delicate and nostalgic verse of Francisco López Merino reminds one of his beloved masters, Samain and Jammes. His early death cut short a career which promised much, and which had already left a significant mark upon Argentinian poetry.

MARECHAL, Leopoldo [Argentina]   Buenos Aires, 1900-
  Los aguiluchos (1922)
  Días como flechas (1926)
  Odas para el hombre y la mujer (1929)
  Cinco poemas australes (1937)
Marechal was co-editor, with Francisco Luis Bernárdez, of the review *Libra*. He also contributed extensively to *Proa* and *Martín Fierro*, publications which are associated with the contemporary renaissance of Argentinian poetry. His *Odas para el hombre y la mujer* won the first prize for poetry from the city of Buenos Aires in 1930. His style is strongly suggestive of the modern Spanish school.

MAYA, Rafael [Colombia]
  La vida en la sombra (1925)
  Coros del mediodía (1928)
  Poesía (1940)
Maya studied in the National University of Colombia, and now teaches in the National School of Fine Arts. His earlier poetry is symbolist in feeling. Later he turned to Walt Whitman for inspiration and imitated the free ecstatic strophes of the North American poet.

MENDES, Murilo [Brasil]   Juiz de Fora, 1902-
Poemas (1933)
Tempo e eternidade [em colaboração com J. de Lima] (1935)
Murilo Mendes foi educado em Niterói, no Colégio de Santa Rosa.
As suas primeiras obras são notáveis pelo seu delicado senso hu-
morístico. Em 1934 interessou-se no Neo-catolicismo e começou a
escrever sob a influência de Jorge de Lima.

MENDEZ, Francisco [Guatemala]   1908-
Romances de la tierra verde (1938)
Los dedos en el barro (s.f.)
La poesía de Francisco Méndez es aceda, dura, anegada en la rojiza violencia de la guerra de guerrilla en Nicaragua. Tiene, sin
embargo, una ternura asaz conmovedora. Su obra, en su peor
parte, es apenas una 'sentimentalización' de la jerga popular; en
su parte más lograda, tiene algo del tono que Hórace Grégory y
Kénneth Féaring logran en sus poemas del vernáculo.

MENDEZ DORICH, Rafael [Perú]
Dibujos animados (1936)   Mendoza (Argentina), 1903-
Méndez Dorich nació en Argentina, pero se crió en Arequipa, al
sud del Perú. Por haberse educado en un medio religioso, trató
primero de abrazar la iglesia, pero se desligó más tarde de este
propósito y fué a trabajar en un ingenio azucarero. También se
ensayó en el ejército; no gustándole la disciplina, se dedicó a
viajar durante cinco años por Chile, la Argentina y el Uruguay.
Tras esto se aventuró en las selvas amazónicas. Hacia 1930 se
juntó con un grupo de escritores y artistas revolucionarios. Como
resultado de sus actividades políticas, él y veintitrés de sus camaradas fueron encarcelados en la isla Frontón. Procedieron a decla-
rarse en huelga de hambre y fueron puestos en libertad. Méndez
rompió a continuación con su grupo sobre cuestiones relacionadas
con el asesinato de León Trotzky en México. Desde entonces trabaja para una compañía naviera mientras revisa sus poemas. Sus
versos no reflejan sus actividades políticas y se inclinan a la escuela
impresionista.

MENDES, Murilo [Brazil]   Juiz de Fora, 1902-
   Poemas (1933)
   Tempo e eternidade [in collaboration with J. de Lima] (1935)
Mendes was educated in Nitheroy, at the College of Santa Rosa.
His earlier work is remarkable for a delicate sense of humour. In
1934 he became interested in Neo-Catholicism and began to write
under the influence of Jorge de Lima.

MENDEZ, Francisco [Guatemala]   1908-
   Romances de la tierra verde (1938)
   Los dedos en el barro (n.d.)
The poetry of Francisco Méndez is tough, hard, steeped in the
violent colour of guerrilla warfare in Nicaragua. It has a tenderness, nevertheless, that is most appealing. At its worst, it is merely
a sentimentalization of jargon; at its best, it achieves something of
the tone of the vernacular poems of Horace Gregory or Kenneth
Fearing.

MENDEZ DORICH, Rafael [Peru]
   Dibujos animados (1936)   Mendoza (Argentina), 1903-
Méndez Dorich was born in Argentina, but was brought up in
Arequipa, in the south of Peru. Educated in a religious environ-
ment, he at first intended to enter the Church; but he later broke
with his religious connections and went to work on a sugar-ranch.
He also tried the army, but disliking the discipline, spent the next
few years traveling in Chile, Argentina, and Uruguay. He then
made a trip into the Amazonian jungle. In the early 1930's he joined
a group of revolutionary writers and artists, and as a result of his
political activities was imprisoned with twenty-three of his comrades on Frontón Island. A hunger-strike followed, and the prison-
ers were released; but Méndez broke with his group over the question of the assassination of Leon Trotzky in Mexico, and since then
has been working for a steamship company and revising his poems.
His verse does not reflect his political activity, tending rather to the
impressionist school.

619

MISTRAL, Gabriela (Lucila Godoy Alcayaga) [Chile]
Desolación (1922)   Vicuña, 1889-
Ternura (1925)
Tala (1938)

Los *Sonetos de la muerte* de Gabriela Mistral, publicados en 1914, forjaron su nombradía, que desde entonces ha seguido en aumento. Ha ocupado puestos en el Ministerio de Educación de Chile y fué Consulesa en España; en 1922 se la invitó a México y fué huésped de esta nación. En 1931 enseñó en los colegios Bárnard y Míddlebury. En 1932 fué profesora visitante de estudios hispánicos en la Universidad de Puerto Rico, isla sobre la que desde ese día ha escrito mucho tanto en prosa como en verso. A la fecha desempeña el cargo de Consulesa en Los Angeles. Su poesía inicial fué de inspiración católica y algo simbolista de sensibilidad. Escribe con fluidez así en la forma libre como en la tradicional, y grande es su prestigio en Sudamérica. En 1945 se ganó el Premio Nobel de Literatura.

MORENO JIMENO, Manuel [Perú]   Lima, 1913-
Así bajaron los perros (1937)
Los malditos (1935)

Moreno Jimeno sufrió la prisión por sus convicciones políticas, y de esta experiencia y de su idealismo social fluye una poesía de dolor y rabia. Casi 'telegráfica' ella en su ajustada compresión, constituye una protesta verdaderamente revolucionaria contra la opresión.

MORO, César (César Quíspez Asín) [Perú]   Lima, 1906-
La tortuga ecuestre (1942)
Le château de grisou (1943)
Lettre d'amour (1944)

Moro es uno de los surrealistas peruanos más activos. Pasó algún tiempo en París y colaboró en la revista *Le Surréalisme au service de la Révolution,* publicada por Aragón, Bretón y Eluard. Moro es tan pintor como poeta; en 1935 participó en la primera exposición de pintura surrealista, organizada por él mismo en Lima. En México, fué uno de los organizadores de la exposición internacional

MISTRAL, GABRIELA (Lucila Godoy Alcayaga) [Chile]
Desolación (1922)   Vicuña, 1889-
Ternura (1925)
Tala (1938)

Gabriela Mistral's *Sonetos de la muerte*, published in 1914, created her reputation, which has continued to grow ever since. She has held positions in the Department of Education of Chile, has been Chilean consul in Spain, and was invited to come to Mexico in 1922 as Guest of the Nation. In 1931 she taught at Barnard and Middlebury Colleges. In 1932 she was Visiting Professor of Spanish Studies at the University of Puerto Rico, and she has since written extensively about the Island, both in prose and in verse. At present she is in the Chilean consular service in Los Angeles. Her earlier poetry was Catholic in inspiration and somewhat symbolist in feeling. She writes fluently both in the free and in the traditional forms, and her prestige throughout South America is great. In 1945 she won the Nobel Prize for Literature.

MORENO JIMENO, MANUEL [Peru]   Lima, 1913-
Así bajaron los perros (1937)
Los malditos (1935)

Moreno Jimeno suffered imprisonment for his political convictions, and out of this experience and his social idealism has come a poetry of anger and pain. Almost telegraphic in its compressed statement, it is a truly revolutionary protest against oppression.

MORO, CÉSAR (César Quíspez Asín) [Peru]   Lima, 1906-
La tortuga ecuestre (1942)
Le château de grisou (1943)
Lettre d'amour (1944)

Moro is one of the most active of the Peruvian surrealists. He lived for some time in Paris and contributed to the review *Le Surréalisme au service de la Révolution,* which was edited by Aragon, Breton and Eluard. Moro is a painter as well as a poet, and in 1935 he organized and participated in the first exhibition of surrealist painting in Lima. In Mexico, he was one of the organizers of the inter-

surrealista de 1940. Junto con Moreno Jimeno y Westphalen, militó por la causa de la España republicana, y, también como aquéllos, fué perseguido por el gobierno de Benavides.

MUÑOZ MARIN, Luis [Puerto Rico]   San Juan, 1898-
 Borrones (1917)
 Madre haraposa (1917)
Luis Muñoz Marín es hijo de Luis Muñoz Rivera, 'el George Wáshington de Puerto Rico'. Empezó su carrera literaria a la edad de veinte, cuando fundó y dirigió *La Revista de Indias,* bilingüe publicación literaria impresa en Nueva York. En 1920 optó por dedicar su vida a la mejora de la suerte que les ha caído en lote a las masas destitutas, sufridas, inteligentes de Puerto Rico. Desde entonces su historia ha sido la de la isla misma. Hoy es el dirigente del partido Popular Democrático y presidente del Senado de Puerto Rico. Ha diseminado mucho sus escritos en español e inglés.

NALE ROXLO, Conrado [Argentina]   Buenos Aires, 1898-
 El grillo (1923)
El grillo, en 1923, obtuvo un premio de la editorial *Babel.* Nalé Roxlo ha ganado también un premio de la ciudad de Buenos Aires.

NERUDA, Pablo (Neftalí Ricardo Reyes) [Chile]   Parral, 1904-
 Crepusculario (1923)
 Veinte poemas de amor y una canción desesperada (1924)
 Residencia en la tierra I (1931)
 El hondero entusiasta (1933)
 Residencia en la tierra II (1935)
 España en el corazón (1937)
Neruda es de los nombres que más suenan en la poesía contemporánea de la América Latina. El ha viajado mucho por Europa y el Oriente, sirviendo activamente en los consulados de Madrid, Calcuta, Rangún, y México. Pasó su juventud en Temuco, pobla-

national surrealist exhibition of 1940. He was active in the cause of Republican Spain, together with Moreno Jimeno and Westphalen; and, like them, he was persecuted by the Benavides government.

MUÑOZ MARIN, Luis [Puerto Rico]   San Juan, 1898-
  Borrones (1917)
  Madre haraposa (1917)
Luis Muñoz Marín is the son of Luis Muñoz Rivera, 'the George Washington of Puerto Rico'. At the age of twenty he began his literary career, founding and editing *La Revista de Indias,* a bilingual literary review published in New York. In 1920 he decided to devote his life to bettering the lot of the patient, intelligent, poverty-stricken Puerto Rican masses, and since then his story has been that of the Island itself. At present he is the leader of the Popular Democratic Party and President of the Senate of Puerto Rico. He has published widely, both in Spanish and in English.

NALE ROXLO, Conrado [Argentina]   Buenos Aires, 1898-
  El grillo (1923)
El grillo won a prize from the publishing house *Babel* in 1923, and Nalé Roxlo has also won an award from the city of Buenos Aires.

NERUDA, Pablo (Neftalí Ricardo Reyes) [Chile] Parral, 1904-
  Crepusculario (1923)
  Veinte poemas de amor y una canción desesperada (1924)
  Residencia en la tierra I (1931)
  El hondero entusiasta (1933)
  Residencia en la tierra II (1935)
  España en el corazón (1937)
Neruda's is one of the best known names in contemporary Latin American poetry. He has traveled extensively in Europe and the Orient, having been active in the consular service in Madrid, Calcutta, Rangoon, and Mexico. His youth was spent in Temuco, a

ción costanera, lo que tal vez explica su continua alusión al mar en su poesía. La evolución de Neruda ha sido gradual. Con *Crepusculario,* obra en que los elementos simbolistas se funden con imágenes extraordinariamente originales, sentó plaza en la literatura chilena. *El hondero entusiasta,* escrito poco después pero publicado años más tarde, revela la influencia del estilo extasiador de Sabat Ercasty, del Uruguay. Los dos tomos de *Residencia en la tierra* reunen la poesía que le ha dado fama. La estructura eminentemente personal de su obra se debe a que trenza su material realista y el enjambre de sus símbolos. Como T. S. Eliot, Neruda es el poeta de un sistema social en decadencia: mira a la vida como una romántica y grotesca pesadilla. Tétrica como un osario—lo que es cualidad esencialmente española—fluye la tristeza por sus poemas. Técnicamente, su obra reciente demuestra que ha roto con el simbolismo, o, como es el caso a menudo, que ha reaccionado contra esta tendencia; mas no incurre en los moldes del surrealismo convencional.

NOVO, Salvador [México]   México, 1904-
    Poemas (1925)
    Espejo (1933)
    Nuevo amor (1938)
Salvador Novo, uno de los miembros sobresalientes del grupo *Ulises,* se educó en la Escuela Nacional de Jurisprudencia, y se dedica actualmente al periodismo y a la publicidad. Fué delegado de México en la Segunda Conferencia Panamericana de 1927, y en un tiempo u otro ha encabezado distintas reparticiones gubernamentales, incluso el Ministerio de relaciones Exteriores.

OCAMPO, Silvina [Argentina]
    Enumeración de la patria (1942)
Silvina Ocampo, hermana de la notable redactora de la revista *Sur* de Buenos Aires, ha sido celebrada por todo el continente a causa de su libro *Enumeración de la patria.* Figura entre las voces más conmovedoras de la poesía americana contemporánea.

seaside town, and this perhaps accounts for the continual recurrence of the sea motif in his poetry. Neruda's development has been gradual. He made his mark in Chilean literature with *Crepusculario*, in which symbolist elements are blended with highly original images. *El hondero entusiasta*, which was written soon after but published several years later, shows the influence of the ecstatic style of Sabat Ercasty of Uruguay. The two volumes of *Residencia en la tierra* contain the poetry that has made him famous. The highly individual texture of his work is due to the interweaving of realistic material and a personal set of symbols. Neruda is as much the poet of a decaying social system as is T. S. Eliot: he sees life as a romantic and grotesque nightmare. The charnel grimness which runs through his poems is an essentially Spanish quality. Technically, his later work represents a break with symbolism, often a reaction against it; but it does not fall into the conventional surrealist pattern.

NOVO, Salvador [Mexico]   Mexico, 1904-
    Poemas (1925)
    Espejo (1933)
    Nuevo amor (1938)
Salvador Novo, one of the outstanding members of the *Ulises* group, was educated in the National School of Jurisprudence, and is now actively engaged in journalism and publicity work. He was the Mexican delegate to the Second Pan American Conference in 1927, and has at one time or another been the head of various governmental departments, including the Secretariat of Foreign Affairs.

OCAMPO, Silvina [Argentina]
    Enumeración de la patria (1942)
Silvina Ocampo—the sister of Victoria Ocampo, the well-known editor of the Buenos Aires review *Sur*—has won acclaim throughout Latin America for her book *Enumeración de la patria*. Hers is one of the most moving voices in contemporary American poetry.

OLIVARES FIGUEROA, R. [Venezuela]   Caracas, 1893-
Sueños de arena (1937)
Teoría de la niebla (1938)
Suma poética (1942)

Olivares Figueroa se educó en España y no entró a tomar parte en la vida literaria venezolana hasta 1937. Es autor de un libro sobre el verso moderno en su país. Su misma obra representa un esfuerzo de resucitar los viejos romances y la poesía popular españoles. Cultiva él cualidades sencillas e ingenuas.

OQUENDO DE AMAT, Carlos [Perú]   Puno, 1909-1936
5 metros de poemas (1929)

Oquendo de Amat fué uno de los más jóvenes surrealistas peruanos. Su obra llamó primeramente la atención en *Amauta,* la revista de Mariátegui, que desde 1926 a 1930 fué meollo cultural y caldero político en Lima. Por razones políticas fué desterrado en 1931, y tras haber peregrinado por la América Central, se trasladó a España, donde contrajo tuberculosis y murió en los primeros días de la guerra civil. Aunque murió joven, dejando sólo un libro, era ya un poeta que prometía mucho. Escribió en cierto modo al estilo de Eluard, pero la naturaleza de sus imágenes crea una tonalidad *sui géneris,* de delicada alegría.

ORIBE, Emilio [Uruguay]   Melo, 1893-
El nunca usado mar (1922)
La transfiguración del corpóreo (1930)
El canto del cuadrante (1938)
La lámpara que anda (1944)
Poesía (antología) (1944)

Estudió en Montevideo; viajó por Europa, Estados Unidos, y América Latina. Ha sido Profesor de Filosofía de la Universidad de Montevideo y Profesor de Estética de la Facultad de Humanidades. Actualmente integra el Consejo de Enseñanza Primaria y Normal del Uruguay. Ha dictado numerosos cursos y conferencias sobre temas de filosofía, arte y educación, y ha hecho lectura de sus

OLIVARES FIGUEROA, R. [Venezuela]   Caracas, 1893-
  Sueños de arena (1937)
  Teoría de la niebla (1938)
  Suma poética (1942)
Olivares Figueroa was educated in Spain and did not become a part of Venezuelan literary life until 1937. He is the author of a book on modern Venezuelan verse. His own work represents an attempt to revive the old *romances* and popular Spanish poetry. He cultivates naive and childlike qualities.

OQUENDO DE AMAT, Carlos [Peru]   Puno, 1909-1936
  5 metros de poemas (1929)
Oquendo de Amat was one of the younger Peruvian surrealists. His work first attracted attention in the pages of *Amauta*, Mariátegui's review, which was a centre of cultural and political ferment in Lima from 1926 to 1930. In 1931 he was exiled for political reasons and, after wandering in Central America, he went to Spain. There he contracted tuberculosis, and died during the first days of the Civil War. Although he died young, leaving but one book, he was already a poet of great promise. He wrote rather in the style of Eluard, but the character of his imagery creates an individual tone of gentle gaiety.

ORIBE, Emilio [Uruguay]   Melo, 1893-
  El nunca usado mar (1922)
  La transfiguración del corpóreo (1930)
  El canto del cuadrante (1938)
  La lámpara que anda (1944)
  Poesía (collected) (1944)
Emilio Oribe was educated in Montevideo and has travelled in Europe, the United States, and Latin America. He has been Professor of Philosophy in the University of Montevideo and Professor of Esthetics in the Faculty of Humane Studies. He is now connected with the National Council of Primary and Normal Instruction in Uruguay. He has given numerous courses and lectures on

poemas en la Unión Panamericana de Wáshington, en Buenos Aires, La Plata, y Santiago de Chile. Poeta, médico y profesor, Emilio Oribe publicó su primer libro, *El nardo del ánfora,* en 1915. Ha escrito extensamente, tanto en prosa como en poesía.

ORTIZ DE MONTELLANO, Bernardo [México]
   Avidez (1921)
   El trompo de siete colores (1925)
   Red (1928)
   Sueños (1933)
   Muerte de cielo azul (1937)
   Cinco horas sin corazón (1940)

En 1935 Ortiz de Montellano publicó un estudio sobre la antigua poesía indígena de México, con un análisis de imágenes, más unas versiones revisadas de ciertas traducciones españolas. Le interesaba establecer un nexo entre el fetichismo primitivo y el surrealismo contemporáneo. Su propia poesía es similar a la de la escuela norteamericana moderna, pues, buscando valores espirituales, explora en las sensaciones. En suma, sus buceos de la mente y del contenido del estado consciente producen un efecto tan análogo al que se recibe de T. S. Eliot como para hacerlo un traductor ideal de este poeta. Así, no sorprende que en 1938 haya hecho la traducción española de *Ash Wednesday.* Temperamento escolástico es el suyo, introspectivo y preciso; agudo y original se muestra en sus imágenes.

OTERO REICHE, Raúl [Bolivia] Santa Cruz de la Sierra, 1906-
   Alba (1925)

Otero Reiche ha dirigido los diarios *La Palabra, El Nacional, La Unión* y *El Oriente.* Fué laureado en el certamen nacional de poesía de 1939. Está influenciado por el culto del indio, que ha creado una escuela poética que florece en varias repúblicas americanas. Representa esta escuela un intento de cobrar autenticidad autóctona a favor del uso de las tradiciones y la historia de las masas de la población. Otero Reiche auna este interés con un épico entusiasmo por toda la vastedad del Continente. Su obra es de orien-

philosophical, artistic, and educational subjects; and he has given readings of his poetry in the Pan American Union, in Buenos Aires, La Plata, and Santiago de Chile. Emilio Oribe—poet, physician, and educator—published his first book, *El nardo del ánfora,* in 1915. He has written extensively, both in prose and in verse.

ORTIZ DE MONTELLANO, Bernardo [Mexico]
  Avidez (1921)   Mexico, 1899-
  El trompo de siete colores (1925)
  Red (1928)
  Sueños (1933)
  Muerto de cielo azul (1937)
  Cinco horas sin corazón (1940)

In 1935 Ortiz de Montellano published a study of the ancient Indian poetry of Mexico with an analysis of its imagery and with revised versions of some of the Spanish translations. He was interested in tracing relationships between primitive fetichism and contemporary surrealism. His own poetry is similar to the modern American school in that it explores sensation in a search for spiritual values. In fact, his probing of the mind and the content of consciousness produces a tone sufficiently like T. S. Eliot's to make him an ideal translator of this poet, and it is not surprising that he made a Spanish version of *Ash Wednesday* in 1938. His is a scholarly temperament, introspective and precise, and his imagery is sharp and original.

OTERO REICHE, Raúl [Bolivia]   Santa Cruz de la Sierra, 1906-
  Alba (1925)

Otero Reiche has edited the newspapers *La Palabra, El Nacional, La Unión* and *El Oriente.* In 1939 he won the laurel in the national poetry contest. He is influenced by the cult of the Indian, a school of poetry which flourishes in several Latin American republics, representing an attempt to gain native authenticity by using the traditions and history of the masses of the population. Otero Reiche combines this interest with an epic enthusiasm for the sweep of the Continent. His work is similar in trend to that of Peralta, of

tación similar a la de Peralta, del Perú; revélase, en la forma, admirador de Walt Whitman.

OTERO SILVA, Miguel [Venezuela]   Valencia, 1908-
   Agua y cauce (1937)
   25 poemas (1942)
Otero Silva fué desterrado de Venezuela bajo el régimen de Gómez y vivió en España, Cuba y México. De protesta social es su poesía, a menudo expresada en términos de amoríos. Contrariamente a la mayoría de los escritores proletarios, él es abiertamente romántico.

PALES MATOS, Luis [Puerto Rico]   Guayama, 1898-
   Azaleas (1915)
   Tuntún de pasa y grifería (1937)
Luis Palés Matos es uno de los representantes destacados de la escuela afroantillana. Emplea el folklore negro con regocijo e ironía, y, como Nicolás Guillén, es un satirista mordaz. Pocos escritores de su escuela se pueden comparar con él en su modo grutesco de ensamblar las faces de sensualidad y espiritualidad que él crea—ensamblaje que jamás decae en lo puramente burlesco, y que, gracias a su exquisitez en la palabra y su imaginería cabal y deliciosa, se salva siempre de la vulgaridad. Publica al acaso, de modo infrecuente, y esto sólo ante la insistencia de sus amigos; mas, cuán raudamente circularán sus manuscritos cuando *Tuntún de pasa y grifería* fué comentado por la crítica en España y los Estados Unidos cinco años antes de que hubiese salido en libro. Su obra, en conjunto, constituye una contribución nueva a la poesía moderna.

PARDO GARCIA, Germán [Colombia]   Ibagué, 1902-
   Voluntad (1930)
   Los júbilos ilesos (1933)
   Los cánticos (1935)
   Poderíos (1937)
   Antología poética (1944)
   Las voces naturales (1945)
Pardo García ha vivido en la América Central y México, y fué

Peru; in form it suggests that he is an admirer of Walt Whitman.

OTERO SILVA, Miguel [Venezuela]   Valencia, 1908-
   Agua y cauce (1937)
   25 *poemas* (1942)
Otero Silva was exiled from Venezuela during the Gómez régime and lived in Spain, Cuba and Mexico. His is a poetry of social protest, frequently expressed in terms of amorous relationships. Unlike most proletarian writers, he is frankly a romantic.

PALES MATOS, Luis [Puerto Rico]   Guayama, 1898-
   Azaleas (1915)
   Tuntún de pasa y grifería (1937)
Luis Palés Matos is one of the outstanding representatives of the Afro-Antillean school. His use of Negro folklore is gay and ironic, and, like Nicolás Guillén, he is a pungent satirist. Few writers of his school can compare with him in the grotesque blend of sensual and spiritual values which he creates—a blend which never lapses into pure burlesque, and which is always saved from vulgarity by his exquisite word sense and delightfully apt imagery. He publishes casually and infrequently, only at the insistence of his friends; but how widely his verse circulates in manuscript is suggested by the fact that *Tuntún de pasa y grifería* was reviewed in Spain and the United States five years before it was brought out in book form. His work is a fresh contribution to modern poetry as a whole.

PARDO GARCIA, Germán [Colombia]   Ibagué, 1902-
   Voluntad (1930)
   Los júbilos ilesos (1933)
   Los cánticos (1935)
   Poderíos (1937)
   Antología poética (1944)
   Las voces naturales (1945)
Pardo García has lived in Central America and Mexico, and has

empleado de la Legación de Colombia en San José de Costa Rica.

PAZ, Octavio [México]   México, 1914-
 Raíz del hombre (1936)
 Entre la piedra y la flor (1941)
 A la orilla del mundo (1942)
Octavio Paz, uno de los fundadores de la conocida revista literaria *Taller,* es miembro de la junta que dirige la no menos influyente revista, *El hijo pródigo.* En 1943 se ganó una de las becas Gúggenheim reservadas para la América Latina. Actualmente tiene un cargo diplomático en París.

PEDROSO, Regino [Cuba]   Unión de Reyes, 1896-
 Nosotros (1933)
 Antología poética: 1918-1938 (1939)
 Más allá canta el mar (1939)
Pedroso, que de ascendencia es chino-africano, ha sido obrero en las industrias del azúcar, de los ferrocarriles y el acero. Es de los poetas proletarios más poderosos de la América Latina.

PELLICER, Carlos [México]   Villa Hermosa, 1899-
 Colores en el mar y otros poemas (1921)
 Piedra de sacrificios (1924)
 Seis, siete poemas (1924)
 Hora y 20 (1927)
 Camino (1929)
 Cinco poemas (1931)
 Hora de Junio (1937)
 Recinto (1941)
Pellicer, miembro del grupo *Ulises,* ordena sus imágenes al modo de una metódica pintura mural. Su obra es de tono clásico; se inclina a batir en frío su material, y a trabajarlo hasta conseguir un dibujo complicado.

been employed by the Colombian Legation in San José de Costa Rica.

PAZ, Octavio [Mexico]   Mexico, 1914-
   Raíz del hombre (1936) .
   Entre la piedra y la flor (1941)
   A la orilla del mundo (1942)
Octavio Paz was one of the founders of the important literary review *Taller* and is a member of the group which edits the no less important *El hijo pródigo*. In 1943 he was awarded one of the Guggenheim Latin-American fellowships. At present he is in the diplomatic service of his country in Paris.

PEDROSO, Regino [Cuba]   Unión de Reyes, 1896-
   Nosotros (1933)
   Antología poética: 1918-1938 (1939)
   Más allá canta el mar (1939)
Pedroso, who is of Chinese and Negro ancestry, has been a worker in the sugar, railroad and steel industries. He is one of the most powerful of the proletarian poets of Latin America.

PELLICER, Carlos [Mexico]   Villa Hermosa, 1899-
   Colores en el mar y otros poemas (1921)
   Piedra de sacrificios (1924)
   Seis, siete poemas (1924)
   Hora y 20 (1927)
   Camino (1929)
   Cinco poemas (1931)
   Hora de Junio (1937)
   Recinto (1941)
Pellicer, a member of the *Ulises* group, arranges his images in a kind of formal mural. His work is classical in tone: his tendency is to treat his material coldly, working it into a complicated design.

PEÑA BARRENECHEA, Enrique [Perú]　　　Lima, 1904-
- *El aroma en la sombra* (1926)
  Cínema de los sentidos puros (1931)
  Elegía a Bécquer y retorno a la sombra (1936)

Enrique Peña Barrenechea prestó sus servicios de diplomático en México y el Brasil. Es simbolista, y aunque su ámbito es limitado, logra líricas de gran pureza y finura, perpetuando así la tradición de Eguren.

PERALTA, Alejandro [Perú]　　　Puno, 1899-
  Ande (1926)
  El Kollao (1934)

Peralta es exponente que sobresale en el arte nativo, que en el Perú se llama *Indigenismo*. Es un poeta acentuadamente regional que combina el escenario andino con la imaginería extática análoga a la del primitivo expresionismo alemán. Asevera que su obra está influenciada por el lenguaje popular y la raza india, a la cual pertenece. En el hecho eleva él la poesía de sabor local a un plano de intensidad superior al conseguido por la mayoría de los escritores que pertenecen a este círculo.

PEREDA VALDES, Ildefonso [Uruguay]　Tacuarembó, 1899-
  La guitarra de los negros (1926)
  La casa iluminada (1927)
  Raza negra (1929)

Pereda Valdés se sumó al movimiento ultraísta español. Fundó la revista *Los Nuevos,* que marcó el comienzo del experimentalismo en el Uruguay. Desde 1927 es profesor de literatura en la Universidad de Montevideo. Gran parte de su obra trata de la vida y el folklore del negro, y es precursor de los poetas más jóvenes a quienes preocupa el mismo tema. También ha escrito poesías que tratan del gaucho e indio uruguayos. Sus tres compilaciones de crítica: *Línea de color, El negro rioplatense* y *Antología de la poesía negra americana,* son de inmenso valor para los estudiantes del pensamiento y de la poesía de los negros.

PEÑA BARRENECHEA, ENRIQUE [Peru] Lima, 1904-
El aroma en la sombra (1926)
Cinema de los sentidos puros (1931)
Elegía a Bécquer y retorno a la sombra (1936)
Enrique Peña Barrenechea served as a diplomat in Mexico and Brazil. He is a symbolist, and though his range is limited, he achieves lyrics of great delicacy and purity, carrying on the tradition of Eguren.

PERALTA, ALEJANDRO [Peru] Puno, 1899-
Ande (1926)
El Kollao (1934)
Peralta is an outstanding exponent of native art, which in Peru is called *Indigenismo*. He is a strongly regional poet who combines the Andean scene with an ecstatic imagery similar to that of early German expressionism. He maintains that his work is influenced by the popular speech and by the Indian race, to which he belongs. Actually he raises the poetry of local colour to a higher peak of intensity than do most writers who work in this medium.

PEREDA VALDES, ILDEFONSO [Uruguay] Tacuarembó, 1899-
La guitarra de los negros (1926)
La casa iluminada (1927)
Raza negra (1929)
Pereda Valdés was associated with the Spanish Ultraist movement. He founded the review *Los Nuevos*, which marked the beginning of experimentalism in Uruguay. Since 1927 he has been Professor of Literature in the University of Montevideo. Much of his work deals with the life and folklore of the Negro, and he is a precursor of the younger poets preoccupied with those themes. He has also written poetry dealing with the Uruguayan gauchos and Indians. His three critical compilations—*Línea de color, El negro rioplatense* and *Antología de la poesía negra americana*—are of immense value to the student of Negro thought and poetry.

QUEREMEL, Angel Miguel [Venezuela]
El barro florido (1923)
El trapecio de las imágenes (1926)
Tabla (1928)
Trayectoria (1928)
Santo y seña (1938)

Queremel pasó muchos años como funcionario consular en España, donde se asoció con el grupo que rodeaba a Lorca y Alberti. De ahí que su poesía hubiese crecido al calor de la escuela moderna española. Como sus maestros, se aplicó a las formas del romance. De regreso en Venezuela, se sumó a la agrupación *Viernes,* fundada en 1936 por algunos de los más jóvenes intelectuales venezolanos. Quizás se deba a la influencia de Queremel el que en la obra de varios de estos jóvenes poetas se encuentren dejos de misticismo español mezclado con ciertos hurtos de la técnica acumulativa del surrealismo. Queremel es considerado como uno de los iniciadores del renacimiento moderno en la poesía venezolana.

REYES, Alfonso [México]   Monterrey, 1889-
Huellas (1923)
Ifigenia cruel (1924)
Pausa (1926)
5 casi sonetos (1931)
Romances del Río de Enero (1933)
Golfo de México (1934)
Yerbas del Tarahumara (1934)
Otra voz (1936)
Villa de Unión (1940)

Alfonso Reyes, que ha servido a su país como Embajador en el Brasil y la Argentina, es considerado en todos los rincones de la América Hispana como uno de los literatos más eminentes de lengua española en este hemisferio. Es un profundo erudito, crítico avezado, y poeta de preclara estirpe.

ROKHA, Pablo de (Carlos Díaz Loyola) [Chile]
Los gemidos (1922)   Licantén, 1894-
Suramérica (1927)

QUEREMEL, Angel Miguel [Venezuela]

El barro florido (1923)   Coro, 1899-Caracas, 1939
El trapecio de las imágenes (1926)
Tabla (1928)
Trayectoria (1928)
Santo y seña (1938)

As a consular official Queremel spent many years in Spain, where he was associated with the group surrounding Lorca and Alberti. His poetry was therefore developed in the modern Spanish school, and, like his masters, he worked in the ballad forms. When he returned to Venezuela he joined the *Viernes* group, founded in 1936 by a number of the younger Venezuelan intellectuals. It is perhaps because of the influence of Queremel that an element of Spanish mysticism is found in the work of several of these young poets, mixed with certain borrowings from the associative technic of surrealism. Queremel is considered one of the initiators of the modern rebirth of Venezuelan poetry.

REYES, Alfonso [Mexico]   Monterrey, 1889-

Huellas (1923)
Ifigenia cruel (1924)
Pausa (1926)
5 casi sonetos (1931)
Romances del Río de Enero (1933)
Golfo de México (1934)
Yerbas del Tarahumara (1934)
Otra voz (1936)
Villa de Unión (1940)

Alfonso Reyes, who has served his country as Ambassador to Brazil and Argentina, is considered throughout Hispanic America one of the most eminent men of letters writing in Spanish in this hemisphere. He is a profound scholar, an acute critic, and a poet of the greatest distinction.

ROKHA, Pablo de (Carlos Díaz Loyola) [Chile]

Los gemidos (1922)   Licantén, 1894-
Suramérica (1927)

Jesucristo (1930)

Gran temperatura (1937)

Pablo de Rokha, descendiente de una familia burguesa de provincia, ha conocido la vida del comerciante activo, vendiendo muebles, objetos de arte y maquinaria agrícola. Ha editado tales revistas literarias como *Dínamo,* y ahora dirige *Multitud.* De 1932 a 1933 dictó clases de literatura en la Universidad de Chile, y en 1933 fué candidato a diputado por Santiago de Chile. Influenciado sin duda por Lautréamont, fué violento y acedo en su obra inicial. Su poesía reciente está fuertemente influenciada por Marx y Freud. Debe algo al surrealismo en el uso que hace de las imágenes y los símbolos, pero él es esencialmente un poeta heroico interesado en pregonar los conflictos que esta época suscita tanto entre el individuo y la sociedad como dentro de la sociedad misma.

ROKHA, Winétt de (Luisa Anabalón Sanderson) [Chile]

    Formas del sueño (1916)   Santiago, 1894-

    Cantoral (1936)

Winétt de Rokha se casó con Pablo de Rokha en 1916. Es ahora socia de él en la revista *Multitud.* Su obra se inspira en cierto modo en la de él, pero así y todo tiene cualidad propia. Sus escritos, en conjunto, denotan un esfuerzo de penetrar en las emociones personales para traducirlas a los términos corrientes de la colectividad. Hay gran fuerza y ternura en su poesía.

ROUMAIN, Jacques [Haïti]   Port au Prince, 1906-

Roumain est une figure dominante dans la jeune génération des poètes haïtiens. En plus de ses vers, qui ont paru dans de nombreux journaux et revues, il a publié un livre de critiques littéraires et un livre d'essais politiques.

ROUMER, Emile [Haïti]   Jérémie, 1903-

    Poèmes d'Haïti et de France

Roumer étudia à Port au Prince et plus tard il habita Paris et Manchester où il lut la littérature française et anglaise. Il continue la manière de Duraciné Vaval et emploie particulièrement la couleur locale. Sa poésie est remarquable pour sa sensualité tropicale.

Jesucristo (1930)

Gran temperatura (1937)

Pablo de Rokha, descended from a provincial bourgeois family, has led an active commercial life, selling furniture, art objects and agricultural machinery, and has edited such literary reviews as *Dínamo*. He is currently editing *Multitud*. In 1932-33 he gave a course in Literature at the University of Chile, and in 1933 was a candidate for the Chamber of Deputies at Santiago de Chile. His early work was violent and bitter, evidently influenced by Lautréamont. His later poetry is powerfully influenced by Marx and Freud. His use of images and symbols owes something to surrealism, but he is essentially an heroic poet interested in expressing the contemporary conflicts between the individual and society and within society itself.

ROKHA, Winétt de (Luisa Anabalón Sanderson) [Chile]

Formas del sueño (1916)   Santiago, 1894-

Cantoral (1936)

Winétt de Rokha became the wife of Pablo de Rokha in 1916. She is now associated with him in editing the review *Multitud*. Her work is somewhat influenced by his, but nevertheless it has its individual quality. Her writing as a whole represents an effort to transcend personal emotion and to translate it into more general social terms. Her poetry has force as well as tenderness.

ROUMAIN, Jacques [Haiti]   Port au Prince, 1906-

Roumain is a leading figure in the younger generation of Haitian poets. In addition to his verse, which has appeared in various periodicals and reviews, he has published a novel, a volume of literary criticism, and a book of political essays.

ROUMER, Emile [Haiti]   Jérémie, 1903-

Poèmes d'Haïti et de France

Roumer studied in Port au Prince and later lived in Paris and Manchester, where he read widely in French and English literature. He carries on the manner of Duraciné Vaval and makes particular use of local colour. His poetry is notable for its tropical sensuality.

SANCHEZ QUELL, Hipólito [Paraguay]   Asunción, 1907-
Sánchez Quell se preparó para la carrera de abogado y ha escrito
libros que versan sobre historia y literatura. Fué director del Ar-
chivo Nacional del Paraguay. Es profesor de Historia y Sociología
en la Universidad de Asunción.

SELVA, Salomón de la [Nicaragua]   1893-
   Tropical Town and Other Poems (1918)
   El soldado desconocido (1922)
Salomón de la Selva, que ha vivido en México, escribe versos potentes—algunas veces de carácter proletario—tanto en la forma
tradicional como libre. Ha publicado un tomo de poemas en inglés;
tradujo a Rubén Darío, y ha escrito artículos en inglés sobre la
poesía americana.

STORNI, Alfonsina [Argentina]
                        Suiza, 1892-Buenos Aires, 1938
   La inquietud del rosal (1916)
   El dulce daño (1918)
   Irremediablemente . . . (1919)
   Languidez (1920)
   Ocre (1925)
   Mundo de siete pozos (1934)
Alfonsina Storni nació en la Suiza italiana. Cuando vino a la
Argentina, vivió primero en San Juan y más tarde en Buenos
Aires. Fué profesora y periodista durante la mayor parte de su
vida. Su obra está llena de las preocupaciones de una mujer pro-
fesional en la ciudad. Como poetisa del amor, cuaja bien por
razón de su sencilla y sensual imaginería. Estilo y motivos suyos
han popularizado muchísimo su poesía.

SUASNAVAR, Constantino [Honduras]
   Números (1940)   Puerto de San Lorenzo, 1912-
Constantino Suasnavar ha dirigido la revista *Comizahual* y también el diario *El Norte*. Su poesía es espontánea, con gracejo proletario en el tono, y estructura de romance.

SANCHEZ QUELL, Hipólito [*Paraguay*]   Asunción, 1907-
Sánchez Quell was educated for the legal profession and has written books dealing with history and literature. He was Director of
the National Archive of Paraguay and Professor of History and
Sociology in the University of Asunción.

SELVA, Salomón de la [Nicaragua]   1893-
   Tropical Town and Other Poems (1918)
   El soldado desconocido (1922)
Salomón de la Selva, who has lived in Mexico, writes powerful
verse—sometimes proletarian in nature—in traditional and in free
forms. He has published a volume of poems in English, has trans-
lated Rubén Darío, and has written articles in English on Latin
American poetry.

STORNI, Alfonsina [Argentina]
                          Switzerland, 1892-Buenos Aires, 1938
   La inquietud del rosal (1916)
   El dulce daño (1918)
   Irremediablemente ... (1919)
   Languidez (1920)
   Ocre (1925)
   Mundo de siete pozos (1934)
Alfonsina Storni was born in Italian Switzerland. When she came
to Argentina, she lived first in San Juan and later in Buenos Aires.
Most of her life she was a schoolteacher and journalist. Her work is
full of the preoccupations of an urban professional woman. As a
love poet she is effective by reason of her simple, sensuous imagery.
Her style and subject matter have made her poetry extremely
popular.

SUASNAVAR, Constantino [Honduras]
   Números (1940)   Puerto de San Lorenzo, 1912-
Constantino Suasnavar has edited the review *Comizahual* and the
newspaper *El Norte*. His poetry is spontaneous, colourful, proletarian in tone, ballad-like in structure.

TIEMPO, César (Israel Zeitlin) [Argentina]   Yekaterinoslao
  Libro para la pausa del sábado (1930)   (Rusia), 1906-
  Sabatión argentino (1933)
  Sábadomingo (1938)
César Tiempo ha dirigido los diarios *Crítica* y *El Sol,* y ha ganado
un premio importante de poesía de la ciudad de Buenos Aires. El
es, esencialmente, un satirista y profeta. Redacta sus protestas contra
la sociedad en términos acedos y apocalípticos; ataca, particular-
mente, la ceguera de sus prójimos judíos.

TORRES BODET, Jaime [México]   México, 1902-
  Fervor (1918)
  La casa (1923)
  Los días (1923)
  Biombo (1925)
  Poesías (1926)
  Destierro (1930)
  Cripta (1937)
Torres Bodet se educó en la Universidad Nacional de México.
En 1936 y 1937, fué jefe del departamento diplomático del Minis-
terio de Relaciones Exteriores de México. Llegó a ser Subsecretario
de esta repartición en 1940. Estuvo asociado con el grupo de jóvenes
intelectuales que publicaban, bajo la dirección de Bernardo Ortiz
de Montellano, la revista *Contemporáneos.* Su verso muestra las
varias influencias que matizaron el movimiento poético en México.

VALLE, Rafael Heliodoro [Honduras]   Tegucigalpa, 1891-
  Anfora sedienta (1922)
Valle fué secretario de la Comisión de Límites de Honduras y
Guatemala que actuó en Washington entre 1918 y 1920. Actual-
mente, vive en México, donde desempeña el cargo de director de
publicaciones del Museo Nacional. Es compilador del autorizado
Indice de la Poesía Centroamericana (1941). Su obra personal sigue
la tradición del simbolismo conservador.

TIEMPO, César (Israel Zeitlin) [Argentina]   Ekaterinoslav
    Libro para la pausa del sábado (1930)   (Russia), 1906-
    Sabatión argentino (1933)
    Sábadomingo (1938)
César Tiempo has edited the newspapers *Crítica* and *El Sol* and
has won an important poetry award from the city of Buenos Aires.
He is essentially a satirist and a prophet. He couches his social
protest in bitter, apocalyptic language; and he attacks, in particular, the blindness and pretensions of his fellow Jews.

TORRES BODET, Jaime [Mexico]   Mexico, 1902-
    Fervor (1918)
    La casa (1923)
    Los días (1923)
    Poesías (1926)
    Biombo (1925)
    Destierro (1930)
    Cripta (1937)
Torres Bodet was educated at the National University of Mexico.
From 1936 to 1937 he was chief of the diplomatic division of the
Mexican State Department. In 1940 he became Undersecretary of
State. He was associated with the group of young intellectuals who
published the review *Contemporáneos* under the direction of Ber-
nardo Ortiz de Montellano. His verse displays the various influ-
ences which coloured the poetic movement in Mexico.

VALLE, Rafael Heliodoro [Honduras]   Tegucigalpa, 1891-
    Ánfora sedienta (1922)
Valle was secretary of the Boundary Commission of Honduras
and Guatemala which functioned in Washington from 1918 to
1920. At present he lives in Mexico, where he holds the position of
Director of Publications of the National Museum. He is the com-
piler of the authoritative *Indice de la poesía centramericana* (1941).
His own work is in the conservative symbolist tradition.

VALLEJO, César [Perú]   Santiago de Chuco, 1895-París, 1937
   Los heraldos negros (1918)
   Trilce (1922)
   Poemas humanos (1939)
   España, aparta de mí este cáliz (1940)
Vallejo procede de una familia de la clase media, habiendo sido su padre, en alguna ocasión, alcalde del villorrio en que naciera. Su primera obra fué una interpretación amarga de la vida provincial. Este libro representó también su rompimiento con el simbolismo y tuvo un efecto profundo en la poesía contemporánea del Perú. Poco después de su publicación el poeta fué injustamente acusado de robo e incendio, a raíz de lo cual fué enjuiciado y encarcelado durante varios meses. El sufrimiento ocasionado por esta experiencia se refleja en partes de su segundo libro, *Trilce*. Incapaz de soportar el ambiente provincial, Vallejo se fué a Europa en 1923. Vivió en extrema pobreza en España y Francia, ocupándose en el periodismo y publicando alguna que otra poesía. Pudo sin embargo escribir varios dramas. La guerra civil española lo conmovió profundamente. En su lecho de muerte, en París, el vocablo *España* estuvo constantemente en sus labios. Su último libro fué impreso por los soldados del Ejército del Este en papel elaborado por ellos mismos, pero toda la edición fue destruída a la caída de Cataluña, y los poemas fueron reimpresos en México, después de su muerte, en 1940. Vallejo fué realmente un gran poeta de alta talla en la literatura moderna. Su poderosa imaginación y su personalísimo y complicado estilo hacen difícil el traducirlo: sus imágenes se desenvuelven a veces en dos y tres planos distintos, a pesar de que raramente se asocian ellas, al modo surrealista, con flojedad. Su humanitarismo y filosofía social están mejor ejemplificados en su libro póstumo, *Poemas humanos,* publicado en París por su viuda. *España, aparta de mí este cáliz* contiene poemas verdaderamente heroicos y que constituyen probablemente las páginas más bellas inspiradas por la agonía de España.

VARALLANOS, José [Perú]   Huánuco, 1905.
   El hombre del Ande que asesinó su esperanza (1928)
   Primer cancionero cholo (1936)
   Elegía en el mundo (1940)

VALLEJO, César [Peru]   Santiago de Chuco, 1895-Paris, 1937
  Los heraldos negros (1918)
  Trilce (1922)
  Poemas humanos (1939)
  España, aparta de mí este cáliz (1940)
Vallejo came of a middle class family, his father having been at one time mayor of the small town in which he was born. His first work was a bitter interpretation of provincial life. This book also represented a break with symbolism and had a profound effect upon contemporary poetry in Peru. Shortly after its publication the poet was unjustly accused of robbery and arson, prosecuted, and kept in jail for some months. The suffering occasioned by this experience is reflected in portions of his second book, *Trilce*. Unable to endure the provincial atmosphere, Vallejo left for Europe in 1923. He lived in extreme poverty in Spain and France, occupying himself with journalism and publishing but little poetry. He did, however, write several plays. The Spanish Civil War affected him profoundly. On his death bed in Paris the word 'Spain' was constantly on his lips. His last book was set up by soldiers of the Army of the East and printed on paper which they themselves made, but the entire edition was destroyed in the collapse of Cataluña, and the poems were posthumously printed in Mexico in 1940. Vallejo was a truly great poet and an important figure in modern letters. A powerful imagination and a personal and highly complicated style make him difficult to translate: his images sometimes work on two or even three levels, although they are seldom loosely associative in the surrealist manner. His humanitarianism and social philosophy are best exemplified in the posthumous book *Poemas humanos,* published in Paris by his widow. *España, aparta de mí este cáliz* contains poems that are truly heroic and probably the finest writing inspired by the agony of Spain.

VARALLANOS, José [Peru]   Huánuco, 1905-
  El hombre del Ande que asesinó su esperanza (1928)
  Primer cancionero cholo (1936)
  Elegía en el mundo (1940)

José Varallanos es abogado. En 1936 dirigió la revista *Altura*. Se distingue por haber intentado fundar un tipo nuevo de poesía: el *romance cholo,* suerte de romance mestizo, que contrasta con la poesía sacada de las tradiciones indígenas.

VASQUEZ, EMILIO [Perú]   Puno, 1903-
    Altipampa (1933)
    Tawantinsuyo (1935)
Vásquez es miembro de la escuela indigenista de Puno. Desparrama vocablos indios por sus escritos y ensalza los encantos de las doncellas indias. Su poesía es más delicada que la de Peralta, pero es del mismo estilo.

VAVAL, DURACINÉ [Haïti]   Aux Cayes, 1879-
    Stances haïtiennes (1912)
Vaval étudia à Paris et fut professeur à Port au Prince et juge au Tribunal de Cassation. Il dirigea les Légations de Londres et de la Havane de 1909 à 1911. Fondateur de l'école Parnasso-Symboliste, il participa à la création d'une littérature nationale.

VIGNALE, PEDRO JUAN [Argentina]   Buenos Aires, 1903-
    Alba (1922)
    Retiro (1923)
    Naufragios y un viaje por tierra firme (1925)
    Canciones para los niños olvidados (1929)
Con *Canciones,* Vignale obtuvo el primer premio de poesía de la ciudad de Buenos Aires. Dirigió *Martín Fierro,* revista que desempeñó un papel importante en la evolución de la poesía moderna argentina. Se expresa él en verso pictórico, inspirado por motivos costumbristas.

José Varallanos is a lawyer. In 1936 he edited the review *Altura*. He is noteworthy for having attempted to found a new type of poetry, the *romance cholo*, or balladry of the *mestizos*, as distinct from the poetry which is drawn from the Indian tradition.

VASQUEZ, Emilio [Peru]   Puno, 1903-
　　Altipampa (1933)
　　Tawantinsuyo (1935)
Vásquez is a member of the Puno indigenist school. He scatters Indian words throughout his writing and celebrates the charms of Indian girls. His poetry is more delicate than that of Peralta, but is similar in style.

VAVAL, Duraciné [Haiti]   Aux Cayes, 1879-
　　Stances haïtiennes (1912)
Vaval studied in Paris and has been a teacher in Port au Prince and a judge in the Court of Appeals. He headed the Legations in London and in Havana from 1909 to 1911. A founder of the Parnasso-Symbolist school, he was a pioneer in the creation of a national literature.

VIGNALE, Pedro Juan [Argentina]   Buenos Aires, 1903-
　　Alba (1922)
　　Retiro (1923)
　　Naufragios y un viaje por tierra firme (1925)
　　Canciones para los niños olvidados (1929)
With *Canciones* Vignale obtained the first prize for poetry from the city of Buenos Aires. He was editor of *Martín Fierro*, a review which played a leading rôle in the modern movement in Argentinian poetry. He expresses himself in pictorial verse inspired by genre subjects.

VILLAURRUTIA, Xavier [México]   México, 1904-.
  Reflejos (1926)
  Nocturnos (1933)
  Nostalgia de la muerte (1938)
  Décima muerte (1941)
Xavier Villaurrutia, que fué alumno de la Escuela Dramática de
Yale, se recibió en la Escuela Nacional de Jurisprudencia. Es uno
de los miembros más destacados de la agrupación *Ulises*. Fundó
en 1928 el Teatro Ulises, que fué el primero experimental en Mé-
xico. Ha escrito varios dramas y traducido obras de los principales
dramaturgos europeos.

WESTPHALEN, Emilio Adolfo von [Perú]   Lima, 1910-
  Las ínsulas extrañas (1933)
  Abolición de la muerte (1935)
Westphalen proyectó labrarse la carrera de ingeniero, pero la aban-
donó por la literatura. Se educó en la Escuela Alemana de Lima
y devino un protegido de Martín Adán. Está ahora asociado con
César Moro y es uno de los dirigentes surrealistas. Westphalen no
ha escapado a la influencia de André Bretón y Luis Aragón, aunque
su obra es de una sensibilidad algo más austera que la de aquéllos.

XAMMAR, Luis Fabio [Perú]   Lima, 1911-
  Pensativamente (1930)
  Las voces armoniosas (1932)
  Waino (1937)
Xammar enseña literatura en la Universidad de San Marcos. Se
vió primeramente influenciado por Enrique Peña Barrenechea,
mas, después, se concretó a temas pura y simplemente peruanos,
reteniendo, entretanto, las formas del romance español.

VILLAURRUTIA, Xavier [Mexico]   Mexico, 1904-
  Reflejos (1926)
  Nocturnos (1933)
  Nostalgia de la muerte (1938)
  Décima muerte (1941)

Xavier Villaurrutia, who was at one time a student in the Yale
School of the Drama, is a graduate of the National School of Jurisprudence. He is one of the most prominent members of the *Ulises*
group, and in 1928 he founded the Ulises Theatre, the first experimental theatre in Mexico. He has written plays and translated
works of the leading European dramatists.

WESTPHALEN, Emilio Adolfo von [Peru]   Lima, 1910-
  Las ínsulas extrañas (1933)
  Abolición de la muerte (1935)

Westphalen planned a career in engineering, but dropped it for
writing. He was educated at the Deutsche Schule in Lima and became a protégé of Martín Adán. He is now associated with César
Moro as one of the leaders of the surrealists. Westphalen has been
influenced by André Breton and Louis Aragon, although his work
is rather more austere in feeling than theirs.

XAMMAR, Luis Fabio [Peru]   Lima, 1911-
  Pensativamente (1930)
  Las voces armoniosas (1932)
  Waino (1937)

Xammar teaches literature in the University of San Marcos. He
was at first influenced by Enrique Peña Barrenechea, but later he
turned to purely Peruvian themes, while retaining much of the
Spanish ballad-form.

Los Traductores
THE TRANSLATORS

J. P. B.	John Peale Bishop
B. L. C.	Blanca López Castellón
M. B. D.	Milton Ben Davis
A. F.	Angel Flores
D. F.	Dudley Fitts
R. S. F.	Robert Stuart Fitzgerald
H. R. H.	H. R. Hays
L. H.	Langston Hughes
R. H.	Rolfe Humphries
T. L.	Thelma Lamb de Ortiz de Montellano
M. L.	Muna Lee de Muñoz Marín
L. M.	Lloyd Mallan
R. O'C.	Richard O'Connell
D. P.	Dudley Poore
J. R. F.	José Rodríguez Feo
J. S.	Joseph Staples
D. D. W.	Donald Devenish Walsh

Indice Onomástico
INDEX OF NAMES

651

Indice

Index

AUGSBURG COLLEGE AND SEMINARY
LIBRARY WITHDRAWN MINN.